vente

Curso de español lengua extranjera

1

Libro del alumno

Fernando Marín
Reyes Morales

edelsa
GRUPO DIDASCALIA, S.A.

MULTIDISPOSITIVOS

Puedes ver y trabajar
con el libro digitalizado de **ven**te
en cualquier soporte.

MATERIAL COMPLEMENTARIO

En www.edelsa.es

ZONA ESTUDIANTE · DESCARGA GRATUITA

tuaulavirtual
amplía tus conocimientos on-line

Tu aulavirtual
es una multiplataforma visible en cualquier dispositivo
PC, Mac, tablets Android, iPad y iPhone

¡Regístrate!

ÍNDICE

Tema	Competencia pragmática ▼	Competencia lingüística ▼	Competencia sociolingüística ▼	Interactúa ▼
	Eres capaz de...	Puedes...	Conoces...	
IDENTIFICARSE 1 p. 7	▶ saludar y presentar a otros ▶ dar y pedir información personal: nombre, nacionalidad, domicilio y profesión ▶ confirmar o corregir información y preguntar el significado de una palabra ▶ preguntar cómo se dice algo en español	▶ deletrear ▶ usar signos de puntuación ▶ distinguir masculino y femenino de nombres y adjetivos ▶ conjugar los verbos *trabajar, vivir, llamarse* y *ser*, en presente ▶ usar los interrogativos	▶ los nombres de las profesiones ▶ las nacionalidades ▶ Hispanoamérica	▶ presentas a estos famosos
PRIMER CONTACTO 2 p. 19	▶ presentar e identificar a otros ▶ saludar de manera formal e informal ▶ dar y pedir el número de teléfono	▶ formar el plural de nombres y adjetivos ▶ utilizar los adjetivos posesivos (I) ▶ utilizar los pronombres demostrativos ▶ conjugar verbos regulares -AR, -ER, -IR en presente	▶ los nombres de profesiones y sus herramientas ▶ los saludos y las despedidas ▶ los números de 0 a 10 ▶ España	▶ entrevistas a unos clientes
RELACIONES FAMILIARES 3 p. 31	▶ hablar de tu familia ▶ describir a una persona ▶ preguntar y decir la edad	▶ utilizar los artículos determinados ▶ hacer la concordancia nombre adjetivo ▶ utilizar los adjetivos posesivos (II) ▶ conjugar algunos verbos irregulares en presente: *tener, salir* y *hacer*	▶ los nombres de la familia ▶ el estado civil ▶ los adjetivos calificativos de descripción física y de carácter ▶ la familia en España y en México	▶ describes a un familiar
EN CASA 4 p. 43	▶ buscar una habitación en piso compartido ▶ elegir un piso ▶ utilizar los ordinales	▶ utilizar el pronombre interrogativo *cuánto* y los cuantificadores ▶ diferenciar *ser* para describir y *estar* para localizar ▶ utilizar los grados de intensidad ▶ conjugar los verbos *estar, venir, poner* en presente ▶ emplear las locuciones adverbiales de localización	▶ los nombres de los objetos de una casa ▶ las características de un piso ▶ la vivienda en España, México y Argentina	▶ describes tu habitación
POR LA CIUDAD 5 p. 55	▶ entender y dar indicaciones en la calle ▶ localizar establecimientos ▶ preguntar y decir la hora	▶ utilizar los artículos indeterminados ▶ diferenciar *hay* y *está(n)* ▶ conjugar los verbos *ir, seguir, cerrar* y *dar*, en presente ▶ utilizar las preposiciones y adverbios de lugar	▶ los números de cien a un millón ▶ los nombres de los espacios urbanos y las tiendas ▶ las ciudades de España y de Hispanoamérica con el mismo nombre	▶ organizas una visita turística
DÍA A DÍA 6 p. 67	▶ hablar de tus hábitos diarios ▶ quedar con alguien (I) ▶ hablar de aficiones y deportes ▶ decir si tenéis gustos en común	▶ conjugar verbos reflexivos ▶ usar el verbo *gustar* en todas sus formas ▶ usar *también* y *tampoco* ▶ utilizar las preposiciones *a, de, en, con*	▶ los hábitos diarios ▶ los deportes ▶ un día en la vida de los españoles	▶ haces una encuesta sobre hábitos
LA COMIDA 7 p. 79	▶ hacer la compra ▶ preparar una comida ▶ pedir la comida en un restaurante ▶ pedir y ofrecer un favor ▶ dar instrucciones ▶ hacer la lista de la compra	▶ usar los adjetivos y pronombres demostrativos ▶ utilizar verbos irregulares con diptongo en presente ▶ conjugar los verbos en imperativo afirmativo ▶ utilizar algunos verbos irregulares en imperativo afirmativo	▶ los nombres de los alimentos y de los platos ▶ los pesos y recipientes ▶ la tortilla española y la hispanoamericana	▶ explicas tu receta favorita

Tema	Competencia pragmática ▼	Competencia lingüística ▼	Competencia sociolingüística ▼	Interactúa ▼
	Eres capaz de...	Puedes...	Conoces...	
ROPA Y COMPLEMENTOS 8 p. 91	▶ ir de compras ▶ elegir la ropa ▶ describir la ropa y dar tu opinión	▶ utilizar los pronombres personales de complemento directo ▶ emplear el pronombre relativo *que* ▶ conjugar los verbos *quedar y parecer*	▶ los nombres de los complementos de moda ▶ una firma de moda española muy conocida: Zara ▶ las tiendas de ropa preferidas de los españoles	▶ compras por Internet
QUEDAR CON AMIGOS 9 p. 103	▶ quedar con alguien (II) ▶ invitar, aceptar o rechazar una invitación ▶ hablar de lo que haces ahora ▶ decir cuándo se celebra algo	▶ usar *tener que* + infinitivo ▶ usar *estar* + gerundio ▶ conjugar los verbos irregulares: *oír, jugar* y *conocer*	▶ los meses del año y las estaciones ▶ los nombres de las actividades de ocio ▶ los Sanfermines	▶ quedas este fin de semana
HACER PLANES 10 p. 115	▶ expresar intenciones ▶ hacer planes y responder a las propuestas ▶ hacer una llamada de teléfono	▶ usar *ir a* + infinitivo ▶ expresar causa: *¿por qué?* y *porque* ▶ utilizar los marcadores temporales con presente y futuro ▶ colocar los pronombres de complemento directo y reflexivos	▶ los nombres de actividades turísticas ▶ la belleza natural de Costa Rica	▶ eliges un viaje
PROBLEMAS DE SALUD 11 p. 127	▶ hablar de la salud ▶ expresar posibilidad, permiso y obligación ▶ hablar del cuerpo humano	▶ utilizar los marcadores de frecuencia ▶ conjugar el verbo *doler* ▶ usar *tener que, hay que, deber* y *poder*	▶ las partes del cuerpo humano ▶ los nombres relacionados con la sanidad ▶ unos datos sobre la salud en España	▶ respondes a consultas *on-line*
ÚLTIMAS NOTICIAS 12 p. 139	▶ dar noticias y hablar de hechos recientes ▶ hablar de lo que ya se ha hecho y de lo que no se ha hecho todavía ▶ expresar estados de ánimo y reaccionar ante las noticias	▶ conjugar verbos en pretérito perfecto compuesto ▶ usar los marcadores temporales con el pretérito perfecto compuesto ▶ utilizar los pronombres y adjetivos indefinidos	▶ el nombre de los estados de ánimo ▶ los medios de comunicación ▶ la prensa en español	▶ cuentas experiencias recientes
AYER EN EL TRABAJO 13 p. 151	▶ contar hechos pasados ▶ pedir excusas ▶ expresar el estado de ánimo	▶ conjugar verbos regulares e irregulares en pretérito perfecto simple ▶ usar los marcadores temporales con el pretérito perfecto simple ▶ utilizar los pronombres de objeto directo e indirecto	▶ los nombres de los muebles y objetos de un despacho ▶ la vida de dos grandes pintores	▶ analizas los errores
VIAJES DE ANTES 14 p. 163	▶ contar costumbres del pasado ▶ comparar ▶ expresar la posesión ▶ hablar del tiempo meteorológico	▶ conjugar verbos en pretérito imperfecto ▶ usar las estructuras comparativas y los adjetivos comparativos irregulares ▶ utilizar los pronombres posesivos	▶ los nombres relacionados con los viajes ▶ los viajes de los grandes navegantes del siglo XVI en América	▶ preguntas por los servicios de un hotel

IDENTIFICARSE

1

Competencia pragmática ▼	Competencia lingüística ▼	Competencia sociolingüística ▼	Interactúa ▼
Eres capaz de...	**Puedes...**	**Conoces...**	▶ presentas a estos famosos

<table>
<tr><td>

Eres capaz de...

▶ saludar y presentar a otros

▶ dar y pedir información personal: nombre, nacionalidad, domicilio y profesión

▶ confirmar o corregir información y preguntar el significado de una palabra

▶ preguntar cómo se dice algo en español

</td><td>

Puedes...

▶ deletrear

▶ usar signos de puntuación

▶ distinguir masculino y femenino de nombres y adjetivos

▶ conjugar los verbos *trabajar*, *vivir*, *llamarse* y *ser*, en presente

▶ usar los interrogativos

</td><td>

Conoces...

▶ los nombres de las profesiones

▶ las nacionalidades

▶ Hispanoamérica

</td></tr>
</table>

RELACIONA
FOTOS CON PALABRAS.

¿QUÉ FRASES SON ESPAÑOLAS?

☐ Me llamo Isabel.

☐ I live in New York.

☐ Vivo en Nueva York.

☐ Wie geht's?

☐ ¿Qué tal?

☐ Je m'appelle Isabelle.

a. TOLEDO

b. PROFESORA

c. COLOMBIA

d. ¡HOLA!

Lección 1

En un Congreso Internacional de Estudiantes y Profesores de Español en Cartagena de Indias, Colombia, los participantes se presentan.

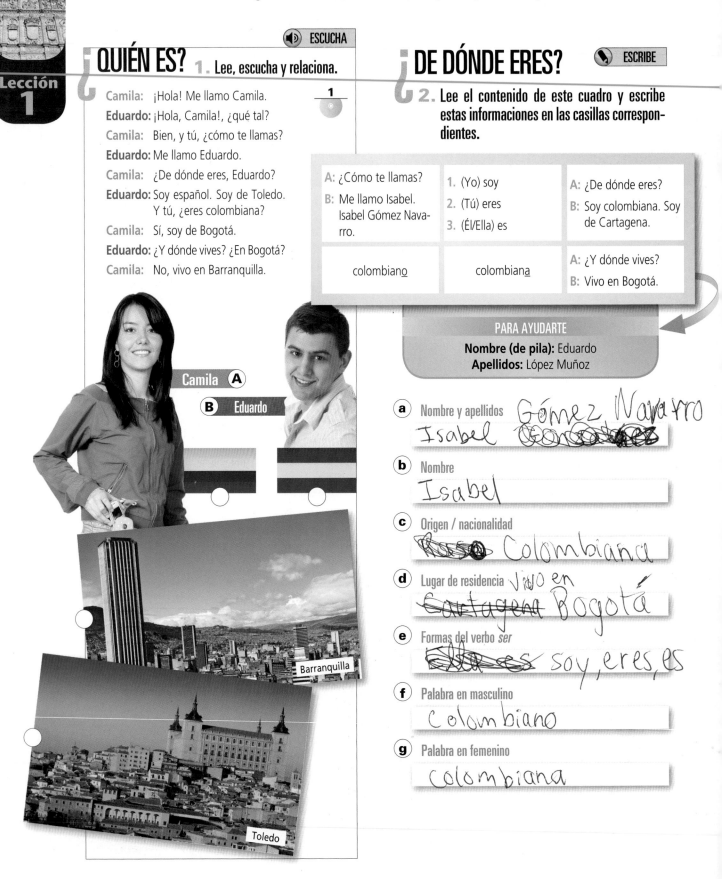

¿QUIÉN ES?

🔊 **ESCUCHA**

1. Lee, escucha y relaciona.

1 💿

Camila: ¡Hola! Me llamo Camila.

Eduardo: ¡Hola, Camila!, ¿qué tal?

Camila: Bien, y tú, ¿cómo te llamas?

Eduardo: Me llamo Eduardo.

Camila: ¿De dónde eres, Eduardo?

Eduardo: Soy español. Soy de Toledo. Y tú, ¿eres colombiana?

Camila: Sí, soy de Bogotá.

Eduardo: ¿Y dónde vives? ¿En Bogotá?

Camila: No, vivo en Barranquilla.

¿DE DÓNDE ERES?

✏️ **ESCRIBE**

2. Lee el contenido de este cuadro y escribe estas informaciones en las casillas correspondientes.

A: ¿Cómo te llamas? **B:** Me llamo Isabel. Isabel Gómez Navarro.	**1.** (Yo) soy **2.** (Tú) eres **3.** (Él/Ella) es	**A:** ¿De dónde eres? **B:** Soy colombiana. Soy de Cartagena.
colombia<u>no</u>	colombia<u>na</u>	**A:** ¿Y dónde vives? **B:** Vivo en Bogotá.

PARA AYUDARTE

Nombre (de pila): Eduardo
Apellidos: López Muñoz

Camila **(A)**

(B) Eduardo

Barranquilla

Toledo

(a) Nombre y apellidos *Isabel Gómez Navarro*

(b) Nombre *Isabel*

(c) Origen / nacionalidad *Colombiana*

(d) Lugar de residencia *Vivo en ~~Cartagena~~ Bogotá*

(e) Formas del verbo *ser* *soy, eres, es*

(f) Palabra en masculino *Colombiano*

(g) Palabra en femenino *colombiana*

NOS PRESENTAMOS

3. En parejas inventa una personalidad con datos de distintas cajas y pregunta a tu compañero.

¿Cómo te llamas? ¿De dónde eres?
¿Dónde vives?

💬 COMUNICA

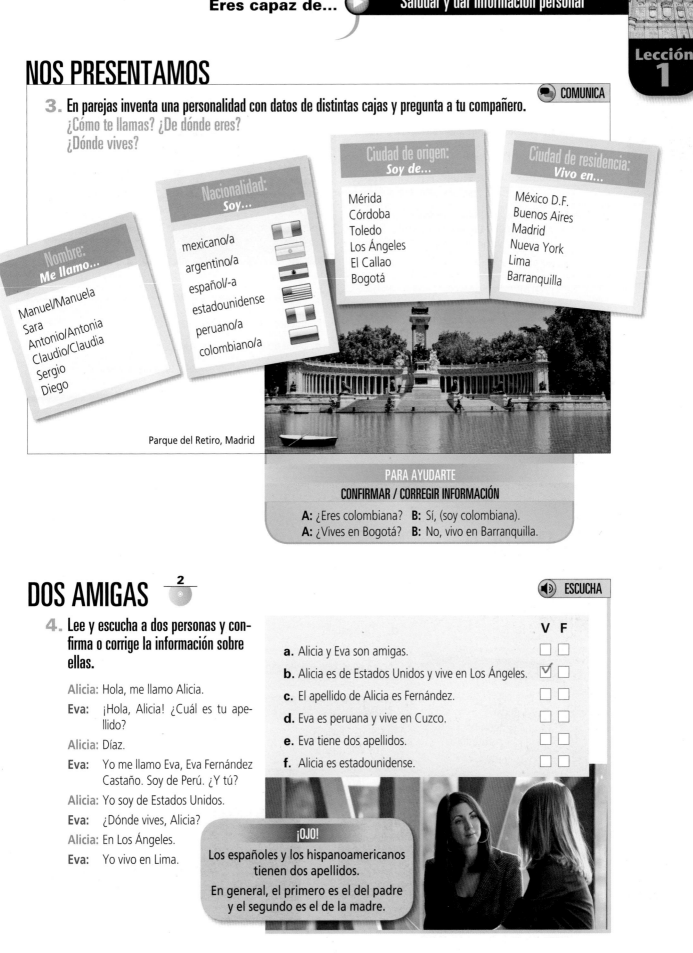

Nombre:
Me llamo...

Manuel/Manuela
Sara
Antonio/Antonia
Claudio/Claudia
Sergio
Diego

Nacionalidad:
Soy...

mexicano/a
argentino/a
español/-a
estadounidense
peruano/a
colombiano/a

Ciudad de origen:
Soy de...

Mérida
Córdoba
Toledo
Los Ángeles
El Callao
Bogotá

Ciudad de residencia:
Vivo en...

México D.F.
Buenos Aires
Madrid
Nueva York
Lima
Barranquilla

Parque del Retiro, Madrid

PARA AYUDARTE

CONFIRMAR / CORREGIR INFORMACIÓN

A: ¿Eres colombiana? **B:** Sí, (soy colombiana).
A: ¿Vives en Bogotá? **B:** No, vivo en Barranquilla.

DOS AMIGAS 🔘2

🔊 ESCUCHA

4. Lee y escucha a dos personas y confirma o corrige la información sobre ellas.

Alicia: Hola, me llamo Alicia.

Eva: ¡Hola, Alicia! ¿Cuál es tu apellido?

Alicia: Díaz.

Eva: Yo me llamo Eva, Eva Fernández Castaño. Soy de Perú. ¿Y tú?

Alicia: Yo soy de Estados Unidos.

Eva: ¿Dónde vives, Alicia?

Alicia: En Los Ángeles.

Eva: Yo vivo en Lima.

	V	F
a. Alicia y Eva son amigas.	☐	☐
b. Alicia es de Estados Unidos y vive en Los Ángeles.	☑	☐
c. El apellido de Alicia es Fernández.	☐	☐
d. Eva es peruana y vive en Cuzco.	☐	☐
e. Eva tiene dos apellidos.	☐	☐
f. Alicia es estadounidense.	☐	☐

¡OJO!

Los españoles y los hispanoamericanos tienen dos apellidos.

En general, el primero es el del padre y el segundo es el de la madre.

Lección 2

SOY VETERINARIA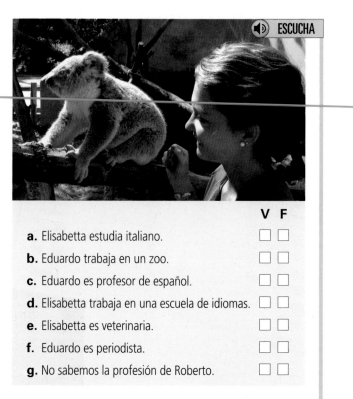

🔊 ESCUCHA

1. Lee, escucha y responde verdadero o falso.

Eduardo: Elisabetta, ¿tú, qué haces?

Elisabetta: Bueno, estudio español y trabajo en un zoo. Soy veterinaria.

Eduardo: ¿Sí? Pues yo soy profesor de español y también estudiante. Estudio italiano en una escuela de idiomas.

Elisabetta: ¿Ah, sí?

…

Elisabetta: Eduardo, te presento a un amigo. Se llama Roberto, Roberto Martínez Galán. Este es Eduardo. Es español, de Toledo. Es profesor de español.

Eduardo: Hola, Roberto. ¿De dónde eres?

Roberto: Soy mexicano. De Mérida.

Eduardo: ¿Y qué haces?

Roberto: Soy periodista.

	V	F
a. Elisabetta estudia italiano.	☐	☐
b. Eduardo trabaja en un zoo.	☐	☐
c. Eduardo es profesor de español.	☐	☐
d. Elisabetta trabaja en una escuela de idiomas.	☐	☐
e. Elisabetta es veterinaria.	☐	☐
f. Eduardo es periodista.	☐	☐
g. No sabemos la profesión de Roberto.	☐	☐

HÁBLAME DE TI

✏️ ESCRIBE

2. Relaciona la pregunta con la respuesta.

a. ¿Qué estudias?
b. ¿Dónde trabajas?
c. ¿Estudias o trabajas?
d. ¿Qué haces?

1. Trabajo en un hospital.
2. Soy médico.
3. ¿Yo? Trabajo.
4. Estudio Relaciones Internacionales.

Preguntar por la profesión

¿Tú, qué haces?
¿Qué estudias?
¿A qué te dedicas?
¿Cuál es tu profesión?
¿En qué trabajas?

LA PROFESIÓN U OCUPACIÓN

Decir su profesión u ocupación

Estudio italiano.
Soy veterinaria.

Hablar del lugar de trabajo

Estudio en la universidad.
Trabajo en un zoo.

Universidad Deusto, Bilbao, España

💬 **COMUNICA**

¿QUÉ HACES?

3. En grupos, A pregunta a B por su profesión: ¿Qué haces?/¿A qué te dedicas?/¿Cuál es tu profesión? B responde con alguna profesión y pregunta a C: *Soy veterinario. Y tú, ¿qué haces?* C sigue y pregunta a D, etc.

ABOGADO

ARTISTA

DEPENDIENTA

EMPLEADO

Él es...

abogado
artista
dependiente
empleado
médico
periodista
estudiante
profesor
vendedor
veterinario

Ella es...

abogada
artista
dependienta
empleada
médica
periodista
estudiante
profesora
vendedora
veterinaria

Él / Ella...

... trabaja en una escuela/consulta/empresa/un banco.

... estudia en la universidad/en la escuela de...

MÉDICO

PERIODISTA

ESTUDIANTE

PROFESORA

VENDEDOR

VETERINARIA

¡AQUÍ UN AMIGO! 💬 **INTERACTÚA**

4. Ahora hablamos con otras personas, y les presentamos a un compañero.

Escribe tus datos en un papel. Tu compañero te presenta a otra persona.

Marta Díaz Pérez	Chile/Santiago de Chile
Barcelona	Empleada en un banco

Ejemplo: *Te presento a Marta Díaz Pérez. Es chilena, de Santiago de Chile, y vive en Barcelona. Es empleada, trabaja en un banco.*

PRESENTACIONES

Te presento a...
Es de... /Es...

INFORMACIÓN

Es (de)...
Vive en...

UNA EMPRESA

UN BANCO

UNA CONSULTA

UNA ESCUELA

1 Puedes... ▶ Distinguir masculino y femenino de nombres y adjetivos, conjugar

GÉNERO DE NOMBRES Y ADJETIVOS		
	Masculino	Femenino
terminados en -o	el veterinario	la veterinaria
terminados en consonante	Él es francés.	Ella es francesa.
con la misma terminación	el/la periodista el/la estudiante Él/Ella es iraní. Él/Ella es canadiense.	

Evalúate

Total ____ / 52

1. Completa los adjetivos de nacionalidad en masculino o femenino.

Nacionalidad		
País	Masculino	Femenino
a. Japón	japonés	....
b. Alemania	alemán	....
c. Francia	....	francesa
d. Estados Unidos	....	estadounidense
e. China	chino	....
f. España	español	....
g. Grecia	....	griega
h. Marruecos	marroquí	....
i. Brasil	brasileño	....
j. Suecia	....	sueca

/ 10

2. Escribe las terminaciones de género correctas.

Ejemplo: Matías es un abogad**o** mexicano.

a. Ana es una periodist__ española.
b. Luiz Afonso es un profesor brasileñ__.
c. Hiroto es un veterinari__ japonés.
d. Carla es una camarer__ italiana.
e. Diane es una tenist__ estadounidense.

f. Stavros es un pintor grieg__.
g. Sven es un estudiante suec__.
h. Ahmed es un médic__ marroquí.
i. Bing Qing es una artista chin__.
j. Anne es una emplead__ francesa.

VERBOS EN PRESENTE				
	TRABAJAR	VIVIR	LLAMARSE	SER
(Yo)	trabajo	vivo	me llamo	soy
(Tú)	trabajas	vives	te llamas	eres
(Él/ella/Ud.)	trabaja	vive	se llama	es
(Nosotros/as)	trabajamos	vivimos	nos llamamos	somos
(Vosotros/as)	trabajáis	vivís	os llamáis	sois
(Ellos/as/Uds.)	trabajan	viven	se llaman	son

/ 10

3. **Completa con *trabajar*, *vivir*, *ser* o *llamarse* en presente.**

   a. Ella ....*se llama*.... Pilar, ...*es*... médica y ...*trabaja*.... en un hospital.

   b. Pablo y Laura ....*son*.... hermanos, ...*viven*.... en Canadá. ...*son*.... canadienses.

   c. - Me presento: ...*Me llamo*... Sonia, ...*trabajo*.... en Madrid en una gran empresa, ...*soy*...
      de Soria y ....*vivo*..... en Segovia.
      - ¡...*vives*.... en Segovia y ...*trabajas*.... en Madrid!

   d. Nosotros ...*somos*.... camareros, ...*trabajamos*... en un restaurante muy conocido.

   e. - ¿Y vosotras, de dónde ...*sois*....?
      - ...*somos*.... portuguesas.

/ 16

4. **Relaciona las columnas y forma frases.**

a. Se	son	argentinos
b. Me	trabaja	camarera
c. Carmelo y yo	vivimos	en una tienda
d. Adrián	es	en La Habana
e. Natalia y Sofía	llama	Lola
f. Ellos	trabajáis	españolas
g. Vosotras	llamo	Pedro
h. Manuela	son	en el mismo banco

Se llama Lola/Pedro
Me llamo
Adrian trabajáis en una tienda
e) f) ellos son argentinos
Manuela es camarera

/ 8

5. **Lee estas fichas y presenta a estas personas por escrito. Luego, preséntate tú.**

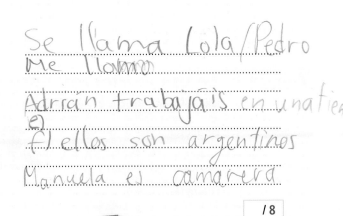

Nombre: Javier
Apellidos: Maldonado Ruiz
Trabajo: médico
Domicilio: Madrid
Nacionalidad: española

INTERROGATIVOS	
Preguntar...	
nombre y apellidos	**¿*Cómo* te llamas?**
el significado	**¿*Cómo* se dice?**
por el lugar de residencia	**¿*Dónde* vives?**
por el origen/la nacionalidad	**¿*De dónde* eres?**
por el trabajo	**¿*Qué* haces?**

Nombre: Ingrid
Apellidos: Rodríguez Martínez
Trabajo: periodista
Domicilio: Mérida
Nacionalidad: mexicana

6. **Elige la opción correcta y relaciona cada pregunta con su respuesta.**

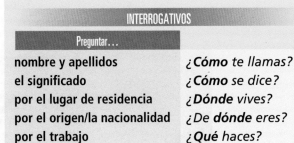

   a. ¿De *dónde*/qué eres? ¿De Cuba?
   b. ¿*Cómo*/Qué haces?
   c. ¿Qué/*Dónde* trabajas?
   d. ¿De *qué*/dónde sois?
   e. ¿Dónde/*Cómo* se escribe «veterinaria», con «b» o con «v»?
   f. ¿*Cómo*/Qué te llamas?
   g. ¿Qué/*Dónde* vives? ¿En Barcelona?
   h. ¿Cómo/*Qué* se dice en español *ticket*?

   1. No, en Valencia.
   2. Billete o tique.
   3. Sí, soy cubana.
   4. Soy profesor.
   5. Alfredo.
   6. De Manchester.
   7. En un hotel.
   8. Con «v».

/ 8

1

ESCUCHA   **1. El abecedario.** ___4___

a. Escucha y repite el nombre de las letras.

Aa	Bb	Cc	Dd	Ee	Ff	Gg	Hh	Ii	Jj	Kk	Ll	Mm
(a)	(be)	(ce)	(de)	(e)	(efe)	(ge)	(hache)	(i)	(jota)	(ka)	(ele)	(eme)

Nn	Ññ	Oo	Pp	Qq	Rr	Ss	Tt	Uu	Vv	Ww	Xx	Yy	Zz
(ene)	(eñe)	(o)	(pe)	(cu)	(erre)	(ese)	(te)	(u)	(uve)	(uve doble)	(equis)	(i griega o ye)	(zeta)

b. Escucha estas letras y marca en el abecedario las que has oído. ___5___

> **¡OJO!**
> c + h se pronuncia *che*.
> l + l se pronuncia *ye*.

ESCUCHA   **2. En el veterinario.** ___6___

Lee, escucha y elige la opción correcta.

Elisabetta: Eduardo, por favor, ¿cómo se dice *cane* en español?

Eduardo: Se dice *perro*.

Elisabetta: ¿Cómo?

Eduardo: *Pe-rro*.

Elisabetta: ¿Cómo se escribe, con una erre o con dos erres?

Eduardo: Con dos.

Elisabetta: *Perro*. ¿Así está bien?

Eduardo: Sí, muy bien. Perfecto.

a. 1. Elisabetta no sabe cómo se escribe *perro* en español. ☐
    2. Elisabetta sabe cómo se escribe *perro* en español. ☐

b. 1. La palabra se escribe con una erre. ☐
    2. La palabra se escribe con dos erres. ☐

ESCRIBE   **3. ¿Cómo se dice?**

Lee el diálogo y escribe estas informaciones en las casillas que les corresponde.

a Preguntar cómo se dice una palabra

b Indicar que no se entiende

c Preguntar cómo se escribe una palabra

ESCUCHA
ESCRIBE   **4. ¿Los reconoces?** ___7___

Escucha y escribe los nombres de estas ciudades. Después léelos en voz alta.

a Veracruz (ciudad en Mexico)
b barranquilla
c Mexico
d Cartagena

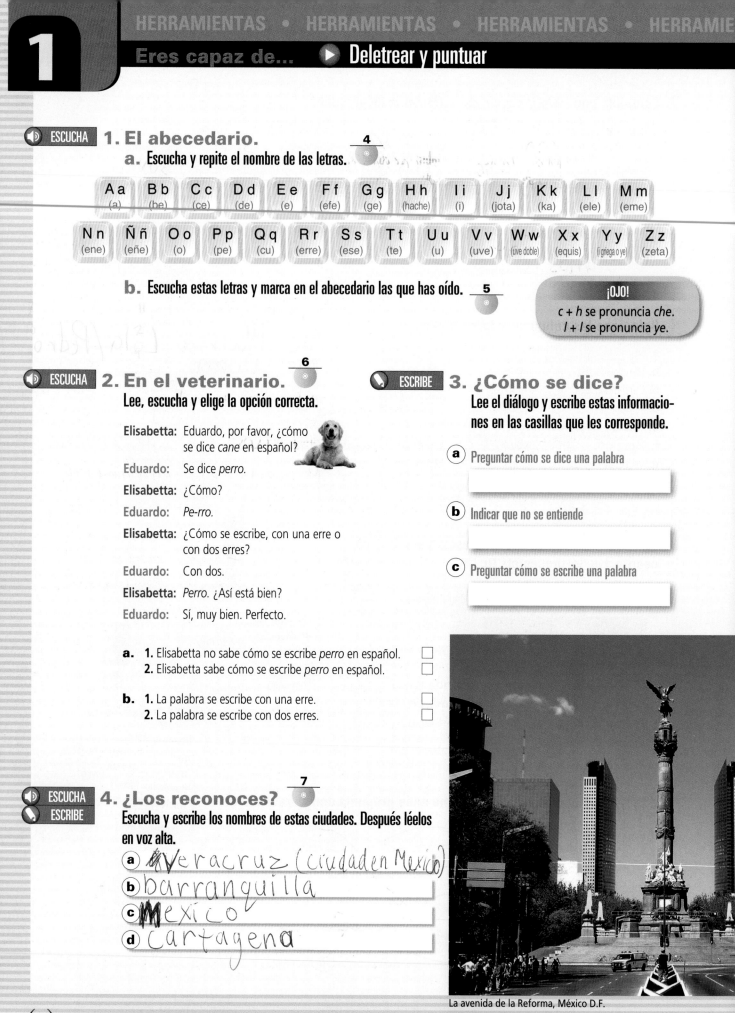

La avenida de la Reforma, México D.F.

COMUNICA | **5. Deletrea tú.**

En parejas. Deletrea una palabra que conoces. Tu compañero intenta adivinar de qué palabra se trata.

> Ejemplo:
> *A:* Te, erre, u, jota, i, ele, ele, o.
> *B:* Trujillo.
> *A:* Sí, es Trujillo.

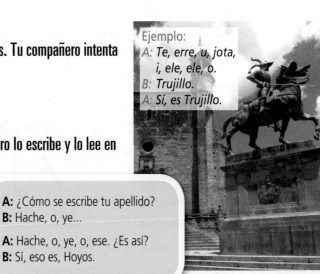

COMUNICA | **6. Tu apellido.**

En parejas. Deletrea tu apellido. Tu compañero lo escribe y lo lee en voz alta. Confirma si está bien.

> **A:** ¿Cómo se escribe tu apellido?
> **B:** Hache, o, ye...
>
> **A:** Hache, o, ye, o, ese. ¿Es así?
> **B:** Sí, eso es, Hoyos.

Trujillo, España

ESCRIBE | **7. Tu correo electrónico.**

Pregunta a tu compañero su dirección de correo electrónico y escríbela.

COMPAÑEROS DE CLASE	CORREOS
Marion Durand	mdurand@yahoo.fr

@ se dice *arroba*.

PRONUNCIACIÓN Y ORTOGRAFÍA

SIGNOS DE PUNTUACIÓN

– punto (.)
– coma (,)
– signos de interrogación ¿ ... ?
  Al principio y al final de la interrogación.
– signos de exclamación ¡ ... !
  Al principio y al final de la exclamación.

ESCRIBE | **1. ¡A puntuar!**

Añade mayúsculas y signos de puntuación en este diálogo.

Eduardo: eres española camila
Camila: no soy colombiana
Eduardo: y qué haces
Camila: soy profesora y tú
Eduardo: yo también
Camila: qué bien

ESCUCHA | **2. Entonación.**

8

Escucha cada frase y di si es una pregunta o una afirmación.

a. Eres español. / ¿Eres español?
b. Se llama Camila. / ¿Se llama Camila?
c. Vive en Cartagena. / ¿Vive en Cartagena?
d. Es de Colombia. / ¿Es de Colombia?

1

LÉXICO ▶ Conoces... Los nombres de las profesiones y las nacionalidades

🔍 OBSERVA **1. Las profesiones.**
Adivina y relaciona las fotos con las profesiones.

(7) **Enfermero/a**　(11) **Cocinero/a**

(10) **Policía**　(2) **Arquitecto/a**　(1) **Médico/a**

(8) **Periodista**　(9) **Profesor/-a**　(3) **Vendedor/-a**

(4) **Peluquero/a**　(6) **Taxista**　(5) **Camarero/a**

🔍 OBSERVA **2. Las profesiones y dónde se practican.**
Relaciona las dos columnas.

a. coche
b. restaurante
c. hospital
d. bar
e. oficina
f. escuela

1. empleado/a
2. profesor/-a
3. taxista
4. cocinero/a
5. camarero/a
6. médico/a

🎤 HABLA **3. ¿A qué se dedica?**
Elisabetta trabaja en un zoológico. Es veterinaria.

a. Marcos trabaja en una peluquería. Es... *peluquero*

b Carmen trabaja en una comisaría. Es...

c. Víctor trabaja en una tienda de coches. Es...

d. Julia trabaja en un periódico. Es...

e. Manuel y María trabajan en un hospital, no son médicos. Son...

f. Trabajo en una oficina. Soy...

✏️ ESCRIBE **4. ¿País o nacionalidad?**
Ordena en dos columnas cada país con su nacionalidad y escribe la nacionalidad en femenino.

Perú, venezolano, Argentina, peruano, Venezuela, España, Italia, nicaragüense, español, argentino, Nicaragua, italiano, Portugal, Inglaterra, portugués, inglés

PAÍS	NACIONALIDAD
a	
b	
c	
d	
e	
f	
g	
h	

Eres capaz de... **Actuar en español** ◀ **ACTÚA**

1

ESCUCHA

1. ¿Quién es quién? 9

a. Escucha las entrevistas a tres personas. Relaciona cada una con una foto y escribe el nombre de la persona.

b. Ahora escucha otra vez y rellena el cuadro con los datos correspondientes.

	1	**2**	**3**
NOMBRE Y APELLIDOS	Raoul Gonzales Martinez	Alejandra	Leo
NACIONALIDAD	~~Jalisco~~ Mexico	Colombiana	Argentino
CIUDAD	Jalisco	Cartegena	Buenos aires
PROFESIÓN	Periodista	Abogada	Estudiante

ESCRIBE

2. La tarjeta de identificación.
Lee la tarjeta del Congreso de Español, y escribe otra tarjeta con tus datos.

CONGRESO DE ESPAÑOL
Nombre:
Apellidos:
Nacionalidad:
Profesión:
Ciudad:

CONGRESO DE ESPAÑOL
Nombre: Ana María
Apellidos: Sánchez Blanco
Nacionalidad: chilena
Profesión: profesora
Ciudad: Santiago de Chile

interactúa

Presentas a estos famosos

Mira las fotos de estos famosos y preséntalos a la clase.

a b c d

NOMBRES Y APELLIDOS	PROFESIONES	PAÍS	CIUDAD DE RESIDENCIA
Shakira	Cantante	México	Barcelona
Gael García Bernal	Actor, actriz	Colombia	Palma de Mallorca
Cameron Díaz	Deportista	Estados Unidos	México D.F.
Rafael Nadal		España	Nueva York

Hispanoamérica

📖 **LEE** **Sobre Hispanoamérica.**
Lee el cuadro y el texto y contesta las preguntas.

País	Población (millones)	Extensión (1 000 km²)	Capital
PAÍSES AMERICANOS DONDE SE HABLA ESPAÑOL			
Argentina	41	2 780	Buenos Aires
Belice	0,3	22	Belmopán
Bolivia	10	1 098	Sucre
Chile	17	756	Santiago de Chile
Colombia	45	1 141	Bogotá
Costa Rica	4,5	51	San José
Cuba	11,5	110	La Habana
República Dominicana	10	48	Santo Domingo
Ecuador	14	283	Quito
El Salvador	7	20	San Salvador
Guatemala	14,5	108	Ciudad de Guatemala
Honduras	8	112	Tegucigalpa
México	110	1 972	Ciudad de México
Nicaragua	6	129	Managua
Panamá	3,5	78	Ciudad de Panamá
Paraguay	7	406	Asunción
Perú	30	1 285	Lima
Puerto Rico	4	9	San Juan
Uruguay	3,5	176	Montevideo
Venezuela	28,5	916	Caracas
Hispanoamérica	**380 millones**	**Total: 12 004 512 km²**	Wikipedia

Hispanoamérica es una región cultural integrada por los estados americanos de habla hispana. Una persona de esa región es «hispanoamericana».

Son 20 países con una población de 380 millones de habitantes. El español es el idioma oficial o cooficial, aunque hay comunidades indígenas que hablan su lengua propia: el guaraní, aymara, quechua, náhuatl, maya, etc.

El español no es idioma oficial en Belice, pero es el idioma más utilizado. En Puerto Rico es cooficial con el inglés, aunque el español es el más utilizado.

a. ¿Qué país tiene más hispanohablantes?

b. ¿Qué país de Hispanoamérica es el más grande?

c. ¿Cuál es la capital de Ecuador? ¿Y la de Venezuela?

d. Nombra una o dos lenguas indígenas que se hablan junto con el español.

e. Di los nombres de dos países donde se habla español junto con otra lengua.

Torres del Paine, Patagonia, Chile

Cataratas de Iguazú, Argentina-Brasil

Competencia pragmática ▼

Eres capaz de...

▷ presentar e identificar a otros

▷ saludar de manera formal e informal

▷ dar y pedir el número de teléfono

Competencia lingüística ▼

Puedes...

▷ formar el plural de nombres y adjetivos

▷ utilizar los adjetivos posesivos (l)

▷ utilizar los pronombres demostrativos

▷ conjugar verbos regulares -AR, -ER, -IR en presente

Competencia sociolingüística ▼

Conoces...

▷ los nombres de profesiones y sus herramientas

▷ los saludos y las despedidas

▷ los números de 0 a 10

▷ España

Interactúa ▼

▷ entrevistas a unos clientes

MIRA ESTAS TRES ESCENAS Y RELACIÓNALAS CON LOS DIÁLOGOS.

a.
■ Salma Hayek es actriz. Es mexicana. Vive en Estados Unidos.

b.
■ Hola, María. Te presento a Ana.
■ Hola, Ana.
■ Hola, María.

c.
■ ¿Cuál es tu número de teléfono?
■ Es el 679020135.

Después de las clases, Eduardo presenta sus compañeros de italiano a su mejor amiga.

ENTRE COMPAÑEROS

1. Escucha y rellena los huecos con estos verbos.

10 🔊 ESCUCHA

estudian, somos (2), son, trabajamos, viven, vivimos, es, trabajan

PARA AYUDARTE

PREGUNTAR POR LA IDENTIDAD

A: ¿Quién eres? (1 persona) **B:** Soy Alejandro.

A: ¿Quiénes son esos chicos? **B:** Son mis amigos.
(2 o más personas)

Eduardo: ¡Hola! Te presento a unos compañeros de clase: este es Carlos. Es ingeniero.

Carlos y yo .... de Toledo, pero .... y .... en Madrid.

Carlos: ¡Hola!

Eduardo: Esta es Nuria. .... de Barcelona y vive en Barcelona. Es abogada. Nuria y yo .... muy amigos.

Nuria: ¿Qué tal?

Eduardo: Estos son Juana y Francisco. Son chilenos, de Santiago, pero ahora .... y .... en Madrid. Son periodistas.

Juana y Francisco: Encantada/Encantado.

Eduardo: Estas son Isabel y Mercedes.
.... argentinas, de Buenos Aires. .... alemán e italiano en la Escuela Oficial de Idiomas de Madrid. Trabajan en un restaurante.

Isabel y Mercedes: ¡Hola!

¿TIENES BUENA MEMORIA?

💬 INTERACTÚA

2. En parejas, cierra el libro. A formula una de las preguntas a B sobre el diálogo anterior, y B responde. Luego se cambian de papel.

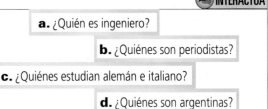

a. ¿Quién es ingeniero?

b. ¿Quiénes son periodistas?

c. ¿Quiénes estudian alemán e italiano?

d. ¿Quiénes son argentinas?

e. ¿Quién es abogada?

¿DE DÓNDE SON Y QUÉ HACEN?

3. Completa el cuadro con la información.

✍ ESCRIBE

	Nacionalidad	Origen	Residencia	Trabajo	Estudios
CARLOS					——
NURIA					——
JUANA Y FRANCISCO					——
ISABEL Y MERCEDES					

LES PRESENTAMOS

💬 COMUNICA

4. En parejas. Mira las fotos y presenta a estas personas.

① y ② Gabriela Mistral e Isabel Allende
③ Penélope Cruz y Javier Bardem
④ y ⑤ Ricky Martin y Chayanne
⑥ y ⑦ Dilma Rousseff y Cristina Fernández

- actores españoles
- escritoras chilenas
- presidentas latinoamericanas
- cantantes puertorriqueños

PRESENTAR A ALGUIEN		
	Singular	Plural
Masculino	este	estos
Femenino	esta	estas

Ejemplo: Estos son…
Los dos son…

¡A PRESENTARNOS!

💬 INTERACTÚA

5. En grupos. Cada alumno prepara una tarjeta con un nombre hispano y escribe su nacionalidad, profesión y lugar de residencia. En grupos, los alumnos se presentan unos a otros.

Ejemplo

Me llamo Lola. Soy de Valencia, pero vivo en Barcelona. Soy estudiante.
Esta es Lola. Es de Valencia, pero vive en Barcelona. Es estudiante.

Nombres hispanos

María	Paco
Nuria	Ramón
Lola	Pablo
Carmen	Nicolás
Merche	Miguel

Eres capaz de... ▶

Dos conversaciones en la escuela.

EN LA ACADEMIA DE IDIOMAS 11

🔊 ESCUCHA

1. Escucha estos dos diálogos y contesta.

a. ¿En cuál habla con un compañero y en cuál habla con su jefe y una cliente?

En el diálogo 1 ...... _Informal_

En el diálogo 2 ...... _formal_

b. ¿Qué trabajo tiene la compañera de Eduardo?

...... _Profesora de español_

c. ¿Cómo se llama el jefe de Eduardo?

......

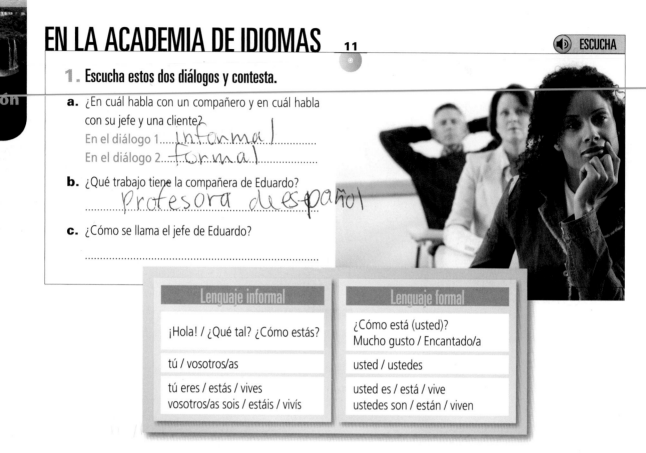

Lenguaje informal	Lenguaje formal
¡Hola! / ¿Qué tal? ¿Cómo estás?	¿Cómo está (usted)? Mucho gusto / Encantado/a
tú / vosotros/as	usted / ustedes
tú eres / estás / vives vosotros/as sois / estáis / vivís	usted es / está / vive ustedes son / están / viven

¿FORMAL O INFORMAL?

📖 LEE

2. Lee las conversaciones de Eduardo y escribe los verbos en los huecos.

estar, hablar, ser, vivir

Eduardo: Hola, ¿cómo ...... _estas_ ...?

...... _Eres_ ...... la nueva compañera de trabajo, ¿verdad?

Irene: Sí, soy Irene. ¿Qué tal?

Eduardo: ¿...... _Eres_ ...... profesora de español?

Irene: No, soy profesora de inglés.

Eduardo: ¿Y ...... _veves_ ...... aquí en Madrid?

Irene: Sí, estudio también en la universidad.

Eduardo: ¿...... _Habas_ ...... otros idiomas?

Irene: Hablo solo francés.

estar, ser, vivir

Eduardo: Buenos días, don Carlos. Esta es la señora Moratti, Elisabetta Moratti.

Carlos: Mucho gusto.

Elisabetta: ¡Buenos días! ¿...... _es_ ...... usted el director de la academia?

Carlos: Sí, soy Carlos García del Valle.

...... _es_ ...... usted italiana, ¿verdad?

Elisabetta: Sí, de Milano. En español, Milán.

Carlos: ¿Y ...... _esta_ ...... usted de vacaciones o ...... _veve_ ...... en España?

Elisabetta: Vivo aquí, trabajo en un zoo.

PARA AYUDARTE	
TÚ (INFORMAL)	**USTED (FORMAL)**
¿Cómo te llamas (tú)?	¿Cómo se llama (usted)?
¿Dónde vives?	¿Dónde vive?
¿Cuál es tu dirección?	¿Cuál es su dirección?

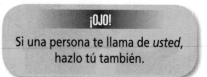

¡OJO!

Si una persona te llama de *usted*, hazlo tú también.

¿QUÉ DICE?
 OBSERVA

3. Si te dice alguien estas frases, ¿te llama de *tú* o de *usted*?

Tú	Usted	
✓	✓	**a.** ¿Es española?
	✓	**b.** ¿Habla español?
✓		**c.** ¿Dónde trabajas?
✓		**d.** Te llamas Mike, ¿verdad?
✓		**e.** ¿Vives en México?
	✓	**f.** Su pasaporte, por favor.
✓		**g.** ¿Eres estudiante?
	✓	**h.** ¿A qué se dedica?

«PEGANDO LA OREJA» 🔊 ESCUCHA

12

5. Escucha estas conversaciones y di si la gente se llama de *tú* o de *usted*.

	Tú	Usted
a.		✓
b.	✓	
c.		✓

— Di en qué conversación...

		a	b	c
1.	una persona se presenta.	☐	☐	☑
2.	dos personas hablan por teléfono.	☐	☑	☐
3.	una persona visita a otra en su despacho.	☑	☐	☐

*office
d'une
personne*

¿DE *TÚ* O DE *USTED*? 💬 COMUNICA

4. En parejas: lee estas situaciones y decide si es mejor usar *tú* o *usted*.

a. Laura Cantero, de 19 años, habla con Rubén Vaquero, un compañero de clase de 30 años. Se conocen, pero no son amigos. *tú*

b. Roberto Martínez, de 30 años, habla con un dependiente de una tienda. *usted*

c. Camila, de 27 años, habla con un cliente de su empresa. *usted*

d. Alicia habla con su abuelo. *tú*

¡A SEGUIR EL HILO! 💬 INTERACTÚA

6. En parejas y por turno, A empieza una conversación, empleando *tú* o *usted*, y B tiene que continuar con el mismo tratamiento. En la conversación hay que:

PRESENTARSE

HABLAR DEL TRABAJO

HACER PREGUNTAS SOBRE DATOS PERSONALES

EL PLURAL DE LOS NOMBRES Y DE LOS ADJETIVOS

Singular	Plural
compañero – compañera	compañer**os** – compañer**as**
café – caf**és**	
profesor – profesora	profesor**es** – profesor**as**
iraní – iran**íes**	
rey – rey**es**	

Evalúate

Total ____ / 45

1. Completa el cuadro con palabras en singular o plural.

Ejemplo:

Singular	Plural
taxista	taxistas
escultor	escultores

	Singular	Plural
a.	griego	....
b.	....	ingenieras
c.	cantante	....
d.	alumna	....
e.	camarero	*camareros*

	Singular	Plural
f.	....	profesoras
g.	marroquí	....
h.	pintora	....
i.	danés	*daneses*
j.	....	polacas

/ 10

2. Rellena los huecos con las palabras adecuadas.

a. Los habitantes de Dinamarca se llaman ... *Daneses* ... .

b. Los ... *Alumnas* ... de esta clase son todos extranjeros. Vienen aquí a estudiar español.

c. Las ... *camareras* ... de este restaurante son muy amables.

d. Voy de vacaciones a las islas ... *marroquies* ...

e. Las ... *profesoras* ... de este curso son muy buenas. Enseñan muy bien.

f. Las ... *cantantes* ... de este grupo tienen una voz muy bonita.

/ 6

ADJETIVOS POSESIVOS (I)

Se utiliza la misma forma para masculino y femenino.

Ejemplo: *Mi amigo, mi amiga. Tu amigo, tu amiga. Su amigo, su amiga.*

	1.ª persona (Yo)	2.ª persona (Tú)	3.ª persona (Él/ella)
Singular (una persona/cosa)	**mi**	**tu**	**su**
Plural (varias personas/cosas)	**mis**	**tus**	**sus**

3. Elige la forma adecuada del posesivo.

a. Tatiana es rusa. Tu/**Su** país es Rusia.

b. Trabajo en un hospital. **Mi**/Su profesión es médico.

c. Os presento a mi/**mis** amigos, se llaman Alfredo y Pedro.

d. - Oye, María, ¿cuál es su/**tu** dirección de correo electrónico?

   - Su/**Mi** dirección de correo electrónico es maria@gmail.com

e. - Señora, por favor, ¿me puede decir **su**/tu número de teléfono móvil?

   - Sí, es el 659191867.

f. ¿Son españoles tu/**tus** compañeros de clase?

/ 7

LOS PRONOMBRES DEMOSTRATIVOS		
	Singular	Plural
Masculino	este	estos
Femenino	esta	estas

esto (neutral)

Aquí = ici
Ahí   Allá
Là   Là bas

4. Relaciona cada demostrativo con la frase adecuada.

a. Este

b. Esta

c. Estos

d. Estas

e. Este

f. Esta

1. es Alicia. Es amiga mía.

2. son David y Javier. Son compañeros de clase.

3. es Antonio. Es profesor de español en Brasil.

4. es Jaime. Es médico.

5. es María. Trabaja en un banco.

6. son Sofía y Laura. Son periodistas.

/ 6

VERBOS REGULARES -AR, -ER, -IR EN PRESENTE			
	verbos en -ar	verbos en -er	verbos en -ir
	ESTUDIAR	VENDER	ESCRIBIR
(Yo)	estudio	vendo	escribo
(Tú)	estudias	vendes	escribes
(Él/ella/Ud.)	estudia	vende	escribe
(Nosotros/as)	estudiamos	vendemos	escribimos
(Vosotros/as)	estudiáis	vendéis	escribís
(Ellos/as/Uds.)	estudian	venden	escriben

Se utiliza

▶ *Ustedes* siempre en lugar de *vosotros* en gran parte de Hispanoamérica y en las islas Canarias (España). El verbo va en tercera persona del plural.

Ustedes son muy amables.

▶ *Vos* en lugar de *tú* en Argentina, Uruguay, Paraguay y en algunas zonas de Centroamérica. La forma verbal es distinta.

Vos sos muy amable.

papaya
easy peasy

5. Completa las frases con el verbo correcto en la forma adecuada.

a. Elena y yo ....vivimos... en Managua, ...trabamos....en un hospital y todos los días ....comemos....en un restaurante (trabajar, comer, vivir).

b. Luis y Manolo van a una academia de idiomas, allí ....estudian....inglés: ....leen.... y ....escriben....textos y ....escuchar.... diálogos en clase (leer, estudiar, escribir, escuchar).

c. Mi amiga Eva es vendedora. ....vende.... coches cerca de la costa Brava. Allí ....viven.... muchos extranjeros, *strangers* sobre todo franceses. Por eso trabaja allí porque ....habla.... francés (vivir, hablar, vender).

d. Lucía y Paco ....leen.... muchos cómics. ....Compran.... uno o dos a la semana. A veces ....venden.... los antiguos a sus amigos (comprar, vender, leer).

e. Estos compañeros de trabajo ....son.... norteamericanos. ....trabajan.... en una compañía española y ....estudian.... español por las tardes en la universidad (estudiar, trabajar, ser).

buy

/ 16

2

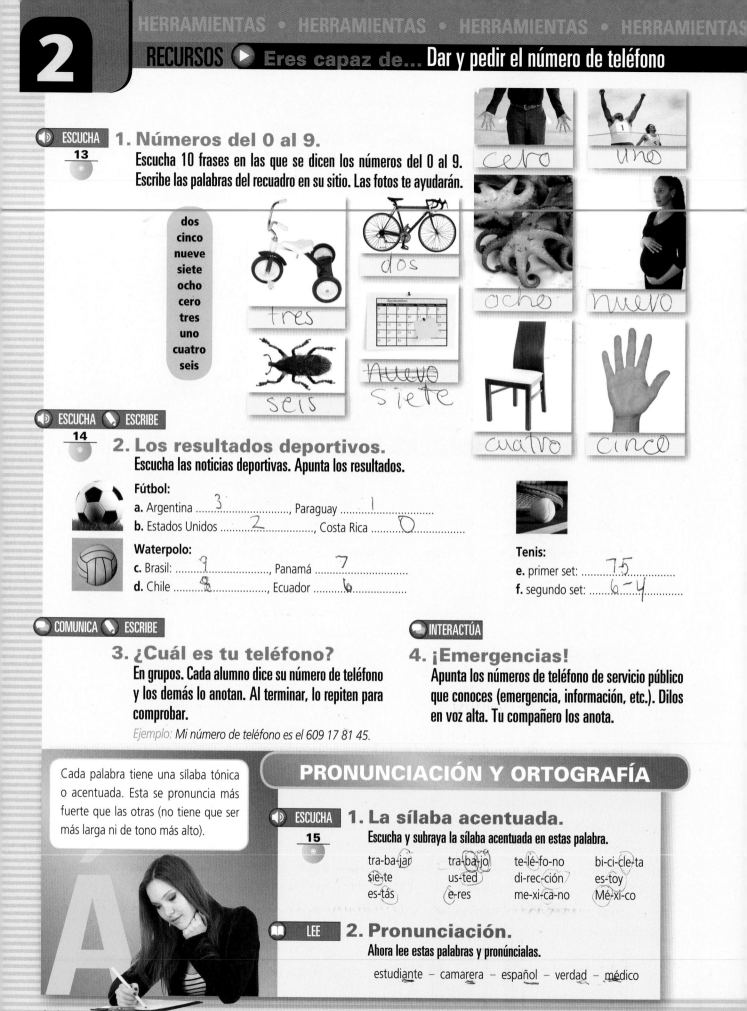

ESCUCHA
13

1. Números del 0 al 9.

Escucha 10 frases en las que se dicen los números del 0 al 9.
Escribe las palabras del recuadro en su sitio. Las fotos te ayudarán.

dos
cinco
nueve
siete
ocho
cero
tres
uno
cuatro
seis

cero · uno · dos · ocho · nuevo · tres · seis · nuevo siete · cuatro · cinco

ESCUCHA **ESCRIBE**
14

2. Los resultados deportivos.

Escucha las noticias deportivas. Apunta los resultados.

Fútbol:
a. Argentina ......3......, Paraguay ......1......
b. Estados Unidos ......2......, Costa Rica ......0......

Waterpolo:
c. Brasil: ......9......, Panamá ......7......
d. Chile ......8......, Ecuador ......6......

Tenis:
e. primer set: ......75......
f. segundo set: ......6-4......

COMUNICA **ESCRIBE**

3. ¿Cuál es tu teléfono?

En grupos. Cada alumno dice su número de teléfono
y los demás lo anotan. Al terminar, lo repiten para
comprobar.

Ejemplo: Mi número de teléfono es el 609 17 81 45.

INTERACTÚA

4. ¡Emergencias!

Apunta los números de teléfono de servicio público
que conoces (emergencia, información, etc.). Dilos
en voz alta. Tu compañero los anota.

Cada palabra tiene una sílaba tónica
o acentuada. Esta se pronuncia más
fuerte que las otras (no tiene que ser
más larga ni de tono más alto).

PRONUNCIACIÓN Y ORTOGRAFÍA

ESCUCHA
15

1. La sílaba acentuada.

Escucha y subraya la sílaba acentuada en estas palabra.

tra-ba-jar   tra-ba-jo   te-lé-fo-no   bi-ci-cle-ta
sie-te   us-ted   di-rec-ción   es-toy
es-tás   e-res   me-xi-ca-no   Mé-xi-co

LEE

2. Pronunciación.

Ahora lee estas palabras y pronúncialas.

estudiante – camarera – español – verdad – médico

Conoces... **Nombres de profesiones y los saludos** ◀ LÉXICO

2

[handwritten notes:] comprar → buy
contestar → repond
estuche → case (inglés)

📖 LEE 🔍 OBSERVA

1. ¿Qué hacen?

Lee estas definiciones y escribe debajo de cada imagen el nombre de la profesión.

a. El escritor/La escritora escribe libros.
b. El secretario/La secretaria escribe cartas. *[handwritten: → letters]*
c. El/La recepcionista trabaja en la entrada de un hotel. *[handwritten: → entrance]*
d. El/La cantante canta canciones.
e. El actor/La actriz actúa en el cine o en el teatro.
f. El panadero/La panadera hace pan. *[handwritten: → make]*
g. El cajero/La cajera trabaja en un supermercado.
h. El pintor/La pintora pinta cuadros.
i. El cartero/La cartera entrega cartas.
j. El frutero/La frutera vende frutas.

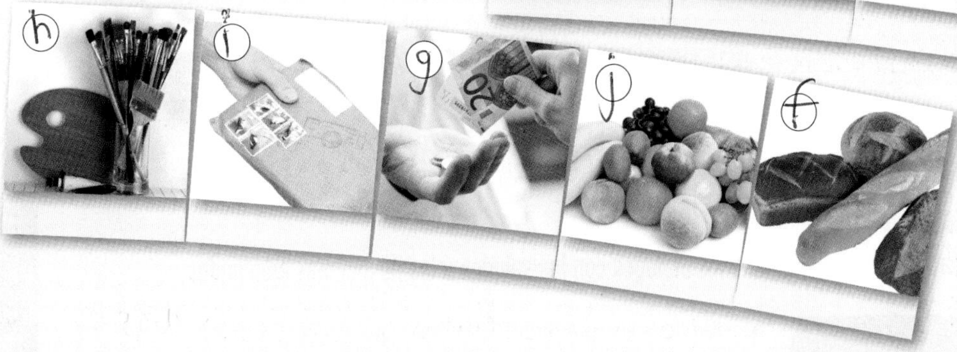

💬 COMUNICA

2. Mis herramientas de trabajo.

¿Cuáles de estas profesiones utilizan las siguientes herramientas?

[handwritten: cashier →]

a. Internet — *[handwritten:]* Secretario
b. El ordenador — *[handwritten:]* Secretario
c. El teléfono — *[handwritten:]* Secretario recepcionista
d. El fax — *[handwritten:]* Secretario

e. El dinero/Las tarjetas de crédito — *[handwritten:]* Cajero
f. Los libros electrónicos — *[handwritten:]* Escritor
g. El papel — *[handwritten:]* Escritor
h. La calculadora — *[handwritten:]* cajero

📖 LEE

3. Saludar durante el día.

a. Lee la información.

Se utiliza **Buenos días** como saludo cuando uno se levanta hasta la hora de comer, más o menos a las 14:00.

Se utiliza **Buenas tardes** como saludo después de la comida y hasta la hora de la cena, más o menos a las 21:00.

Se utiliza **Buenas noches** como saludo cuando ya es de noche, o como despedida justo antes de irse a la cama.

Se usan tanto para conversaciones formales como informales.

2

LÉXICO ▶ Conoces... Nombres de profesiones y los saludos

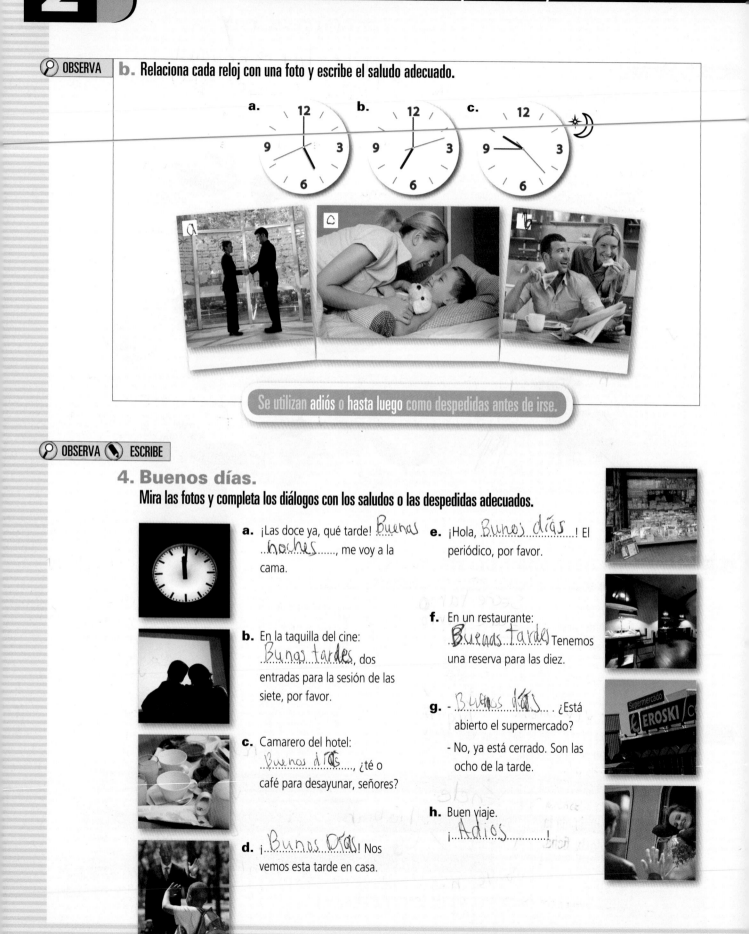

OBSERVA

b. Relaciona cada reloj con una foto y escribe el saludo adecuado.

a. b. c.

Se utilizan **adiós** o **hasta luego** como despedidas antes de irse.

OBSERVA **ESCRIBE**

4. Buenos días.

Mira las fotos y completa los diálogos con los saludos o las despedidas adecuados.

a. ¡Las doce ya, qué tarde! Buenas noches......, me voy a la cama.

b. En la taquilla del cine: Bunas tardes, dos entradas para la sesión de las siete, por favor.

c. Camarero del hotel: Buenos días......, ¿té o café para desayunar, señores?

d. ¡Bunos Dias! Nos vemos esta tarde en casa.

e. ¡Hola, Bunos días! El periódico, por favor.

f. En un restaurante: Buenas tardes Tenemos una reserva para las diez.

g. - Buenos días ¿Está abierto el supermercado?

- No, ya está cerrado. Son las ocho de la tarde.

h. Buen viaje. ¡Adios!

LEE | **ESCRIBE**

1. Alba y José Manuel.

a. Lee este correo de Alba y escribe los datos de Marta en la ficha.

Contactos de Alba

| A: | Cc: | Cco: |

Nombre
Apellidos
Nacionalidad
Profesión
Empresa
Lugar de residencia
Idiomas

Mensaje nuevo

Enviar Chat Adjuntar Agenda Tipo de letra Colores Borrador   Navegador de fotos Mostrar plantillas

De: Alba
Para: José Manuel
Cc:
Asunto: Mi amiga Marta

¡Hola! Hoy quiero escribirte sobre mi amiga Marta.

Se llama Marta Perea Lipiani, es de Uruguay, pero vive en España, en Sevilla. Es ingeniera y trabaja en una empresa de construcción. Habla inglés y un poco de francés. Somos compañeras de clase de francés.

b. Escribe un correo sobre una persona que conoces y mándaselo a un compañero.

ESCUCHA | **COMUNICA** ## 2. Una visita sorpresa.

16

Escucha esta conversación entre Alba y José Manuel y responde a las preguntas.

a. ¿Dónde están Alba y José Manuel? *Sevilla*

b. ¿A qué se dedica Alba? ¿Y José Manuel? *comercial* / *enfermera*

c. ¿Es este el teléfono de José Manuel: 632 54 19 70? Si no es correcto, apunta el teléfono correcto.

d. ¿Quién trabaja para una empresa francesa? *José*

e. ¿Cuándo trabaja Alba? *Mañana*

interactúa Entrevistas a unos clientes

a. En parejas, entrevista a tu compañero, le hablas de *usted*. Escribe los datos en esta ficha. Cada alumno inventa sus datos.

b. Ahora se forman grupos de cuatro (dos parejas). Cada miembro presenta a su compañero dando la información de la ficha. Seguimos con el tratamiento de *usted*.

Nombre completo
....

Trabajo/Ocupación
....

Lugar de residencia
....

Número de teléfono
....

Nacionalidad
....

CONOCES...

España

Sobre España.
Lee el texto y contesta las preguntas.

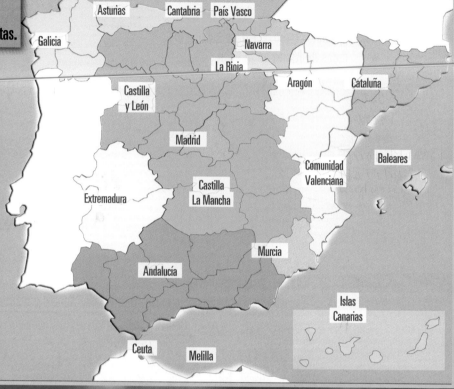

España es una nación miembro de la Unión Europea. Es una monarquía parlamentaria, su capital es Madrid, se sitúa en la península ibérica. Pertenecen a España las islas Baleares (en el mar Mediterráneo), las islas Canarias (en el océano Atlántico), así como las ciudades autónomas de Ceuta y Melilla situadas en el norte de África. Tiene una extensión de 504 645 km², es el cuarto país más grande del continente, después de Rusia, Ucrania y Francia. Es uno de los países más montañosos de Europa con una altitud media de 650 metros. Su población es de casi 50 millones de habitantes.

El castellano o español es la lengua oficial del país. Existen otras lenguas cooficiales en algunas autonomías: el catalán en Cataluña, el euskera en el País Vasco y el gallego en Galicia.

Tiene fronteras terrestres con Francia y el Principado de Andorra al norte, con Portugal al oeste y con Gibraltar al sur. Ceuta y Melilla comparten fronteras terrestres y marítimas con Marruecos.

España está constituida por 17 comunidades autónomas. Hoy en día, es uno de los países europeos más descentralizados: cada autonomía administra su propio sistema de salud y de educación.

Adaptado de Wikipedia

Elige la respuesta correcta:

1. ¿Con qué país no tiene España frontera?
   a. Francia.
   b. Portugal.
   c. Italia.

2. España es el cuarto país más .... de Europa:
   a. rico
   b. pequeño
   c. grande

3. ¿Es España un país montañoso?
   a. Sí, uno de los más montañosos de Europa.
   b. No, es poco montañoso.
   c. Tiene montañas, pero solo en el norte.

4. ¿Cómo está organizado el Estado español?
   a. De forma muy centralizada.
   b. Con comunidades autónomas, de forma descentralizada.
   c. En algunas partes de forma centralizada, en otras de forma autónoma.

5. Compara España con tu país. ¿Cuál...
   a. ... es más grande?
   b. ... tiene más habitantes?
   c. ... tiene fronteras con más países?

La Alhambra, Granada, España

Competencia pragmática ▼

Eres capaz de...

▶ hablar de tu familia

▶ describir a una persona

▶ preguntar y decir la edad

Competencia lingüística ▼

Puedes...

▶ utilizar los artículos determinados

▶ hacer la concordancia nombre adjetivo

▶ utilizar los adjetivos posesivos (II)

▶ conjugar algunos verbos irregulares en presente: *tener, salir* y *hacer*

Competencia sociolingüística ▼

Conoces...

▶ los nombres de la familia

▶ el estado civil

▶ los adjetivos calificativos de descripción física y de carácter

▶ la familia en España y en México

Interactúa ▼

▶ describes a un familiar

MIRA ESTA FOTO, LEE ESTAS TRES FRASES Y MARCA LA FRASE CORRECTA.

1. Este es mi hermano. Se llama Leo. ☐

2. Tiene veinte años. ☐

3. Es alta y morena. Tiene el pelo corto. ☐

RELACIONA ESTAS FRASES CON SU FINALIDAD.

1. Esta es mi hermana. Se llama Irene.

2. Tiene veinte años.

3. Es alta y rubia. Tiene el pelo largo.

a. Decir la edad.

b. Describir cómo es una persona.

c. Hablar de la familia.

TE PRESENTO A MI FAMILIA 📖 LEE

1. Lee, identifica a cada persona y escribe su nombre al lado de la letra correspondiente.

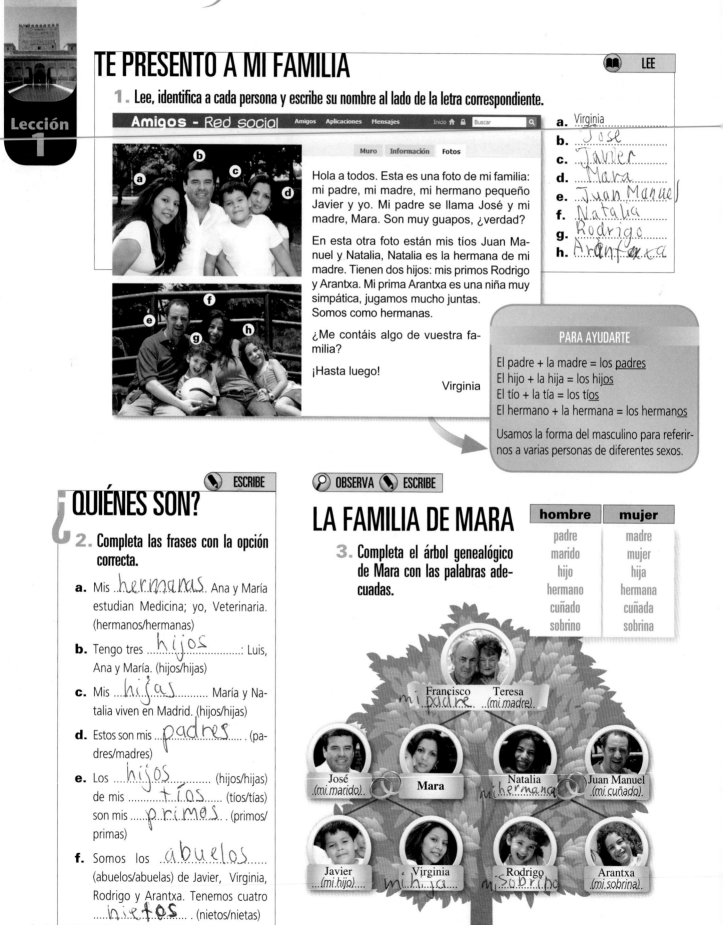

Amigos – Red social | Amigos Aplicaciones Mensajes | Inicio 🏠 🔒 Buscar 🔍

Muro Información **Fotos**

Hola a todos. Esta es una foto de mi familia: mi padre, mi madre, mi hermano pequeño Javier y yo. Mi padre se llama José y mi madre, Mara. Son muy guapos, ¿verdad?

En esta otra foto están mis tíos Juan Manuel y Natalia, Natalia es la hermana de mi madre. Tienen dos hijos: mis primos Rodrigo y Arantxa. Mi prima Arantxa es una niña muy simpática, jugamos mucho juntas. Somos como hermanas.

¿Me contáis algo de vuestra familia?

¡Hasta luego!

Virginia

a. Virginia
b. José
c. Javier
d. Mara
e. Juan Manuel
f. Natalia
g. Rodrigo
h. Arantxa

PARA AYUDARTE

El padre + la madre = los <u>padres</u>
El hijo + la hija = los hij<u>os</u>
El tío + la tía = los tí<u>os</u>
El hermano + la hermana = los herman<u>os</u>

Usamos la forma del masculino para referirnos a varias personas de diferentes sexos.

✏️ ESCRIBE

¿QUIÉNES SON?

2. Completa las frases con la opción correcta.

a. Mis **hermanas** Ana y María estudian Medicina; yo, Veterinaria. (hermanos/hermanas)

b. Tengo tres **hijos**: Luis, Ana y María. (hijos/hijas)

c. Mis **hijas** María y Natalia viven en Madrid. (hijos/hijas)

d. Estos son mis **padres** (padres/madres)

e. Los **hijos** (hijos/hijas) de mis **tíos** (tíos/tías) son mis **primos** (primos/primas)

f. Somos los **abuelos** (abuelos/abuelas) de Javier, Virginia, Rodrigo y Arantxa. Tenemos cuatro **nietos** (nietos/nietas)

🔍 OBSERVA ✏️ ESCRIBE

LA FAMILIA DE MARA

hombre	mujer
padre	madre
marido	mujer
hijo	hija
hermano	hermana
cuñado	cuñada
sobrino	sobrina

3. Completa el árbol genealógico de Mara con las palabras adecuadas.

Francisco **mi padre** | Teresa *(mi madre)*

José *(mi marido)* | Mara | Natalia **mi hermana** | Juan Manuel *(mi cuñado)*

Javier *(mi hijo)* **mi hija** | Virginia | Rodrigo **mi sobrino** | Arantxa *(mi sobrina)*

¿QUÉ PARENTESCO TIENEN?

✎ ESCRIBE

4. Mira el árbol de Mara y escribe frases como la del ejemplo.

Ejemplo:

Mara / José

Mara es la mujer de José.

a. Natalia y Juan Manuel / Javier _son los tíos de Javier_

b. Virginia / José y Mara _es la hija_

c. Teresa / Natalia y Mara _es la madre de Nat-_

d. Rodrigo / Mara _es el sobrino de Mara_

e. Virginia y Javier / Rodrigo y Arantxa _son los primos de Rod._

f. Natalia / Mara _es la hermana de_

🔍 OBSERVA ✎ ESCRIBE

HABLAN DE SU FAMILIA

5. Completa las frases con el posesivo adecuado.

PARA AYUDARTE	INDICAR POSESIÓN			
1.ª persona plural	nuestro padre	nuestra madre	nuestros hermanos	nuestras hermanas
2.ª persona plural	vuestro padre	vuestra madre	vuestros hermanos	vuestras hermanas
3.ª persona plural	su tío	su tía	sus tíos	sus tías

a. Esta es Virginia: somos _sus_ padres.

JOSÉ   MARA

VIRGINIA

b. Este es Javier. _Su_ padre es _mi_ tío José.

c. Estos son Javier y Virginia. _Su_ madre se llama Mara.

RODRIGO

d. Mara es _mi_ madre.

VIRGINIA

JAVIER

ARANTXA

JAVIER

Nuestros padres se llaman Juan Manuel y Natalia.

e. ¿Cómo se llaman _tus_ padres?

AMIGO   ARANTXA

f. Buenos días, señor Sánchez. ¿Es esta _su_ hija?

RODRIGO

Sí, es _mi_ hija Virginia.

AMIGO   JOSÉ

✎ ESCRIBE

VUESTRAS FAMILIAS

6. En parejas, pon tu nombre en este árbol. Al lado, escribe los nombres de las personas para completar estas casillas.

A pregunta por un nombre y **B** contesta, **A** escribe ese nombre en el lugar adecuado, **B** confirma si está bien.

Ejemplo: - ¿Quién es Jeanne?

- Es la hermana/hija de...

Ray

Harvey   Lorna

Gilles   Kim   David   Noy

Ray   Josée   Rita   Jan

Pedro conoce a Carmen por Internet y deciden tener una cita a ciegas en la cafetería de la estación de Atocha. Hablan por teléfono.

CITA A CIEGAS

ESCUCHA
17

1. a. Escucha el diálogo y subraya las palabras que escuchas.

bajo · alto · delgada · gorda · pelo largo y rubio · pelo moreno y corto · ojos verdes · pelo rizado · pelo liso · el bigote · las gafas · la barba · ojos azules · ojos marrones

17

b. Escucha otra vez y elige la opción correcta.

1. Pedro tiene el pelo:
a. corto y rubio
b. largo y rubio
c. corto y moreno

2. Pedro:
a. lleva barba
b. lleva bigote
c. no lleva ni barba ni bigote

3. Carmen tiene el pelo:
a. largo, liso
b. corto, rizado
c. largo, rizado

4. Pedro:
a. lleva gafas
b. no lleva gafas
c. lleva gafas solo para leer

5. Carmen tiene los ojos:
a. azules
b. verdes
c. marrones

6. Carmen es:
a. alta
b. baja
c. ni alta, ni baja

Estación de Atocha, Madrid

OBSERVA **c.** Mira las seis fotos e identifica a Carmen y a Pedro.

1 · 2 · 3 · 4 · 5 · 6

COMUNICA **d.** Ahora, cuenta cómo es Pedro y cómo es Carmen.

Pedro tiene el pelo...

Carmen es...

Lección 2

ASÍ SOY YO

2. Rellena esta ficha con tus rasgos físicos y preséntate.

Aquí
tu foto

Estatura	*Soy* ___ *Alto: 180 cm*
Edad	___ *20*
Color/extensión de pelo	___ *corto /moreno*
Color de ojos	___ *marrones*
Otros datos (gafas, barba, bigote, etc.)	___ *no gafas, y lleva barba muy corto*

COMUNICA

¿Y CÓMO ES ÉL?

3. En parejas, describe el aspecto físico de tu mejor amigo, de un familiar, etc. Puedes traer fotos.

Ejemplo:
- *¿Cómo es tu padre?*
- *Lleva gafas. Tiene los ojos claros y es muy inteligente.*
- *¿Es alto?*

INTERACTÚA

EL JUEGO DE LAS DIEZ PREGUNTAS

4. En grupo. Un alumno piensa en un compañero de clase. Los demás hacen preguntas para saber quién es. Solo se puede responder *sí* o *no*.

Ejemplo:
¿Tiene el pelo rubio?	*No*
¿Tiene el pelo corto?	*Sí*
¿Lleva gafas?	*¡No!*
¿Es Marcella?	*¡Sí!*

LEE

¿CÓMO SON?

5. Lee y relaciona las dos columnas.

a. Soy vago	**1.** cuento muchas historias
b. Soy generoso	**2.** me río mucho
c. Soy hablador	**3.** trabajo poco
d. Soy divertido	**4.** hago regalos a mis amigos
e. Soy sociable	**5.** aprendo fácilmente
f. Soy sensible	**6.** salgo con mis amigos todas las tardes
g. Soy inteligente	**7.** lloro con las películas tristes

ESCUCHA **18**

EN UNA PALABRA, ES...

6. Escucha y completa con los adjetivos del ejercicio 5.

a. Carmen es ___ *muy sociable y vaga*
b. Pedro es ___ *sociable y divertido*

DESCRIBIR LA PERSONALIDAD

Es... / No es muy... simpático / antipático hablador / tímido, triste / alegre / divertido / serio, cariñoso, trabajador, inteligente

D. Bisbal, cantante

INTERACTÚA

EL PREMIO NARANJA ES PARA...

7. En grupos. Damos el premio Naranja al personaje más simpático de la actualidad, y el premio Limón al más antipático.
Cada grupo presenta sus premios y explica por qué.

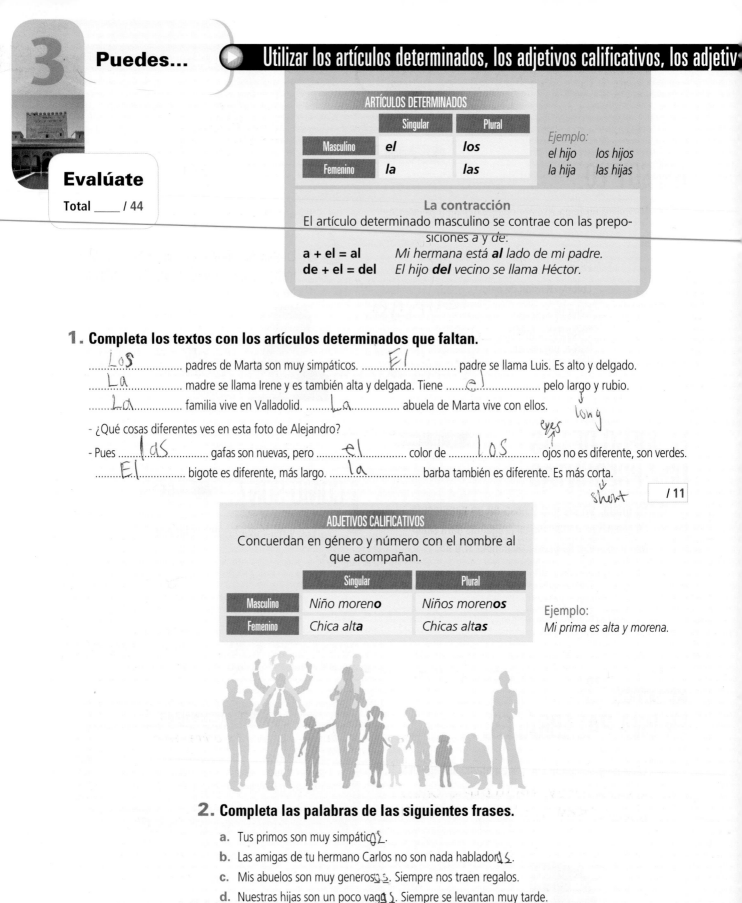

Evalúate

Total _____ / 44

ARTÍCULOS DETERMINADOS		
	Singular	Plural
Masculino	*el*	*los*
Femenino	*la*	*las*

Ejemplo:
el hijo   los hijos
la hija   las hijas

La contracción
El artículo determinado masculino se contrae con las preposiciones a y de:
a + el = al   *Mi hermana está al lado de mi padre.*
de + el = del   *El hijo del vecino se llama Héctor.*

1. **Completa los textos con los artículos determinados que faltan.**

........Los........ padres de Marta son muy simpáticos. ....El........ padre se llama Luis. Es alto y delgado.

........La........ madre se llama Irene y es también alta y delgada. Tiene ......el...... pelo largo y rubio. *long*

........La........ familia vive en Valladolid. ....La........ abuela de Marta vive con ellos.

- ¿Qué cosas diferentes ves en esta foto de Alejandro?

- Pues ....las........ gafas son nuevas, pero ....el........ color de ....los........ ojos no es diferente, son verdes. *eyes*

........El........ bigote es diferente, más largo. ....la........ barba también es diferente. Es más corta. *short*

/ 11

ADJETIVOS CALIFICATIVOS	
Concuerdan en género y número con el nombre al que acompañan.	
	Singular	Plural
Masculino	*Niño moreno*	*Niños morenos*
Femenino	*Chica alta*	*Chicas altas*

Ejemplo:
Mi prima es alta y morena.

2. **Completa las palabras de las siguientes frases.**

a. Tus primos son muy simpáticos.

b. Las amigas de tu hermano Carlos no son nada habladoras.

c. Mis abuelos son muy generosos. Siempre nos traen regalos.

d. Nuestras hijas son un poco vagas. Siempre se levantan muy tarde.

e. Mis padres son muy trabajadores. Trabajan mañana y tarde todos los días.

f. Mis tías Ana y Rebeca son bajas y delgadas.

g. Mi madre tiene los ojos oscuros.

h. Mi hermano pequeño no es nada tonto. Tiene once años y ya habla dos idiomas.

/ 9

_P_

Avoir   _Quitter_   _Faire_

VERBOS IRREGULARES		
TENER	**SALIR**	**HACER**
(Yo)		
tengo	**salgo**	**hago**
(Tú) tienes	sales	haces
(Él/ella/Ud.) tiene	sale	hace
(Nosotros/as) tenemos	salimos	hacemos
(Vosotros/as) tenéis	salís	hacéis
(Ellos/as/Uds.) tienen	salen	hacen

Estos verbos tienen la misma irregularidad.
La primera persona singular de estos tres verbos acaba en **–go**.

3. **Completa las frases con _tener, salir_ o _hacer_ en la forma correcta.**

a. Yo nunca ....~~hago~~ _tiene_........... de lunes a jueves.

b. Yo ......_tengo_........ el pelo corto, ¿y tú, cómo lo .... _tienes?_

c. ¿Vosotros con quién ...._haceís_..... los fines de semana?

d. El sábado, yo ....._hago_....... cosas interesantes.

e. Mi hermano ......_hace_....... una fiesta para su cumpleaños.

f. Somos tres hermanos, pero no ....._tenemos_.... primos.

g. – ¿Qué ...._haces_.....?
   – Yo soy camarero. Trabajo en un bar.

h. – ¿Vosotros ...._tenís_......... amigos aquí?
   – Sí, ..._salimos_.... con ellos todos los días.

/ 10

ADJETIVOS POSESIVOS (II)		
UN SOLO POSEEDOR		
Se utiliza la misma forma para masculino y femenino		
1.ª persona (Yo)	2.ª persona (Tú)	3.ª persona (Él/ella/Ud.)
Singular (una persona/cosa) **mi**	**tu**	**su**
Plural (varias personas/cosas) **mis**	**tus**	**sus**
VARIOS POSEEDORES		
1.ª persona (Nosotros/as)	2.ª persona (Vosotros/as)	3.ª persona (Ellos/ellas/Uds.)
Singular (una persona/cosa) **nuestro/nuestra**	**vuestro/vuestra**	**su**
Plural (varias personas/cosas) **nuestros/nuestras**	**vuestros/vuestras**	**sus**

4. **Completa con el adjetivo posesivo correspondiente.**

Andrés le enseña fotos de familia a Susana.

Susana: ¿Quién es ese?

Andrés: ¿No lo conoces? Es ...._mi_............. primo Luis, el hijo de ....._mis_........... tíos Ana y Pablo.

Susana: ¿Y estos son ...._sus_....... padres?

Andrés: Sí, claro, el día de la boda. → _wedding_

Susana: ¡Qué jóvenes! ¿Y no tienes una foto de ...._tu_......... hermana María? →_doll_

Andrés: Sí, aquí está ......_mi_....... hermana María con ...._su_....... muñeca preferida.

El señor García habla de su empresa con un periodista.

- Señor García, ¿todos ...._sus_.......... hijos trabajan en ...._su_............ empresa?

- No, solo los dos mayores y ...._sus_........ mujeres.

María y Vicente enseñan su casa a una amiga.

- María y Vicente, ¿esta es ...._vuestra/su_ casa?

- Sí, esta es ....._nuestra_.. casa, y te presentamos a ....._nuestros_ hijos: ...._nuestra_... hija Inés y ...._nuestro_.... hijo Diego.

/ 14

3

RECURSOS ▶ Eres capaz de... **Preguntar y decir la edad**

ESCUCHA / ESCRIBE
19

☑ diez ☐ veinte ☐ diecisiete
☐ quince ☐ catorce ☐ once
☐ dieciséis ☐ trece ☐ diecinueve
☐ dieciocho ☐ doce

1. Del 10 al 20.

Escucha y marca los números que oyes. Ahora, escríbelos en letra.

1 10 *diez uno*   10 12   9 (14)   2 16 *dos*   9 (18)   3 (20) *tres*
4 11   4 13 *cuatro*   (15)   6 17   (19)

¿Qué 5 números acaban con las mismas letras? ....

¿Qué 4 números empiezan igual? ....

ESCRIBE

2. Con números.

Completa las líneas de puntos con el número adecuado.

a. Tenemos ....~~diez~~.... *diez* dedos en las manos.

b. Un equipo de fútbol tiene ....*once*.... jugadores.

c. Entre manos y pies tenemos ....*veinte*.... dedos.

d. ....*Quince*.... días son aproximadamente medio mes.

e. A los ....*diesiocho*.... años una persona es mayor de edad en muchos países.

f. En España hay ....*diesisiete*.... comunidades autónomas.

g. En ....*diecíséis*.... países americanos la lengua oficial es el español.

ESCUCHA / ESCRIBE
20

3. De veinte a cien.

Escucha y completa los números.

20 veinte
21 veintiuno
30 tre*inta*
32 treinta y dos
40 *cua*renta
49 cuarenta y nueve

50 cincu*enta*
60 sesenta
70 setenta
80 *oc*henta
90 noventa
100 cien

ESCRIBE

4. ¿Qué edad tienen?

Escribe frases como en el ejemplo.

a. María: 47
   María tiene cuarenta y siete años.

b. Ignacio: 89
   Ignacio tiene ochenta y nueve años

c. José Luis: 61
   Sesenta y una años

d. Lorena: 22
   veintidos años

e. Marta: 50
   cincuenta años

f. David: 75
   setenta y cinco años

HABLAR DE LA EDAD

- ¿Qué edad tienes?
  ¿Cuántos años tienes?

- Tengo veintisiete años.

ESCUCHA / ESCRIBE
21

5. ¿Cuántos años tienes?

Escucha y escribe en cifras las edades de estas personas.

a. Ramón: *27* .....*veintisiete*.....   b. Teresa: *44* .....*cuarenta y cuatro*.....
c. Pedro: *58* .....*cincuent*.....   d. Ana: *31* .....*treita y uno*.....
   y ocho

PRONUNCIACIÓN Y ORTOGRAFÍA

ESCUCHA
22

1. ¿Dónde está el acento?

Escucha y subraya la sílaba tónica.

alfabeto   dieciséis   catorce   hablador
divertido   edad   color   pelo

LEE

2. La sílaba tónica.

Clasifica las palabras del ejercicio anterior por la posición de la sílaba tónica.

PENÚLTIMA SÍLABA	ÚLTIMA SÍLABA
ca<u>tor</u>ce	

Añade dos palabras más a cada columna.

HERRAMIENTAS • HERRAMIENTAS • HERRAMIENTAS • HERRAMIENTAS

Conoces... Las relaciones familiares, el estado civil, los adjetivos de descripción física y de carácter   **LÉXICO**   **3**

📖 LEE ✍ **ESCRIBE**

1. Relaciones familiares.

Completa las frases con las palabras del recuadro con la terminación apropiada.

abuelo, sobrino, suegro, tío, cuñado, nieto, primo   *Ejemplo: abuelo/a/os/as*

a. Juan es el abuelo de Míriam. Míriam es su .... preferida.

b. La madre de mi madre o de mi padre es mi ....

c. María es la hermana de mi madre. Yo soy su ....

d. Teresa y José son mis ...., los padres de Andrés, mi marido. Su hermana es mi ....

e. Te presento a mi .... Rafael. Está casado con mi tía Cecilia.

f. Estos son mis .... Manuel y Encarna. Su madre y mi padre son hermanos.

EL ESTADO CIVIL

Casado	Mi hermano está casado, su mujer Soraya es mi cuñada.
Soltero	Mi otro hermano no está casado, está soltero.
Divorciado	Estoy divorciado. Mis hijos viven con mi exmujer.
Viudo	Mi madre es viuda, mi padre ha muerto.

🔍 OBSERVA ## 2. ¿Soltera o casada?

Relaciona las preguntas con las respuestas.

a. Laura, ¿no te vas a casar?   **1.** Sí, están casados desde hace 10 años.

b. ¿Tu tía Carmen es viuda?   **2.** Sí, su marido murió el año pasado.

c. ¿Enrique es el marido de Marga?   **3.** Su exmujer ahora vive en Brasil.

d. Marcos está divorciado.   **4.** ¡Qué va! Yo estoy muy bien soltera.

LA EDAD

Soy joven = tengo pocos años
Soy mayor = tengo muchos años / soy adulto

LA DESCRIPCIÓN FÍSICA

guapo/a: para personas.

bonito/a: para objetos, partes del cuerpo y a veces personas.
Tiene una nariz muy bonita.

feo/a: personas y objetos.

Normal: ni alto ni bajo, ni gordo ni delgado.
- ¿Cómo es tu marido: alto o bajo?
- Pues… no sé, es normal, ni alto ni bajo.

3

LÉXICO ▶ **Conoces...** Las relaciones familiares, el estado civil, los adjetivos de descripción física y de carácter

LA PERSONALIDAD	
CONTRARIOS	
vago/a	trabajador/-a
hablador/-a	callado/a
sociable	tímido/a
inteligente = listo/a	tonto/a
generoso/a	tacaño/a
divertido/a	aburrido/a
sensible	insensible

MUY / UN POCO

Con palabras positivas usamos *muy*, con las negativas, usamos *un poco*.
soy mayor = tengo muchos años / soy adulto

- ¿Cómo es tu hermana?

- Pues es… un poco gordita, es alta, y es muy simpática.

- ¿Cómo es tu compañero nuevo?

- Bueno, no es muy inteligente, pero es muy sociable.

ESCRIBE

3. Así son.

Completa las frases con las palabras adecuadas.

a. Su hermano es un poco feo, pero ella es muy ....guapa.........., y tiene los ojos muy ....bonitos.....

b. - ¿Cómo es tu padre?

- No sé... normal, ni gordo ni ....delgado....

c. - Tu primo es un poco ....tonto........, ¿no?

- ¡No, qué va! Es muy inteligente.

d. - Pero tu primo no es muy hablador, ¿no?

- No, es verdad. Es un poco ....callado.....

e. - ¿Cuántos años tienes?

- Soy muy ....joven.......... Solo tengo quince años.

f. Juan es muy ....~~serio~~ aburrido..... Nunca cuenta chistes ni se ríe.

g. ¿Una bolsa de patatas fritas para celebrar tu cumpleaños? Eres un poco ....tacaño....., ¿sabes?

h. - ¿Qué edad tiene tu madre?

- Tiene setenta y cinco años. Es ....mayor.......... ya.

OBSERVA

4. Hablar de los demás.

Relaciona las dos columnas.

a. ¿Cuántos años tenéis? 3

b. No somos niños,... 6

c. Mi abuelo es normal,... 2

d. No soy muy habladora,... ~~6~~ 1

e. Begoña es muy trabajadora, ¿no? 4

f. ¿Tú no lloras nunca? 5

1. ... pero soy sociable.

2. ... no es ni alto ni bajo.

3. Yo, veinte y mi hermana, veintidós.

4. Sí, no es nada vaga.

5. No, no soy muy sensible.

6. ... somos mayores.

📖 LEE ✏️ ESCRIBE

1. Tengo un novio muy guapo.

Lee la página de Lara en la red social, y contesta las preguntas.

| Amigos Aplicaciones Mensajes | Inicio 🏠 🔒 Buscar 🔍 |

Muro   Información   **Fotos**

Aquí cuelgo la foto de mi novio Raúl. Es muy guapo. Tiene los ojos marrones y el pelo negro. Lo lleva largo en la foto, pero ahora lo lleva corto. Lleva gafas, pero para las fotos se las quita. Dice que no le quedan bien. Tiene 26 años.

Es muy simpático, y también es muy sensible. Los dos lloramos con las películas tristes. Él es deportista. Se levanta temprano por las mañanas y sale a correr una o dos horas por el parque Güell.

Raúl es muy trabajador. Entre semana no sale con sus amigos. Los fines de semana sale conmigo, claro. Vamos al cine o a una discoteca a bailar, o a casa de amigos.

a. Raúl normalmente no está igual que en la foto. ¿Qué dos diferencias describe Lara? *El pelo es largo en la foto pero es corta normalmente*

b. ¿Qué hace Raúl más frecuentemente, salir con los amigos o correr? *correr por para uno o dos horas*

c. ¿En qué se parecen Lara y Raúl? *lloráis en el películas triste por días*

d. ¿Cuántos años tiene Raúl? *26*

e. ¿De qué color son los ojos de Raúl? *marrones*

Parque Güell, Barcelona

🔊 ESCUCHA

2. Sonia y sus hermanos.

23

Álvaro Higueras entrevista a Sonia y sus dos hermanos, Nuria y Gabriel, que son actores famosos. Escucha y marca verdadero o falso. Para las frases falsas, explica cuál es la verdad.

	V	F
a. Nuria es la hermana mayor.	✓	
b. La hermana de Sonia no vive en España.	✓	
c. Gabriel está soltero.	✓	
d. Gabriel vive con su madre.		✓
e. El marido de Nuria murió.	✓	
f. Nuria tiene dos hijas.		✓

💬 **interactúa** Describes a un familiar

En parejas, utilizando una foto si es posible, presenta a una persona de tu familia y descríbela. Escucha a tu compañero y pregúntale más cosas sobre su familia.

Ejemplo:
- *Mira, este es mi primo David. Tiene 31 años. Es alto y moreno. Tiene bigote.*
- *¿Está soltero?*
- *No, está casado. Ahora vive en París con su mujer.*

CONOCES...

La familia en España y México

LEE Tradicionalmente la familia tiene un papel muy importante en la vida de los españoles e hispanoamericanos.

Los hijos dejan la casa de los padres muy tarde. Y después de irse, tienen una relación muy estrecha con ellos. Muchos se van de vacaciones juntos. Cuando tienen hijos, los abuelos ayudan a cuidarlos y, en general, se ayudan los unos a los otros.

La gente no solo se relaciona con su familia nuclear (padres, hijos y hermanos), sino también con la familia «extendida» (primos, abuelos, nietos, etc.). En fechas señaladas, como la Navidad o en celebraciones (bautizos y primeras comuniones, aniversarios de boda, etc.) se invita a todos los familiares y se junta mucha gente.

En México se celebra el Día de Muertos el 1 y el 2 de noviembre. Esta no es una ocasión triste, sino alegre. Se celebra la vida y se dedica un recuerdo a todos los familiares muertos. Estos «vuelven» durante dos noches, que podemos compartir con ellos.

Actualmente las cosas cambian, naturalmente. Muchas parejas deciden vivir juntos sin casarse, se tienen menos hijos, hay más separaciones y divorcios. Por lo tanto, hay más familias monoparentales (formadas por una sola persona y los hijos) y familias en las que conviven hijos de parejas distintas. También hay más movilidad: los hijos o hermanos emigran a otras ciudades u otros países. Por tanto, las relaciones familiares son más complicadas que antes. Pero a través de correos electrónicos y teléfonos móviles, seguimos en contacto estrecho con la familia.

Abuela con nieta

Vacaciones en familia

Día de Muertos

Día de Muertos

Contesta las preguntas.

1. Cuando los hijos se van de casa, ¿qué pasa?
   a. Ya no tienen relación con los padres.
   b. Siguen teniendo mucha relación con los padres.
   c. Solo ven a los padres en las fiestas.

2. ¿Tu sobrino es parte de qué tipo de familia?
   a. Familia extendida.
   b. Familia nuclear.
   c. Familia tradicional.

3. ¿Cómo es la fiesta de los muertos?
   a. Triste.
   b. Alegre.
   c. Solo para jóvenes.

4. ¿Cómo son las relaciones familiares hoy en día?
   a. Igual que antes.
   b. Menos estrechas que las de antes.
   c. Más estrechas que las de antes.

¿Las relaciones familiares son parecidas o diferentes en tu país? Discute con tu clase los parecidos y diferencias.

Guanajuato, México

Competencia pragmática	Competencia lingüística	Competencia sociolingüística	Interactúa

Eres capaz de...

▶ buscar una habitación en piso compartido

▶ elegir un piso

▶ utilizar los ordinales

Puedes...

▶ utilizar el pronombre interrogativo *cuánto* y los cuantificadores

▶ diferenciar *ser* para describir y *estar* para localizar

▶ utilizar los grados de intensidad

▶ conjugar los verbos *estar*, *venir*, *poner* en presente

▶ emplear las locuciones adverbiales de localización

Conoces...

▶ los nombres de los objetos de una casa

▶ las características de un piso

▶ la vivienda en España, México y Argentina

▶ describes tu habitación

CONTESTA ESTAS PREGUNTAS PARA DESCRIBIR TU CASA PREFERIDA.

1. ¿Es grande o pequeña?

2. ¿Es ruidosa o tranquila?

3. ¿Cuántas habitaciones tiene?

4. ¿Qué tipo de vivienda es: un chalé, un piso, un apartamento, etc.?

5. ¿Tiene luz? ¿Es exterior o interior?

6. ¿Tiene un estilo clásico o moderno?

EN GRUPOS, ORDENA LAS CARACTERÍSTICAS MARCADAS DE MÁS A MENOS IMPORTANTE.

En España, muchos estudiantes y jóvenes alquilan una habitación en un piso donde viven otros estudiantes para pagar menos.

UN NUEVO COMPAÑERO DE PISO

📖 **LEE** 🔍 **OBSERVA**

1. Lee el texto, subraya el nombre de cada habitación y escríbelo debajo de la foto adecuada.

María: Hola, buenos días, eres Leo, ¿verdad?

Leo: Sí, vengo a ver el piso. Quiero alquilar una habitación.

María: Sí, pasa. Bueno, mira, esto es el recibidor. Aquí, a la izquierda del recibidor están el salón y el comedor. El salón tiene una terraza muy bonita.

Leo: Sí, es preciosa. ¿Cuántos dormitorios tiene la casa?

María: Tres.

Leo: ¿Y cuántos cuartos de baño hay?

María: Dos, bueno, un cuarto de baño grande y otro pequeño.

Leo: ¿Y dónde están?

María: Pues el baño grande al lado de este dormitorio. Y el pequeño al fondo del pasillo a la derecha.

Leo: Ah, muy bien, ¿y dónde está la cocina?

María: Aquí mismo, a la izquierda. _right here_

Leo: ¡Es muy grande!

María: Sí, es bastante grande. Aquí comemos todos juntos y a veces estudiamos también.

Leo: ¿Y cuánto es el alquiler de una habitación?

María: Bueno, vamos a tomar un café y hablamos…

1 el pasillo

2 el salón

3 el comedor

4 la entrada / ricibidor

5 terraza

6 La cosina

7 Cuarto del baño

8 cama ↓ / Dormitorio

LOCALIZAR CON EL VERBO *ESTAR*

A: ¿Dónde está el cuarto de baño?
B: Está a la derecha del ↱
a la izquierda del dormitorio ↰
al lado del →|←
al fondo del pasillo ↑

¡OJO!
a + el = al
de + el = del
*El baño está **al** lado **del** dormitorio.*

¿DÓNDE ESTÁ...?

📖 LEE

2. Lee otra vez el diálogo y contesta verdadero o falso.

		V	F
a.	El salón y el comedor están a la derecha del recibidor.	☐	☒
b.	El piso tiene terraza.	☒	☐
c.	El piso tiene dos dormitorios.	☐	☒
d.	El piso tiene dos cuartos de baño.	☒	☐
e.	El cuarto de baño grande está al lado del dormitorio.	☒	☐
f.	El cuarto de baño pequeño está al fondo del pasillo a la izquierda.	☐	☒
g.	La cocina está al fondo del pasillo.		☒
h.	La cocina es pequeña.	☐	☒

Barcelona, España

🔊 ESCUCHA
24

¿CÓMO ES LA CASA?

3. Escucha esta descripción y responde a las preguntas.

a. ¿Es una casa grande o pequeña (un apartamento)?

b. ¿Cuántas habitaciones tiene? 5

c. ¿Cuántos dormitorios tiene? 2

d. ¿Dónde está el salón-comedor? a la izquierda

e. ¿Cuántos cuartos de baño tiene la casa? 1

f. ¿Qué hay al fondo del pasillo? dormitorio otro

PARA AYUDARTE

PREGUNTAR POR UNA CANTIDAD O NÚMERO

	Masculino	Femenino
Singular	**¿Cuánto...?**	**¿Cuánta...?**
Plural	**¿Cuántos...?**	**¿Cuántas...?**

💬 COMUNICA

AHORA TÚ

4. Observa este plano y describe el apartamento. Di dónde está cada habitación.

vestidor

¡OJO!

La palabra *habitación* significa cada uno de los espacios de la casa: la cocina, el salón, etc., pero también significa lo mismo que *dormitorio*.

BUSCAN PISO EN MADRID

📖 LEE

1. Lee estos anuncios de pisos.

A. PISO DE ESTUDIANTES
Se alquila habitación con baño. Habitación exterior muy alegre.
Avenida de los Olmos, 19

B. Se alquila habitación. Barrio tranquilo. Edificio antiguo sin ascensor. Primer piso.
Plaza Mayor, 17

C. Se alquila apartamento (5.º piso). Piso interior tranquilo, calefacción y aire acondicionado.
Calle de América, 11

Plaza Mayor, Madrid

🔊 ESCUCHA   **25**

LAURA LLAMA A SUS AMIGOS

Hola, soy Laura, ¿qué tal tu piso nuevo?

2. Escucha y relaciona cada persona con un anuncio.

Pablo: ¡Muy bien! Tengo una habitación muy grande, con baño. Es exterior, veo la calle, así que es muy alegre. ¡Estoy encantado! Mis vecinos son ruidosos, pero son simpáticos. Eso sí, mi habitación es fría en invierno y calurosa en verano.

Laura: Inés, ¿cómo te va con tu piso nuevo?

Inés: Bueno, no está mal. Es interior, muy tranquilo. Tiene calefacción y aire acondicionado. El problema es que el ascensor está estropeado, ¡y es un quinto piso!

Laura: Leo, ¿estás contento con tu piso nuevo?

Leo: Sí, es un poco triste porque es un primer piso. Tiene poca luz. Pero no importa. Es un piso muy bonito. Es un edificio antiguo. Está en la plaza. Mi habitación está encima de un bar. El piso es tranquilo de día, pero un poco ruidoso por las noches.

¡OJO!

La palabra *piso* aquí significa dos cosas:
- sinónimo de *planta*: *primer piso = primera planta*.
- vivienda dentro de un bloque.

Además es importante saber que un piso es más grande que un apartamento.

¿QUÉ PROBLEMAS TIENE CADA UNO?

🔊 ESCUCHA   **25**

3. Escucha otra vez y explícalo.

....
....
....
....
....

....
....
....
....

....
....
....
....

LAS DIFERENTES VIVIENDAS

4. Relaciona cada palabra con un dibujo.

a.

b.

🔍 OBSERVA

LA CASA/EL CHALÉ [C]

LA VIVIENDA

EL PISO [b]

EL APARTAMENTO [d]

EL EDIFICIO [a]

c.

d.

📖 LEE

¿DE QUÉ CASA SE TRATA?

5. Relaciona cada frase con el significado exacto de la palabra *casa*.

a. Laura está en casa. Está cansada.

b. En verano vamos de vacaciones a una casa de campo.

c. Desde mi ventana no veo parques ni árboles, solo veo casas.

1. Vivienda aislada de otras.

2. Bloque de pisos, edificio.

3. Hogar donde vive una persona: piso, apartamento, etc.

DESCRIBIR UNA VIVIENDA		
CONTRARIOS		**GRADOS DE INTENSIDAD**
antiguo/a	nuevo/a	Es muy ruidoso.
bonito/a	feo/a	Es bastante ruidoso.
exterior	interior	Es ruidoso.
frío/a	caluroso/a	Es un poco ruidoso.
grande	pequeño/a	
ruidoso/a	silencioso/a	Es poco ruidoso.
sin luz	con mucha luz	No es nada ruidoso.

Andalucía, España

LAS CARACTERÍSTICAS DE UN PISO

✏️ ESCRIBE

a. Mi casa es muy .... No tiene ascensor.

b. El piso de Laura no tiene aire acondicionado, en verano es muy ....

c. Inés vive en una casa con un gran jardín. Es muy ....

6. Completa con una palabra del recuadro.

d. Tu apartamento es alegre, pero muy .... Solo tiene una habitación.

e. Vivimos en un piso, es ....: desde las ventanas vemos el parque.

f. Nuestra casa es bonita, pero bastante .... Está cerca de la autopista.

exterior, ruidoso/a, bonito/a, antiguo/a, frío/a, caluroso/a, pequeño/a

g. En mi casa no tengo calefacción. En invierno es un poco ....

¿CÓMO ES TU CASA?

💬 INTERACTÚA

7. En parejas. A describe su casa (piso, apartamento, etc.) a B. B anota los datos en este cuadro:

① Tipo de vivienda:

② Piso (altura):

③ Número de habitaciones:

④ Problema(s):

⑤ Cosas buenas:

Evalúate

Total _____ / 43

EL PRONOMBRE INTERROGATIVO *CUÁNTO*		
	Singular	Plural
Masculino	¿Cuánto...?	¿Cuántos...?
Femenino	¿Cuánta...?	¿Cuántas...?

Los cuantificadores

++ **Mucho/a**   + **Bastante**   − **Poco/a**
++ **Muchos/as**   + **Bastantes**   − **Pocos/as**

1. Completa las frases y subraya la respuesta correcta.

a. ¿....Cuánto.... dinero tienes?   ~~Poco~~ / Mucha / Bastantes

b. ¿....Cuantas.... habitaciones tiene tu casa?   ~~Pocas~~ / Muchas / ~~Bastantes~~, es una casa pequeña.

c. ¿....Cuantos.... hermanos sois?   Pocos / ~~Muchos~~ / Bastante, somos cinco hermanos.

d. ¿....Cuantos.... muebles hay en tu habitación?   Muchas / Pocos / ~~Bastantes~~, ¡mi habitación está llena!

e. ¿....Cuantas.... plantas tiene esa casa?   ~~No sé, muchas~~ / bastante / pocas, más de veinte, seguro.

f. ¿....Cuanto.... me quieres?   ~~Mucho~~ / Bastantes / Poco, estoy locamente enamorado.

g. ¿....Cuanta.... luz tiene tu casa?   Poco / Bastante / ~~Mucho~~, es exterior y está en la primera planta.

h. ¿....Cuanta.... agua te sirvo?   ~~Poca~~ / Mucha / Bastantes, no tengo sed. → thirsty

/ 16

CONTRASTE *SER* Y *ESTAR*		
	SER	ESTAR
(Yo)	soy	estoy
(Tú)	eres	estás
(Él/ella/Ud.)	es	está
(Nosotros/as)	somos	estamos
(Vosotros/as)	sois	estáis
(Ellos/as/Uds.)	son	están

SER:
se utiliza para describir: *La habitación es grande y luminosa.*

ESTAR:
se utiliza para localizar: *La habitación está al lado del cuarto de baño.*

GRADOS DE INTENSIDAD

Es muy ruidoso
Es bastante ruidoso
Es ruidoso
Es poco ruidoso
No es nada ruidoso

2. Completa con *ser* o *estar* en la forma adecuada.

a. Estos edificios del centro ......son...... antiguos.

b. Esta calle ......está...... muy tranquila.

c. Este sillón ......está...... al lado del sofá.

d. Los primeros pisos ......son...... bastante ruidosos.

e. El apartamento quinto C ......está...... a la derecha del quinto B.

f. La cocina ......está...... a la izquierda del comedor.

g. El sofá de su piso ......es...... nuevo.

h. El mueble que ......está...... al final del pasillo es precioso.

/ 8

dormitorio principal   salón

otro dormitorio

cuarto de baño

recibidor

cocina   usted está aquí

LOCUCIONES ADVERBIALES DE LOCALIZACIÓN

Al lado de: muy cerca. *La cocina está al lado del recibidor.*
A la derecha (de): *El salón está a la derecha del dormitorio principal.*
A la izquierda (de): *El dormitorio principal está a la izquierda del salón.*
Al fondo (de): *El dormitorio principal está al fondo, a la izquierda.*
Entre: *El otro dormitorio está entre el dormitorio principal y la cocina.*
Enfrente de: *La cocina está enfrente del cuarto de baño.*

3. **Observa la foto y escribe frases para localizar estos objetos como en el ejemplo.**

Ejemplo: ventana / habitación

a. televisión / sofá
b. silla / televisión
c. lámpara / sillón / silla
d. lámpara / sofá
e. televisión / habitación
f. sofá / habitación

La ventana está al fondo de la habitación.

[handwritten] La televisión esta enfrente del
La silla esta al lado del televisión sofá
La lámpara esta a la derecha del sillón
La lámpara esta ala y el silla

[handwritten] Mettre

| / 6 |

VERBOS IRREGULARES

	VENIR	PONER	SABER
(Yo)	vengo	pongo	sé
(Tú)	vienes	pones	sabes
(Él/ella/Ud.)	viene	pone	sabe
(Nosotros/as)	venimos	ponemos	sabemos
(Vosotros/as)	venís	ponéis	sabéis
(Ellos/as/Uds.)	vienen	ponen	saben

4. **Completa las frases con *estar, venir, saber* o *poner* en la forma correcta.**

a. La cocina .... a la derecha del comedor.

b. ¿(nosotros) .... estas cosas al fondo del pasillo?

c. Alfredo .... hoy a mi casa para conocerla.

d. Buenos días, (yo) .... a poner los muebles de la cocina.

e. El cuarto de baño .... al fondo del pasillo a la derecha.

f. (Nosotros) .... a visitar la casa, pero no .... en qué piso ....

g. María, ¿qué muebles .... tú aquí en el salón?

h. - ¿Dónde .... las sillas?

   - No .... dónde ....

i. ¿Dónde (yo) .... este vaso?

| / 13 |

LOS NÚMEROS ORDINALES

1.º primer(o) / **1.ª** primera	**6.º** sexto / **6.ª** sexta
2.º segundo / **2.ª** segunda	**7.º** séptimo / **7.ª** séptima
3.º tercer(o) / **3.ª** tercera	**8.º** octavo / **8.ª** octava
4.º cuarto / **4.ª** cuarta	**9.º** noveno / **9.ª** novena
5.º quinto / **5.ª** quinta	**10.º** décimo / **10.ª** décima

- *¿En qué piso vive el señor Hernández?*
- *En el séptimo derecha.*

¡OJO!

Cuando *primero* y *tercero* están delante de un nombre masculino se escriben *primer* y *tercer*.
El piso primero = El primer piso.

PARA AYUDARTE
OTRAS LOCUCIONES ADVERBIALES

Debajo de: posición inferior. Ej.: El 2.º piso está debajo del 3.º.
Encima de: posición superior. Ej.: El 3.º piso está encima del 2.º.

💬 COMUNICA **1. ¿En qué piso vive?**

En grupos. Por turnos, hacemos preguntas sobre los vecinos de este edificio y el siguiente contesta.

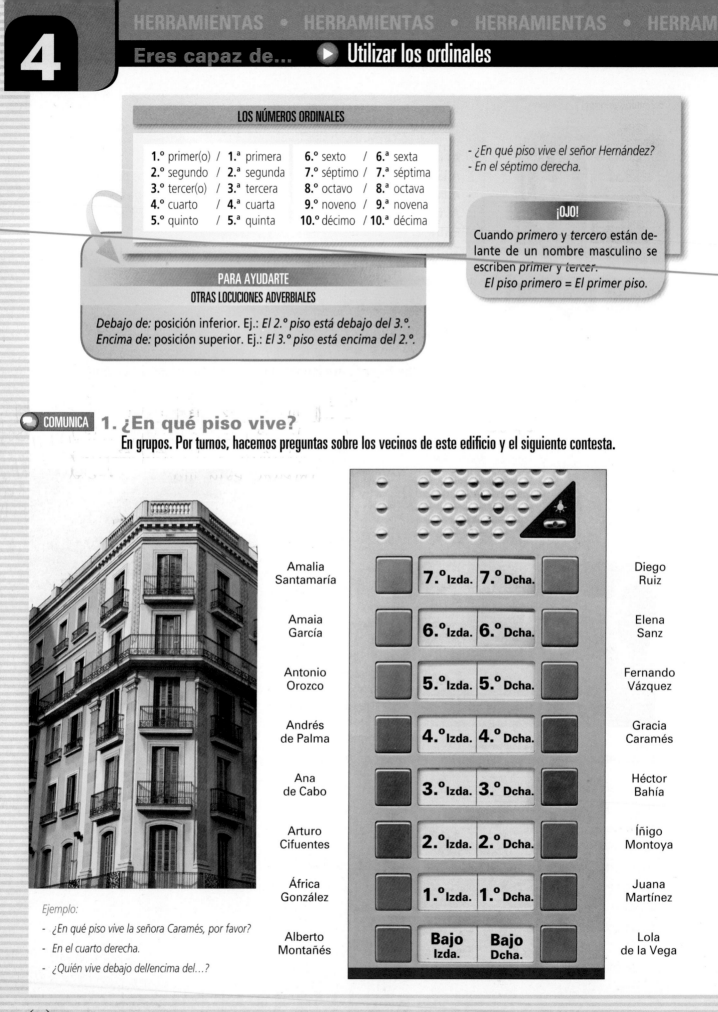

Ejemplo:

- *¿En qué piso vive la señora Caramés, por favor?*
- *En el cuarto derecha.*
- *¿Quién vive debajo del/encima del...?*

Los meses del año y los días de la semana

ENERO						
Lunes	Martes	Miércoles	Jueves	Viernes	Sábado	Domingo
						1
2	3	4	5	6	7	8
9	10	11	12	13	14	15
16	17	18	19	20	21	22

FEBRERO						
Lunes	Martes	Miércoles	Jueves	Viernes	Sábado	Domingo
		1	2	3	4	5
6	7	8	9	10	11	12
13	14	15	16	17	18	19
20	21	22	23	24	25	

MARZO						
Lunes	Martes	Miércoles	Jueves	Viernes	Sábado	Domingo
		1	2	3	4	
5	6	7	8	9		11
12	13					18
						25

ABRIL						
Lunes	Martes	Miércoles	Jueves	Viernes	Sábado	Domingo
						1
2	3	4	5	6	7	8
9	10	11	12	13	14	15
16	17	18	19	20	21	22
23	24	25	26	27	28	29
30						

MAYO						
Lunes	Martes	Miércoles	Jueves	Viernes	Sábado	Domingo
	1	2	3	4	5	6
7	8	9	10	11	12	13
14	15	16	17	18	19	20
21	22	23	24	25	26	27
28	29	30	31			

JUNIO						
Lunes	Martes	Miércoles	Jueves	Viernes	Sábado	Domingo
				1	2	3
4	5	6	7	8	9	10
11	12	13	14	15	16	17
18	19	20	21			

SEPTIEMBRE						
Lunes	Martes	Miércoles	Jueves	Viernes	Sábado	Domingo
					1	2
3	4	5	6	7	8	9
10	11	12	13	14	15	16
17	18	19	20	21	22	23
24	25	26	27	28	29	30

JULIO						
Lunes	Martes	Miércoles	Jueves	Viernes	Sábado	Domingo
						1
2	3	4	5	6	7	8

AGOSTO						
Lunes	Martes	Miércoles	Jueves	Viernes	Sábado	Domingo
	1	2	3	4	5	
6	7	8	9	10	11	12
13	14	15	16	17	18	19

OCTUBRE						
Lunes	Martes	Miércoles	Jueves	Viernes	Sábado	Domingo
1	2	3	4	5	6	7
8	9	10	11	12	13	14
15	16	17	18	19	20	21
22	23	24	25	26	27	28
29	30	31				

NOVIEMBRE						
Lunes	Martes	Miércoles	Jueves	Viernes	Sábado	Domingo
		1	2	3	4	
5	6	7	8	9	10	11
12	13	14	15	16	17	18
19	20	21	22	23	24	25
26	27	28	29	30		

DICIEMBRE						
Lunes	Martes	Miércoles	Jueves	Viernes	Sábado	Domingo
					1	2
3	4	5	6	7	8	9
10	11	12	13	14	15	16
17	18	19	20	21	22	23
24	25	26	27	28	29	30
31						

ESCRIBE

2. El primer día.

Completa las frases con un número ordinal.

a. Sábado es el .... día de la semana.

b. Febrero es el .... mes del año.

c. En 2010 España ganó su .... copa mundial de fútbol.

d. La «e» es la .... letra del alfabeto.

e. Lunes es el .... día de la semana.

f. Marzo es el .... mes del año.

g. El .... mes del año, agosto, es un mes de vacaciones.

h. La .... sinfonía de Beethoven, *Himno a la alegría*, es el himno de la Unión Europea.

PRONUNCIACIÓN Y ORTOGRAFÍA

ESCUCHA

26

1. ¿Cómo se pronuncia?

Escucha y subraya la sílaba tónica.

alquilar	comedor	cuarto	tercero
quinto	grande	ruidoso	cocina
catorce	mundial	favor	alfabeto

LEE

2. La sílaba tónica.

Observa la última letra y clasifica las palabras del ejercicio anterior.

TERMINA EN VOCAL, N o S	TERMINA EN CONSONANTE, SALVO N o S
ca**tor**ce	come**dor**

Añade dos palabras más a cada columna.

4

LÉXICO ▶ **Conoces... Los nombres de los objetos de una casa**

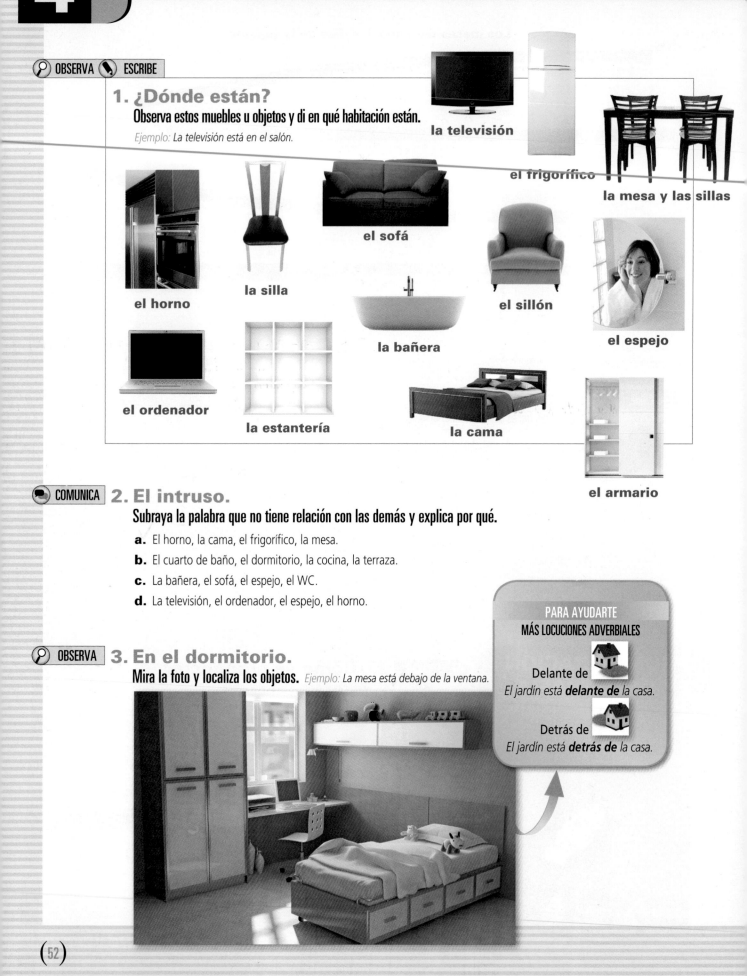

🔍 OBSERVA ✍ ESCRIBE

1. ¿Dónde están?

Observa estos muebles u objetos y di en qué habitación están.

Ejemplo: La televisión está en el salón.

la televisión

el frigorífico

la mesa y las sillas

el sofá

la silla

el horno

el sillón

el espejo

el ordenador

la bañera

la estantería

la cama

el armario

💬 COMUNICA

2. El intruso.

Subraya la palabra que no tiene relación con las demás y explica por qué.

a. El horno, la cama, el frigorífico, la mesa.

b. El cuarto de baño, el dormitorio, la cocina, la terraza.

c. La bañera, el sofá, el espejo, el WC.

d. La televisión, el ordenador, el espejo, horno.

🔍 OBSERVA

3. En el dormitorio.

Mira la foto y localiza los objetos. *Ejemplo: La mesa está debajo de la ventana.*

> **PARA AYUDARTE**
> **MÁS LOCUCIONES ADVERBIALES**
>
> Delante de
> *El jardín está **delante de** la casa.*
>
> Detrás de
> *El jardín está **detrás de** la casa.*

📖 LEE 💬 COMUNICA

1. Pilar busca piso.

Después de leer el correo de Pilar, recomiéndale dos de estos cuatro pisos.

SE ALQUILA
Apartamento exterior, segundo piso, una habitación y salón.
Con ascensor. Edificio moderno. Apartamento amueblado.

629 11 34 26
629 11 34 26
629 11 34 26
629 11 34 26
629 11 34 26

Mensaje nuevo

Enviar Chat Adjuntar Agenda Tipo de letra Colores Borrador   Navegador de fotos Mostrar plantillas

De: Pilar
Para: Grupo amigos
Cc:
Asunto: Busco piso

Hola, amigos. Busco piso. ¿Me ayudáis a encontrar uno? Necesito un piso pequeño o un apartamento, de una o dos habitaciones. Prefiero un piso exterior. Son más alegres.

No uso el ascensor. Quiero un piso no muy alto, un primero o segundo.

No tengo muebles, así que necesito un piso amueblado. ¡Ah!, y prefiero un piso antiguo. Son muy bonitos y no son calurosos en verano.

Pilar

ALQUILO
Casa de campo. 4 habitaciones.
Jardín grande.
Amueblada, casa antigua.

610 99 55 26

ALQUILO
PISO DE LUJO. 3 HABITACIONES, MUY GRANDE. INTERIOR. MUY TRANQUILO. SÉPTIMO PISO. SIN MUEBLES. EDIFICIO MODERNO.

607 12 45 33
607 12 45 33
607 12 45 33
607 12 45 33
607 12 45 33

SE ALQUILA
Piso de dos habitaciones.
Edificio antiguo. Sin ascensor.
Segunda planta.
El piso está amueblado.
609 348 77 11

🔊 ESCUCHA 💬 COMUNICA

27

2. ¿Dónde los pongo?

Escucha dónde quiere colocar Pilar los muebles de su habitación. Hay tres cosas mal puestas. Identifícalas.

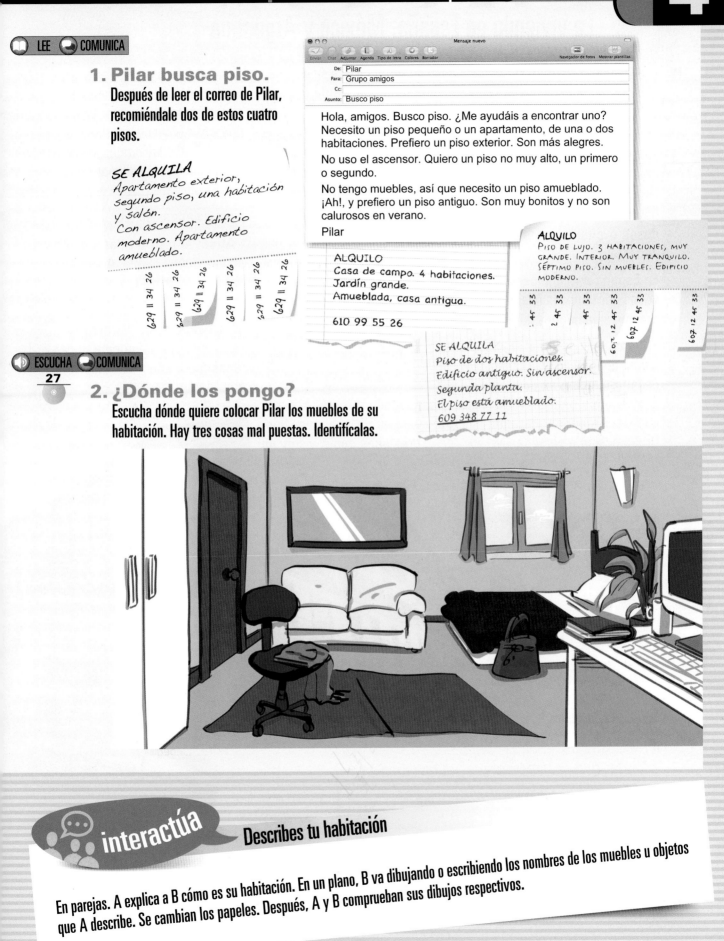

💬 **interactúa**   Describes tu habitación

En parejas. A explica a B cómo es su habitación. En un plano, B va dibujando o escribiendo los nombres de los muebles u objetos que A describe. Se cambian los papeles. Después, A y B comprueban sus dibujos respectivos.

CONOCES...

La vivienda en España, México y Argentina

LEE Las viviendas pueden ser unifamiliares (una casa para una sola familia) o pisos en un bloque o edificio de varias plantas.

En el centro de las ciudades la gran mayoría de las viviendas están en edificios. En las afueras hay más zonas residenciales de casas o chalés, generalmente con jardín.

En España e Hispanoamérica a veces utilizamos la misma palabra con significados diferentes:

- **Piso:** esta palabra significa *planta* o *altura* en un edificio. En España también se llama así a una vivienda dentro de un bloque. En Argentina, Paraguay y Uruguay si una persona vive en un piso significa que su vivienda ocupa toda una planta (o piso), de un edificio (o torre).

- **Apartamento:** en España es un piso pequeño, en América es cualquier vivienda dentro de un bloque. Ahí también se llama *departamento*.

- **Dúplex:** una vivienda en dos alturas, con escalera interior. En España es parte de un edificio alto. En Argentina, Chile y otros países, el dúplex es cualquier casa con dos alturas. Los dúplex son particularmente comunes en Argentina y Bolivia.

- **Casa:** puede referirse a nuestra vivienda, de cualquier tipo, en expresiones como: *estoy en casa*, etc. También puede referirse a una vivienda unifamiliar, o a un bloque de pisos: *Vivo en una casa* (vivienda unifamiliar), *En esta calle las casas son muy altas* (bloques o edificios).

Además, hay otras palabras para viviendas en bloques:

- **Ático:** el piso o apartamento en una última planta. A menudo tiene una terraza grande.

- **Estudio:** apartamento con un solo espacio: es dormitorio y salón a la vez. La cocina generalmente es americana, incluida en el salón.

Chalés, afueras de Madrid, España

Piso, Marbella, España

Casas en Oaxaca, México

Dúplex, Argentina

Contesta las preguntas.

1. Coloca en orden de tamaño, de mayor a menor, estos cuatro tipos de vivienda:
chalé / apartamento / piso / estudio

2. En la frase «te invito, vente a casa a comer», ¿qué significa *casa*?
a. Mi chalé.
b. El bloque donde está mi piso.
c. Donde yo vivo.

3. ¿Qué es un ático?
a. Un piso grande.
b. Una casa con jardín.
c. Una vivienda en el último piso.

Habla en grupos: ¿En qué tipo de vivienda vives tú? ¿Dónde vive la gente normalmente en tu ciudad / región?
¿Cuál de las viviendas mencionadas prefieres y por qué?

POR LA CIUDAD

5

Competencia pragmática ▼	Competencia lingüística ▼	Competencia sociolingüística ▼	Interactúa ▼
Eres capaz de...	**Puedes...**	**Conoces...**	▶ organizas una visita turística
▶ entender y dar indicaciones en la calle	▶ utilizar los artículos indeterminados	▶ los números de cien a un millón	
▶ localizar establecimientos	▶ diferenciar *hay* y *está(n)*	▶ los nombres de los espacios urbanos y las tiendas	
▶ preguntar y decir la hora	▶ conjugar los verbos *ir, seguir, cerrar* y *dar*, en presente	▶ las ciudades de España y de Hispanoamérica con el mismo nombre	
	▶ utilizar las preposiciones y adverbios de lugar		

¿CÓMO VAS A CLASE DE ESPAÑOL?

☐ En metro.
☐ En autobús.
☐ A pie.

CORRIGE LA INFORMACIÓN FALSA.

	V	F
1. En mi ciudad las tiendas abren a las nueve.	☐	☐
2. En mi barrio hay un cine y un museo.	☐	☐
3. En mi calle hay una farmacia y un supermercado.	☐	☐
4. Mi mejor amigo/a vive enfrente de mi casa.	☐	☐

¿QUÉ LUGAR ESTÁ MÁS CERCA DE TU CASA?

1. una farmacia

2. un supermercado

3. un parque

¿CÓMO LLEGO A TU CASA? 28

🔊 ESCUCHA

1. Escucha y lee la primera parte del diálogo y elige el plano que marca el camino correcto.

Roberto vive en el Barrio de las Letras. Habla por teléfono con su amiga Mar y le indica cómo llegar a su casa.

Mar: Entonces, ¿cómo llego a tu casa? Estoy en la estación de metro Atocha.

Roberto: Es muy fácil. Vas por la calle Atocha y giras a la derecha en la segunda calle.

Mar: Vale, segunda a la derecha…

Roberto: Luego sigues todo recto y giras a la izquierda en la cuarta calle. Es la calle de la Verónica. Vivo en el número 40, al lado de una panadería, en el tercero izquierda.

GIRAS A LA DERECHA →

SIGUES (TODO) RECTO ↑

← **GIRAS A LA IZQUIERDA**

CRUZAS 🚶

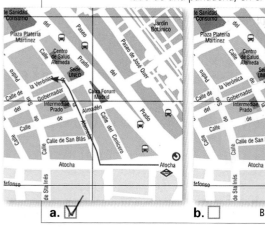

a. ☑ **b.** ☐ Barrio de las Letras, Madrid

¿HAY MUCHAS TIENDAS? 🔊 ESCUCHA

2. Escucha la segunda parte y contesta verdadero o falso.

29

		V	**F**
a. No hay muchas tiendas en el barrio de Roberto.		☐	☑
b. Hay una farmacia enfrente de su casa.		☑	☐
c. Hay tres cafeterías.		☐	☑
d. También hay tiendas de ropa.		☑	☐
e. El cine está lejos.		☑	☑
f. El cine está en la calle Salamanca.		☑	☑

Una tienda

Una cafetería

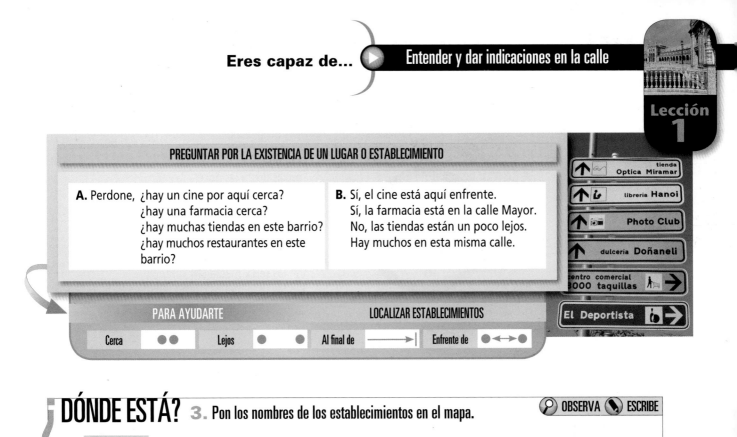

PREGUNTAR POR LA EXISTENCIA DE UN LUGAR O ESTABLECIMIENTO

A. Perdone, ¿hay un cine por aquí cerca?
¿hay una farmacia cerca?
¿hay muchas tiendas en este barrio?
¿hay muchos restaurantes en este barrio?

B. Sí, el cine está aquí enfrente.
Sí, la farmacia está en la calle Mayor.
No, las tiendas están un poco lejos.
Hay muchos en esta misma calle.

PARA AYUDARTE   LOCALIZAR ESTABLECIMIENTOS

Cerca ●●   Lejos ●   ●   Al final de ├───►| Enfrente de ●◄──►●

¿DÓNDE ESTÁ?

3. Pon los nombres de los establecimientos en el mapa.

🔍 OBSERVA ✏ ESCRIBE

a. La oficina de Correos está en la avenida de Barcelona, esquina con la calle Valencia.

b. El supermercado está enfrente del restaurante.

c. El banco está en la avenida de Valladolid, al lado de la comisaría.

d. La tienda de ropa está en la calle Salamanca, enfrente del hospital.

e. El museo está al lado del cine, en la calle Valencia.

INSTRUCCIONES PARA LLEGAR

💬 INTERACTÚA

4. En parejas. Por turnos, mira este plano y pregunta a tu compañero cómo llegar a los sitios. Él te da instrucciones.

A. Quieres ir a la escuela, a la gasolinera y al hospital.

B. Quieres ir a la farmacia, al banco y a la cafetería.

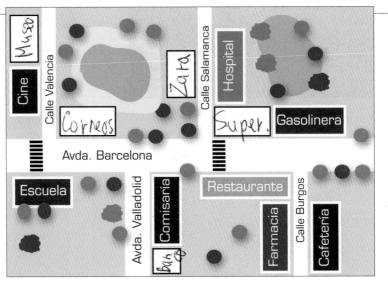

MI BARRIO

oficina de turismo   gasolinera   museo   biblioteca
restaurantes   colegios   supermercados   tiendas de ropa

💬 INTERACTÚA

5. Habla con tu compañero sobre vuestros barrios. Por turnos, hacéis preguntas sobre estos lugares:

Ejemplo:
¿Hay una biblioteca en tu barrio? ¿Dónde está?
¿Hay muchos restaurantes...? ¿Cuántos restaurantes hay en tu barrio?
¿Hay uno cerca de tu casa? ¿Cómo se va?

LA HORA

Es la una
Son las dos... las doce
Son las tres... ... y cinco... y veinte
... menos diez... menos cinco
En punto significa *hora exacta*
Son las seis en punto (18:00)
Son las seis y cuarto (18:15)
Son las seis y media (18:30)
Son las siete menos cuarto (18:45)

Alexandra e Inés quedan.

🔊 **ESCUCHA** **30**

¿A QUÉ HORA QUEDAMOS?

1. Escucha y contesta las preguntas de Alexandra.

¿A qué hora quedamos?

a. ¿A qué hora empieza la película?

b. ¿Cuál es la dirección del cine?

c. ¿En qué va Inés: en metro o en autobús?

d. ¿Qué número (de autobús o línea de metro)?

e. ¿En qué parada (de autobús)/estación (de metro) se baja?

Alexandra: Oye, ¿qué haces esta tarde?

Inés: Nada especial.

Alexandra: ¿Vienes al cine? En el Proyecciones ponen una película muy buena, de Amenábar.

Inés: Bueno, vamos. ¿A qué hora quedamos?

Alexandra: A ver… la película empieza a las siete, pero tenemos que comprar las entradas… mejor quedamos a las seis y media, ¿vale?

Inés: Vale, pero ¿cómo voy al cine Proyecciones?

Alexandra: Es fácil. En el autobús. Tomas el 19 y te bajas en la quinta parada, en la avenida de la Libertad; cruzas la plaza Mayor y el cine Proyecciones está enfrente del Ayuntamiento. Está en la calle Concordia, número 2.

Inés: Muy bien. Pues quedamos a las seis y media en la puerta del cine.

Alexandra: De acuerdo. ¡Hasta luego!

¿CÓMO VOY?

💬 **INTERACTÚA**

2. En parejas. En el mapa de la p. 56 queda con tu compañero para ir a CaixaForum, al jardín botánico, etc.

A pregunta cómo ir, dónde está, etc. **B** señala el medio de transporte, número, parada/estación, explica cómo llegar y sugiere una hora. Después de llegar, cambiáis los papeles y quedáis para ir a otro sitio.

PARA LLEGAR A UN SITIO

A. ¿Cómo voy/vamos?
B. Andando/A pie. En metro/autobús/tranvía.
Tomas el…, te bajas en…
Desde la parada/estación bajas por la calle…, cruzas la…

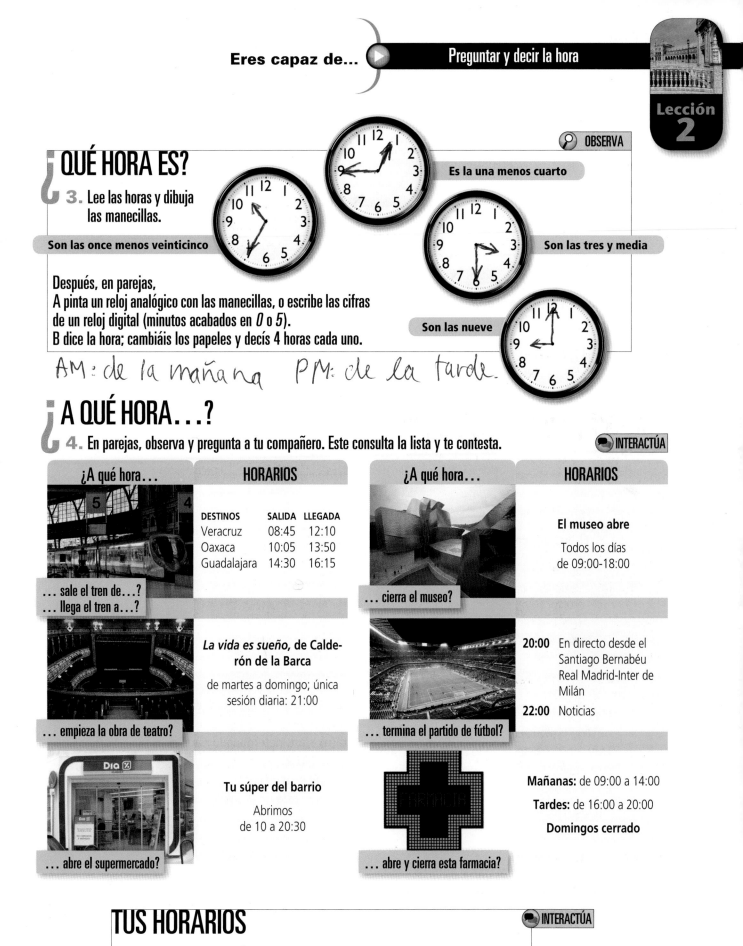

¿QUÉ HORA ES?

3. Lee las horas y dibuja las manecillas.

🔍 OBSERVA

Es la una menos cuarto

Son las once menos veinticinco

Son las tres y media

Después, en parejas,
A pinta un reloj analógico con las manecillas, o escribe las cifras de un reloj digital (minutos acabados en 0 o 5).
B dice la hora; cambiáis los papeles y decís 4 horas cada uno.

Son las nueve

AM: de la mañana   PM: de la tarde.

¿A QUÉ HORA...?

4. En parejas, observa y pregunta a tu compañero. Este consulta la lista y te contesta.

💬 INTERACTÚA

¿A qué hora...	HORARIOS

... sale el tren de...?
... llega el tren a...?

DESTINOS	SALIDA	LLEGADA
Veracruz	08:45	12:10
Oaxaca	10:05	13:50
Guadalajara	14:30	16:15

... empieza la obra de teatro?

La vida es sueño, de Calderón de la Barca

de martes a domingo; única sesión diaria: 21:00

... abre el supermercado?

Tu súper del barrio

Abrimos
de 10 a 20:30

¿A qué hora...	HORARIOS

... cierra el museo?

El museo abre

Todos los días
de 09:00-18:00

... termina el partido de fútbol?

20:00 En directo desde el Santiago Bernabéu Real Madrid-Inter de Milán

22:00 Noticias

... abre y cierra esta farmacia?

Mañanas: de 09:00 a 14:00

Tardes: de 16:00 a 20:00

Domingos cerrado

TUS HORARIOS

💬 INTERACTÚA

5. En parejas. Pregunta a tu compañero el horario de las tiendas, los cines, los museos, etc., de su ciudad y sus horarios personales: comer, ir a clase, etc.

Evalúate

Total _____ / 39

ARTÍCULOS INDETERMINADOS		
	Singular	Plural
Masculino	**un** supermercado	**unos** supermercados
Femenino	**una** farmacia	**unas** farmacias

El artículo indeterminado se utiliza para hablar de algo o alguien desconocido o no mencionado con anterioridad.
- *¿Hay **una** gasolinera cerca?*

1. Completa con artículos indeterminados o determinados.

a. En mi calle hay .... supermercado. .... supermercado de comida asiática está en la otra calle.

b. En la plaza está .... iglesia del pueblo. Es .... iglesia románica.

c. Creo que hay .... banco cerca. Es .... Banco de Valencia.

d. En esta zona hay .... restaurantes muy caros. Me gusta .... restaurante japonés.

e. Vips son .... cafeterías muy conocidas, pero prefiero .... cafeterías de mi barrio.

f. ¡Claro que hay .... biblioteca en esta ciudad! .... biblioteca universitaria está cerca.

g. En mi calle hay .... cine, pero .... cines más grandes están en la Gran Vía.

h. Hay .... museo muy interesante en mi ciudad. Es .... museo marítimo.

/ 16

RECUERDA

El artículo determinado se usa para hablar de algo o alguien conocido o mencionado con anterioridad.
- *Perdone, ¿dónde está **la** cafetería Riofrío?*
- *En la plaza de Colón.*

DIFERENCIA ENTRE *HAY / ESTÁ(N)*

Hay (*haber*) se usa para indicar la existencia de algo o alguien. **Hay** + art. indeterminado / *dos, tres...* + sustantivo. *En mi ciudad hay unas plazas muy bonitas.*	**Está(n)** se utiliza para situar en el espacio algo o alguien. **Está(n)** + art. determinado / adj. posesivo + sustantivo singular/plural. - *¿Dónde está mi libro?* - *Creo que está en el salón.*

2. Completa las frases con *hay* o *está/n*.

a. ¿Dónde .... una tienda de ropa?

b. En el cuarto de baño .... las toallas.

c. En el salón .... la televisión.

d. Cerca de aquí .... un centro comercial.

e. Al lado del museo .... la tienda de regalos.

f. Las tiendas .... cerca del centro.

g. El cine .... al final de esta calle.

h. En esta ciudad .... muchos bares.

/ 8

VERBOS IRREGULARES			
	IR*	**SEGUIR**	**CERRAR**	**DAR**
(Yo)	voy	sigo	cierro	doy
(Tú)	vas	sigues	cierras	das
(Él/ella/Ud.)	va	sigue	cierra	da
(Nosotros/as)	vamos	seguimos	cerramos	damos
(Vosotros/as)	vais	seguís	cerráis	dais
(Ellos/as/Uds.)	van	siguen	cierran	dan

*El verbo *ir* es completamente irregular.

3. Completa las frases con los verbos conjugados.

a. ¿Cómo (ir, yo) ......*voy*...... a tu casa, en metro o en autobús?

b. Mis hijos pequeños están cansados porque (venir, ellos) ......*vienen*...... del colegio a pie.

c. - ¿(Venir, vosotros) ......*venís*...... esta noche a cenar a casa?

  - Vale, ¿a qué hora (ir, nosotros) ......*vamos*...?

d. El supermercado de mi barrio (cerrar) ......*cierra*...... a las diez de la noche.

e. La universidad está muy cerca. (Seguir, tú) ......*sigues*...... recto y está al final de la calle.

f. - ¿Me (dar, tú) ......*das*...... la dirección de tu casa, por favor?

  - Vale, te (dar) ......*doy*...... mi dirección. Vivo en la avenida Islas Filipinas, número 12.

g. ¿A qué hora (cerrar) ......*cierran*...... las tiendas los sábados?

/ 9

PREPOSICIONES Y ADVERBIOS DE LUGAR

(Giras) a la derecha   (Giras) a la izquierda   (Sigues) recto   al final

(Está) lejos   (Está) cerca   enfrente

4. Elige la opción correcta.

a. Mi casa está muy ...., a unos 50 metros.   **1.** lejos   **2.** cerca

b. El quiosco está .... del cine. Mira, ¿lo ves?   **1.** a la derecha   **2.** lejos

c. La farmacia está .... de la calle. ¿Ves allí lejos la cruz?   **1.** enfrente   **2.** al final

d. Para llegar al parque, sigues .... y luego giras a la derecha.   **1.** al lado   **2.** recto

e. - Por favor, ¿dónde está el centro comercial?

  - Pues aquí mismo, ... del *parking*. ¿Ves la entrada?   **1.** enfrente   **2.** lejos

f. La iglesia está .... de la plaza.   **1.** recto   **2.** a la izquierda

/ 6

5

Eres capaz de... ▶ **Contar de cien a un millón**

LEE

1. De cien a un millón.

a. Lee.

100 cien	**200** doscientos	**300** trescientos	**400** cuatrocientos
500 quinientos	**600** seiscientos	**700** setecientos	**800** ochocientos
900 novecientos	**1000** mil	**2000** dos mil...	

1234 mil doscientos treinta y cuatro
10 904 diez mil novecientos cuatro
100 000 cien mil
1 000 000 un millón   **2 000 000** dos millones

¡OJO!

500	quinientos
700	setecientos
900	novecientos

31

b. Ahora escucha y subraya los números que oyes.

600   918   1234   2900   7003   10 100   222 000   1 400 000   5 500 000

OBSERVA ✎ ESCRIBE

2. De Panamá a Bogotá.

a. En parejas, miramos el cuadro de algunas capitales de Sudamérica y distancias en kilómetros desde la ciudad de Panamá. Por turnos, intentamos relacionar una distancia con la capital correcta.

Ejemplo: De Panamá a Bogotá hay 773 kilómetros.

Panamá, Panamá   Bogotá, Colombia

	CAPITALES		DISTANCIAS DESDE PANAMÁ en kilómetros
a	Bogotá	Colombia	1019
b	Caracas	Venezuela	510
c	La Paz	Bolivia	773
d	Lima	Perú	816
e	Managua	Nicaragua	1393
f	Montevideo	Uruguay	2352
g	Quito	Ecuador	2971
h	San José	Costa Rica	4809
i	Santiago de Chile	Chile	5457

OBSERVA

b. Luego consultamos el mapa de la unidad 1, pág. 18, y podemos rectificar hasta dos distancias.
Finalmente, comprobamos la solución con el profesor. Gana el que haya adivinado más distancias correctas.

RECURSOS

 INTERACTÚA

3. Datos geográficos.

En grupos. Por turnos, los estudiantes leen la pregunta y dicen una cifra. Uno de ellos mira la respuesta y responde *más* o *menos*. Después de un minuto, marca un punto el que da el dato correcto.

a. ¿Cuánto mide El Teide (islas Canarias), el punto más alto de España? **Entre 3 000 y 4 000 m**

b. ¿Cuál es la longitud de la cordillera de los Andes? **Entre 6 000 y 8 000 km**

c. Según el FMI, ¿cuál es el producto interior bruto por habitante de
Nicaragua?: **Entre 2 000 y 10 000 $**
Argentina?: **Entre 10 000 y 20 000 $**
España?: **Entre 20 000 y 40 000 $**

d. ¿Cuántos habitantes (en millones) tiene México? **Entre 80 y 120 millones**

El Teide, Tenerife, Canarias

COMUNICA

4. Ahora, tú.

En los mismos grupos, busca datos en Internet y prepara una pregunta con cifras sobre:

a. tu país ....

b. tu ciudad ....

c. el sueldo de algún deportista de élite ....

d. las ventas de algún libro o disco de éxito ....

PRONUNCIACIÓN Y ORTOGRAFÍA

¿DÓNDE ESTÁ EL ACENTO?

Si la palabra tiene tilde o acento escrito (´) sobre una vocal, esta es la de la sílaba acentuada.

Ejemplo: situación.

Si no tiene tilde, el acento estará:

– en la última sílaba si la palabra termina en consonante, excepto *n* o *s*. *Ejemplo: Ma**drid**, Para**guay**, ha**blar**, i**gual**.*

– en la penúltima sílaba, si la palabra termina en vocal, *n* o *s*. *Ejemplo: **Li**ma, Ca**ra**cas, **lla**man, **ha**bla.*

Las palabras que tienen el acento en sílabas anteriores (3.ª o 4.ª a partir del final) siempre tienen tilde. *Ejemplo: pe**lí**cula, **quí**taselo.*

ESCRIBE

1. ¿Dónde se pone el acento?

En las palabras siguientes, que no tienen tilde, indica dónde está el acento.

	ÚLTIMA SÍLABA: ha<u>blar</u>	PENÚLTIMA SÍLABA: <u>ha</u>bla
mejor	✓	
entrada		✓
media		✓
libertad	✓	·
veinte		✓
reloj	✓	

32

ESCUCHA
ESCRIBE

2. Escribe la tilde.

Escucha estas palabras y escribe la tilde en su sitio.

Bogota   facil   fútbol   veintitrés   millon   kilometro

En las palabras siguientes, la sílaba acentuada está subrayada. Indica si lleva tilde o no y explica por qué.

<u>ha</u>ces   <u>nu</u>mero   esta<u>cion</u>

5

LÉXICO ▶ **Conoces... Los espacios urbanos y las tiendas**

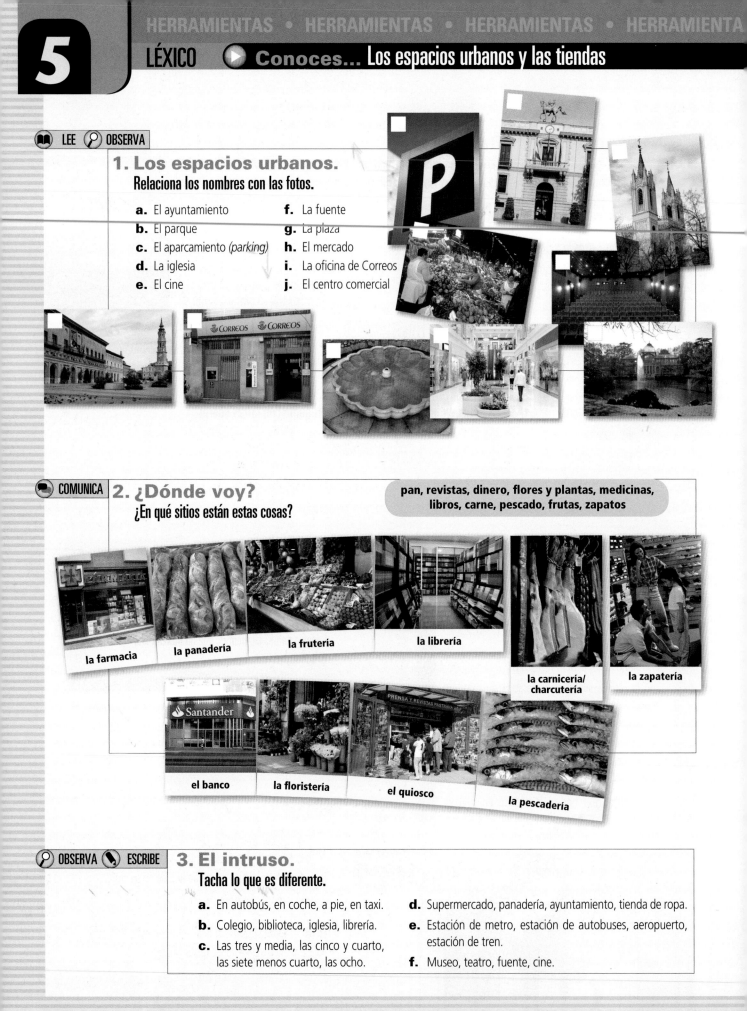

📖 LEE 🔍 OBSERVA

1. Los espacios urbanos.
Relaciona los nombres con las fotos.

a. El ayuntamiento **f.** La fuente
b. El parque **g.** La plaza
c. El aparcamiento *(parking)* **h.** El mercado
d. La iglesia **i.** La oficina de Correos
e. El cine **j.** El centro comercial

💬 COMUNICA

2. ¿Dónde voy?
¿En qué sitios están estas cosas?

pan, revistas, dinero, flores y plantas, medicinas, libros, carne, pescado, frutas, zapatos

la farmacia la panadería la frutería la librería la carnicería/charcutería la zapatería

el banco la floristería el quiosco la pescadería

🔍 OBSERVA ✍ ESCRIBE

3. El intruso.
Tacha lo que es diferente.

a. En autobús, en coche, a pie, en taxi.
b. Colegio, biblioteca, iglesia, librería.
c. Las tres y media, las cinco y cuarto, las siete menos cuarto, las ocho.
d. Supermercado, panadería, ayuntamiento, tienda de ropa.
e. Estación de metro, estación de autobuses, aeropuerto, estación de tren.
f. Museo, teatro, fuente, cine.

Carlos está en Madrid de turismo y quiere visitar El Escorial con sus amigos.

LEE ESCUCHA **33**

1. Visitamos El Escorial.

Lee los documentos, escucha al guía y ayuda a Carlos a contestar las preguntas.

Monasterio de San Lorenzo de El Escorial

Martes a domingo de 10:00 a 19:00 h (último pase 17:30).

Precio de la entrada visita libre: 8 €.

Visita guiada: 10 €.

Para más información consultar la web de Patrimonio Nacional.

HORARIO DE TRENES DE CERCANÍAS
Madrid-El Escorial

Desde la estación de Madrid-Atocha: cada hora desde las 06:33 hasta las 23:31.

Viaje de ida: 60 minutos.

Último tren de vuelta: sale de El Escorial a las 00:40.

a. ¿Hay trenes a El Escorial por la tarde?

b. ¿Cuánto se tarda en llegar?

c. ¿A qué hora es la última visita?

d. ¿Cuándo sale el último tren de vuelta a Madrid?

e. ¿En qué año termina la construcción del Monasterio de El Escorial?

f. ¿Es grande el monasterio?

g. ¿Cuántas puertas y ventanas tiene?

h. ¿Desde cuándo es Patrimonio de la Humanidad?

① **Explica**
✔ dónde vives.
✔ qué tiendas o edificios públicos hay en tu barrio y
✔ cómo se va a ellos desde tu casa.

ESCRIBE **2. Así es mi barrio.**

Elige una de estas dos opciones y escribe un correo a tu amigo por correspondencia.

② Un amigo va a visitarte, pero no sabe dónde vives ni cómo llegar a tu casa desde la estación de ferrocarril.

Explica

✔ qué medio de transporte tomar desde la estación hasta tu barrio.
✔ cómo ir hasta tu casa.
✔ algún edificio/tienda, etc., que hay por el camino.
✔ qué hay enfrente de tu casa o al lado.

interactúa — Organizas una visita turística

En parejas. Planeamos una visita a un lugar turístico. A propone una visita y B hace preguntas como las de la actividad 1. A contesta. Luego se cambian los papeles.

a. ....

b. ....

c. ....

d. ....

Antiguamente, los españoles solían poner nombres de sus ciudades de origen a las nuevas ciudades de América.

¿Conoces otros casos de ciudades con el mismo nombre en diferentes países?

Medellín
Extremadura, España
Colombia

Trujillo
Extremadura, España
Perú

Toledo
Castilla-La Mancha, España
Ohio, Estados Unidos

Mérida
Extremadura, España
México / Venezuela

LEE **Lee los textos y contesta verdadero o falso.**

Cartagena, Murcia, España

Cartagena es una ciudad española situada junto al mar Mediterráneo en la Región de Murcia.

Antes era zona de minas, ahora la actividad principal es la construcción y reparación naval, el refinado de petróleo y la exportación de aceite de oliva, frutas, cítricos, hortalizas, vino y productos metálicos. También es una de las principales bases navales del país. Cada vez vienen más turistas gracias a su patrimonio artístico, con más de 2 500 años de historia. Fue fundada por los cartagineses. Su nombre original fue *Carthago Nova* en latín.

Cartagena es famosa por sus fiestas mayores de cartagineses y romanos y las procesiones de Semana Santa, declaradas de Interés Turístico Internacional. Ahí están también el submarino eléctrico inventado por Isaac Peral en 1888, el teatro romano, muchos restos arqueológicos cartagineses y romanos, fortalezas, edificaciones militares y muchos edificios modernistas y neoclásicos.

Cartagena de Indias o Cartagena, Colombia

La ciudad está cerca del mar Caribe y es uno de los centros turísticos más importantes de Colombia. Se le pone el nombre de Cartagena por ser tan cerrada como la bahía de Cartagena en España.

Desde su fundación, en 1533 por Pedro de Heredia, y durante la época colonial es uno de los puertos más importantes de América.

Dado su importante patrimonio artístico y cultural, el centro histórico, la «ciudad amurallada», es declarado Patrimonio Nacional de Colombia en 1959 y Patrimonio de la Humanidad en 1984 por la Unesco.

Dentro de la ciudad amurallada se encuentran muchos edificios importantes durante la época colonial: la Casa del Marqués del Premio Real, la Casa de la Aduana, la iglesia y el Convento de San Pedro. La plaza está rodeada de grandes casas con balcones de madera.

Cartagena de Indias está en un sitio estratégico para el comercio marítimo internacional.

	V	F
1. La ciudad de Cartagena de Indias se llama así por su parecido con el puerto de Cartagena en España.	☐	☐
2. Las dos ciudades no son puertos de mar.	☐	☐
3. Cartagena de Indias (Colombia) se fundó antes que Cartagena (España).	☐	☐
4. El comercio por mar es muy importante en las dos ciudades.	☐	☐
5. La Cartagena española tiene una antigüedad de más de 2 500 años.	☐	☐
6. En la ciudad amurallada de Cartagena de Indias no hay casas coloniales.	☐	☐
7. En Cartagena (España) hay muchos edificios modernistas y neoclásicos.	☐	☐

Cartagena, Colombia

Tulum, México

Competencia pragmática ▼

Eres capaz de...
- ▶ hablar de tus hábitos diarios
- ▶ quedar con alguien (I)
- ▶ hablar de aficiones y deportes
- ▶ decir si tenéis gustos en común

Competencia lingüística ▼

Puedes...
- ▶ conjugar verbos reflexivos
- ▶ usar el verbo *gustar* en todas sus formas
- ▶ usar *también* y *tampoco*
- ▶ utilizar las preposiciones *a, de, en, con*

Competencia sociolingüística ▼

Conoces...
- ▶ los hábitos diarios
- ▶ los deportes
- ▶ un día en la vida de los españoles

Interactúa ▼

- ▶ Haces una encuesta sobre hábitos

LEE ESTAS FRASES Y CONTESTA *SÍ* O *NO*.

1. Los fines de semana me gusta salir con mis amigos.
2. No practico ningún deporte.
3. Por las mañanas siempre me levanto a la misma hora.
4. Tengo una rutina diaria.
5. Tengo una afición secreta.
6. Los sábados / domingos no hago absolutamente nada.

PREGUNTA AHORA A TUS COMPAÑEROS.

Hablar de tus hábitos diarios

Descubrimos la rutina de Inés, una médica muy ocupada.

UN DÍA EN LA VIDA DE INÉS 34

🔊 ESCUCHA

1.a. **Lee, escucha y ordena las escenas.**

Inés es médica, trabaja en un hospital muy grande. Normalmente se levanta a las siete o siete y media, desayuna en casa. Empieza a trabajar a las nueve. Come en la cafetería del hospital a las dos. Por la tarde tiene reuniones con sus compañeros del hospital. Sale de trabajar a las seis y vuelve a casa. Antes de cenar corre una hora por el parque. Después de cenar navega por Internet o ve la tele. Se acuesta a las once y media.

Los fines de semana hace muchas cosas. Los sábados hace la compra para la semana y por la tarde sale con sus amigos y van al cine o al teatro. Los domingos pasea por el campo o hace deporte.

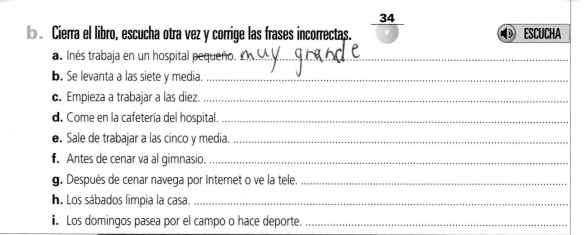

b. **Cierra el libro, escucha otra vez y corrige las frases incorrectas.** 34

🔊 ESCUCHA

a. Inés trabaja en un hospital ~~pequeño~~. *muy grande* ....

b. Se levanta a las siete y media. ....

c. Empieza a trabajar a las diez. ....

d. Come en la cafetería del hospital. ....

e. Sale de trabajar a las cinco y media. ....

f. Antes de cenar va al gimnasio. ....

g. Después de cenar navega por Internet o ve la tele. ....

h. Los sábados limpia la casa. ....

i. Los domingos pasea por el campo o hace deporte. ....

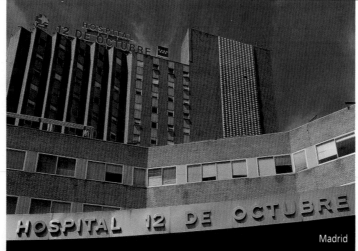

Madrid

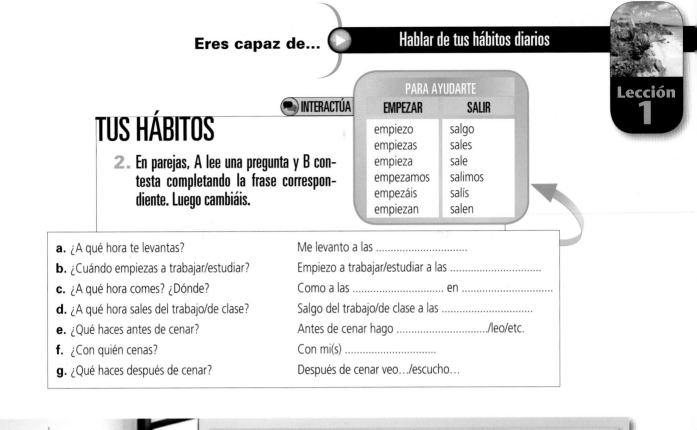

TUS HÁBITOS

💬 INTERACTÚA

PARA AYUDARTE

EMPEZAR	SALIR
empiezo	salgo
empiezas	sales
empieza	sale
empezamos	salimos
empezáis	salís
empiezan	salen

2. En parejas, A lee una pregunta y B contesta completando la frase correspondiente. Luego cambiáis.

a. ¿A qué hora te levantas? — Me levanto a las ....

b. ¿Cuándo empiezas a trabajar/estudiar? — Empiezo a trabajar/estudiar a las ....

c. ¿A qué hora comes? ¿Dónde? — Como a las .... en ....

d. ¿A qué hora sales del trabajo/de clase? — Salgo del trabajo/de clase a las ....

e. ¿Qué haces antes de cenar? — Antes de cenar hago ..../leo/etc.

f. ¿Con quién cenas? — Con mi(s) ....

g. ¿Qué haces después de cenar? — Después de cenar veo…/escucho…

HABLAR DE HÁBITOS	VERBOS REFLEXIVOS	
- ¿A qué hora te levantas? - (Me levanto) a las 10. - ¿Qué haces los fines de semana? - Los fines de semana descanso.	Yo Tú Él/Ella/Ud. Nosotros/as Vosotros/as Ellos/Ellas/Uds.	me levanto te levantas se levanta nos levantamos os levantáis se levantan

¿CUÁNDO QUEDAMOS?

35

cuidar de mi hermano

tener prácticas   dar clases   jugar al fútbol

tener clase   ayudar en la tienda

🔊 ESCUCHA

3. Isabel y Fran son estudiantes, trabajan juntos dos veces por semana para hacer un proyecto. Escucha su conversación, anota sus ocupaciones con las expresiones del recuadro y decide cuándo pueden quedar.

		lunes	martes	miércoles	jueves	viernes
ISABEL	mañana					
FRAN						
ISABEL	tarde					
FRAN						

QUEDA CON TU COMPAÑERO

💬 INTERACTÚA

4. En parejas. Quedas con tu compañero para hacer un trabajo de español, dos veces por semana, durante un mes. Primero, escribes en una agenda tus actividades habituales. Después hablas con tu compañero (sin mostrarle tu agenda) para elegir el día y la hora.

LOS DEPORTES

1. Relaciona los nombres de los deportes con las fotos.

🔍 OBSERVA

| el fútbol | el tenis | la natación | el atletismo | el ciclismo |

MI DEPORTE FAVORITO

36

2. Escucha, lee y subraya las palabras relacionadas con cada deporte.

🔊 ESCUCHA

Entrevistador: A vosotros, ¿qué deporte os gusta practicar en vuestro tiempo libre? Marga, ¿a ti qué deporte te gusta?

Marga: A mí me gusta nadar. Voy tres veces por semana a una piscina cerca de mi casa. Voy a pie. Normalmente nado unos veinte minutos o media hora. No es mucho, pero no soy una profesional.

Entrevistador: ¿Y a ti, Jaime? ¿Te gusta algún deporte?

Jaime: Sí, juego en un equipo de aficionados. No me gusta nada practicar deporte solo, somos compañeros de la universidad de Medicina y nos gusta mucho jugar todos juntos. Tenemos partido los domingos por la mañana y entrenamos los jueves por la tarde. Yo no meto ningún gol, claro, soy el portero.

Entrevistador: Marisol, ¿a ti también te gustan los deportes de equipo?

Marisol: Bueno, no me gustan mucho los deportes competitivos. Yo monto en bici casi todos los días, por la tarde, después de trabajar. Vivo lejos, en una urbanización, y me doy un paseo de media hora, más o menos. Me gusta mucho, me siento relajada después.

Entrevistador: A vosotros, Jorge y Jesús, os gusta mucho este juego, ¿verdad?

Jorge y Jesús: Sí, nos gusta bastante este deporte. Jugamos una o dos veces por semana. Además no es muy caro: alquilamos una pista en un polideportivo municipal y solo necesitamos una raqueta y unas cuantas pelotas.

Entrevistador: Míriam, ¿qué deportes practicas tú?

Míriam: Yo salgo a correr con unas amigas por la tarde. Nos encanta. Vamos casi todos los días, entre semana. Bueno, los fines de semana, quedamos con más amigos para salir, pero no a correr, vamos a tomar algo y a bailar.

💬 INTERACTÚA

¿QUÉ LES GUSTA?

3. Forma frases sobre los gustos de estos amigos con un elemento de cada columna.

A Marga			los deportes competitivos
A Jaime		gusta	la natación
A Marisol	(no) le	gustan	el tenis
	(no) les	encanta	(nada)
A Jorge y Jesús		encantan	(bastante)
A Míriam			(mucho)

| los deportes competitivos |
| la natación |
| el tenis |
| salir a correr |
| jugar al fútbol |
| practicar deporte solo |

¡A TI QUÉ TE GUSTA? 💬 INTERACTÚA

4. En parejas, pregunta a tu compañero si le gustan las cosas de la lista.

¿Te gusta...	**¿Te gustan...**
… bailar en las discotecas?	… los juegos de mesa?
… el teatro?	… las telenovelas?
… comprar ropa?	… las películas del Oeste?
… la música?	… las novelas históricas?
… hacer deporte?	… los perros?

Ejemplo: ***A.*** *¿Te gusta la música?*
B. *Sí, me gusta mucho.*
A. *¿Qué música te gusta?*
B. *Me gusta la música latina.*

EXPRESAR GUSTOS

(A mí) me gusta… la música.
(A mí) me gustan… los coches

Me encanta   **+**
Me gusta mucho
Me gusta
No me gusta mucho
No me gusta   **–**
No me gusta nada

✏ ESCRIBE

DISTINTOS DEPORTISTAS

5.a. Completa las palabras propuestas y escríbelas en la columna adecuada según su terminación.

a. cicl..................   **b.** esqui..................

c. nadad..................   **d.** ten..................

Un/Una futbolista	Un/Una jugador/-a

b. ¿Conoces nombres de deportistas famosos? Nombra un/una…

piloto de Fórmula 1

jugador/-a de baloncesto

nadador/-a

atleta

gimnasta

hombre/mujer medalla de oro olímpica

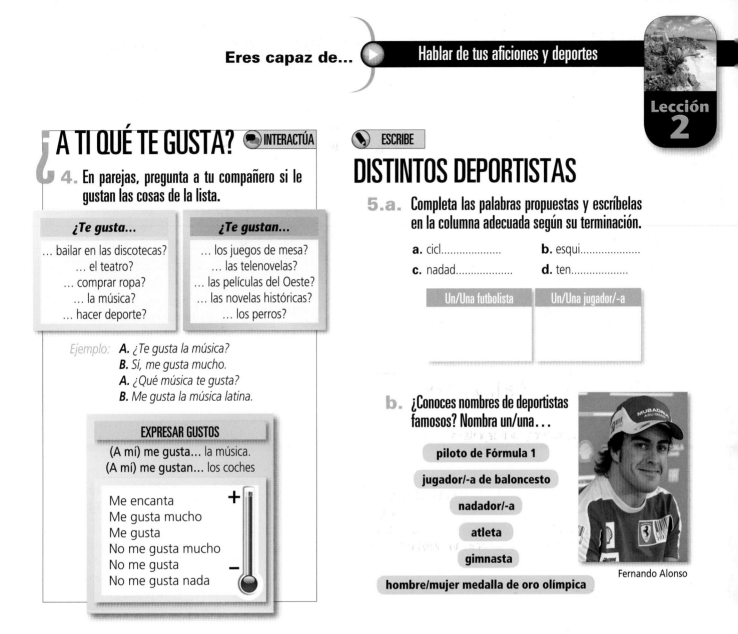
Fernando Alonso

TUS AFICIONES PREFERIDAS 💬 COMUNICA

6. En grupos, hablamos de lo que hacemos durante nuestro tiempo libre: deportes, aficiones…

Ejemplo: - *¿Qué aficiones tienes?*
- *Yo hago senderismo. Me gusta pasear por el campo.*
- *¿Tú pescas?*
- *No, ni pesco ni cazo. Yo hago fotos, soy aficionado a la fotografía.*

PARA AYUDARTE

Juego al... golf, baloncesto, fútbol, etc.
Hago/practico... esquí, natación, gimnasia, alpinismo, etc.

6

Puedes... ⟶ Conjugar verbos reflexivos, utilizar las preposiciones *a, de, en, con* y usar

Evalúate

Total _____ / 42

VERBOS REFLEXIVOS		
DUCHARSE	**ACOSTARSE**	**VESTIRSE**
(Yo) **me** ducho	**me** ac**ue**sto	**me** visto
(Tú) **te** duchas	**te** ac**ue**stas	**te** vistes
(Él/ella/Ud.) **se** ducha	**se** ac**ue**sta	**se** viste
(Nosotros/as) **nos** duchamos	**nos** acostamos	**nos** vestimos
(Vosotros/as) **os** ducháis	**os** acostáis	**os** vestís
(Ellos/as/Uds.) **se** duchan	**se** ac**ue**stan	**se** visten

¡OJO!

Acostarse
tiene diptongo, o>ue.
Vestir cambia la e>i.
Me acuesto. Me visto.

1. Completa con *ducharse, acostarse, vestirse* o *levantarse* en la forma adecuada.

a. – Óscar, ¿a qué hora ...*te acuestas*... habitualmente?
 – Cuando tengo que trabajar, ...*me acuesto*... a las once y media.

b. – ¿A qué hora ...*te levantas*... el fin de semana?
 – Los sábados me levanto a las ocho porque juego al fútbol.

c. – ¿Cuándo ...*se duchan*... tus hijos, por la mañana o por la noche?
 – Ana, la mayor, se ducha por la mañana y Pedro, por la noche.

d. – ¿Tu hija pequeña ...*se viste*... sola?
 – Sí, ya tiene cinco años y sabe vestirse sin problemas.

e. – Son las cinco de la mañana, ¿quién se levanta?
 – Son mis vecinos, que ...*se levantan*... ahora porque entran a trabajar a las seis.

f. – Toni, ¿...*Te vistes*... con ropa especial los domingos?
 – Solo si voy al teatro o a cenar.

g. – ¿Y te levantas tarde los domingos también?
 – Claro, ...*me levanto*... sobre las once de la mañana.

h. – ¿Qué prefieres, ducharte o bañarte?
 – Prefiero ...~~ducharme~~ *bañarme*..., es más rápido.

/ 9

2. Lee esta información y escribe frases sobre Elena.

- 6:45 Levantarse/ducharse
- 7:00 Desayunar café con leche/magdalenas
- 7:30 Salir/casa
- 8:00 Empezar/trabajar
- 13:30 Comer/oficina
- 17:00 Salir/oficina
- 18:00 Ir/gimnasio
- 20:00 Volver/casa
- 21:30 Cenar/ver la tele
- 23:00 Acostarse

USO DE LAS PREPOSICIONES *A, DE, EN, CON*

A: Con las horas. *Maribel come **a** las dos y media.*
DE: Origen. *Vengo **de** la universidad.*
EN: Lugar. *Trabaja **en** un banco.*
CON: Compañía. *Estudio **con** mi hermana Pepa.*

3. Completa las frases con la preposición correspondiente.

a. Rosa no está .... su casa.
b. Julia viene .... la escuela .... las tres.
c. Matías vive .... sus padres.
d. Yo salgo .... mi trabajo .... mi jefa.
e. Mis compañeros de instituto se acuestan .... las once y media.
f. Mi tía Pepa trabaja .... mi tío Alfredo en el restaurante.
g. Me gusta desayunar .... la cafetería.
h. Vengo .... la consulta del dentista.

/ 10

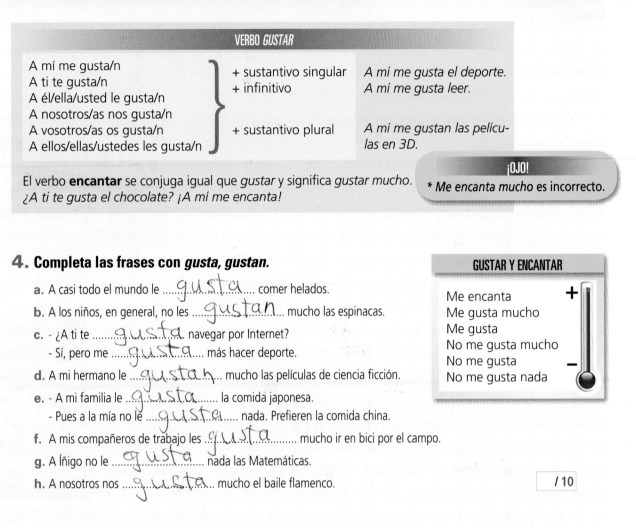

VERBO *GUSTAR*

A mí me gusta/n
A ti te gusta/n
A él/ella/usted le gusta/n
A nosotros/as nos gusta/n } + sustantivo singular   *A mí me gusta el deporte.*
                             + infinitivo   *A mí me gusta leer.*
A vosotros/as os gusta/n   + sustantivo plural   *A mí me gustan las pelícu-*
A ellos/ellas/ustedes les gusta/n   *las en 3D.*

El verbo **encantar** se conjuga igual que *gustar* y significa *gustar mucho.*
¿A ti te gusta el chocolate? ¡A mí me encanta!

¡OJO!
* *Me encanta mucho es incorrecto.*

4. Completa las frases con *gusta, gustan.*

a. A casi todo el mundo le ...... *gusta* .... comer helados.

b. A los niños, en general, no les ...... *gustan* ... mucho las espinacas.

c. - ¿A ti te .... *gusta* . navegar por Internet?
   - Sí, pero me ...... *gusta* .... más hacer deporte.

d. A mi hermano le .... *gustan* ... mucho las películas de ciencia ficción.

e. - A mi familia le . *gusta* .... la comida japonesa.
   - Pues a la mía no le .... *gusta* ..... nada. Prefieren la comida china.

f. A mis compañeros de trabajo les ... *gusta* .... mucho ir en bici por el campo.

g. A Íñigo no le .... *gusta* ..... nada las Matemáticas.

h. A nosotros nos .... *gusta* ... mucho el baile flamenco.

GUSTAR Y ENCANTAR

Me encanta   +
Me gusta mucho
Me gusta
No me gusta mucho
No me gusta
No me gusta nada   –

/ 10

5. Escribe la forma correcta del verbo y relaciona los diálogos.

a. ¿Les (gustar) ...... *gustan* .. a tus amigos la comida mexicana?

b. ¿A ti te (gustar) .... *gusta* ... esquiar?

c. ¿A vosotros os (gustar) .... *gustan* . los deportes acuáticos?

d. ¿A tu amiga María le (gustar) ...... *gustan*
   mandar mensajes por el móvil?

e. ¿A tu novio le (gustar) .... *a* .... el deporte?

f. A mí me (encantar) .... *a* .... esquiar, ¿y
   a ti?

1. No, no mucho, no me (gustar) ...... *a* ....
   la montaña ni el frío.

2. Sí, pero le (gustar) ...... *a* .... más hablar
   por teléfono.

3. Sí, a todos les (gustar) .... *an* ..... los burri-
   tos, los frijoles. En general, la comida picante.

4. Bueno, nos (gustar) .... *a* .... la natación
   y ver waterpolo en televisión.

5. No, no le (gustar) .... *a* ......, le (encantar)
   .... *a* ...., va al gimnasio todos los días.

6. A mí, la verdad, no me (gustar) ...... *a* ....
   mucho.

/ 13

6

Eres capaz de... ▶ **Decir si tenéis gustos en común**

ESCRIBE · **1. En verano.**

Lee el cuadro y completa las frases con algunas de las preposiciones o expresiones de tiempo.

LAS PREPOSICIONES EN LAS EXPRESIONES DE TIEMPO
Por la mañana/la tarde/la noche
En verano, en julio
A las dos
De lunes a viernes
Antes de trabajar/Antes del trabajo
Durante el trabajo
Después de trabajar/Después del trabajo

Ejemplo: En verano voy a la playa.

a. Solo se puede esquiar aquí ....en.... invierno.

b. Mi hermano va a clase ....por.... las mañanas.

c. ...Despés... jugar al pádel a veces nos bañamos en la piscina y nos relajamos.

d. La piscina abre ....de.... junio ....a.... septiembre.

e. Nos gusta mucho comer un bocadillo ...durante... el partido.

f. El colegio está cerrado ...durante... todas las vacaciones de verano.

g. Salgo de trabajar muy tarde, ...a las... ocho.

h. ...En... invierno, ...a las... cinco de la tarde, ya es de noche.

Urbanización con piscina, España

COMUNICA · **2. A mí también.**

Lee el cuadro y habla con tus compañeros de clase sobre vuestros gustos en común.

Ejemplos:

– A Charles le gusta la música y a mí también.

– A Jean no le gustan los perros, pero a mí sí.

	Ana	yo	COINCIDENCIAS Y DIFERENCIAS
¿Tocas el piano?	Sí	Sí	Ana toca el piano y **yo también**.
	No	No	Ana no toca el piano y **yo tampoco**.
	Sí	No	Ana toca el piano, pero **yo no**.
	No	Sí	Ana no toca el piano, pero **yo sí**.
¿Te gusta la música?	Sí	Sí	A Ana le gusta la música y **a mí también**.
	No	No	A Ana no le gusta la música y **a mí tampoco**.
	Sí	No	A Ana le gusta la música, pero **a mí no**.
	No	Sí	A Ana no le gusta la música, pero **a mí sí**.

COMUNICA

3. ¿Cuándo lo haces?

En grupos. Cada uno habla de dos actividades que hace con regularidad. Explica cuándo las hace, durante cuánto tiempo y con qué frecuencia. Luego comenta las similitudes y las diferencias.

Ejemplos:

– *Yo monto en bici tres días a la semana, por las tardes. Monto durante dos horas.*

– *Yo también monto en bici en familia, pero monto por las mañanas los fines de semana.*

FRECUENCIA
Nunca
A veces
Una, dos… veces por semana/al mes
los lunes/los fines de semana
Todos los días/martes…

DURACIÓN
Monto en bici (durante) dos horas
Dos horas más o menos
Unas dos horas

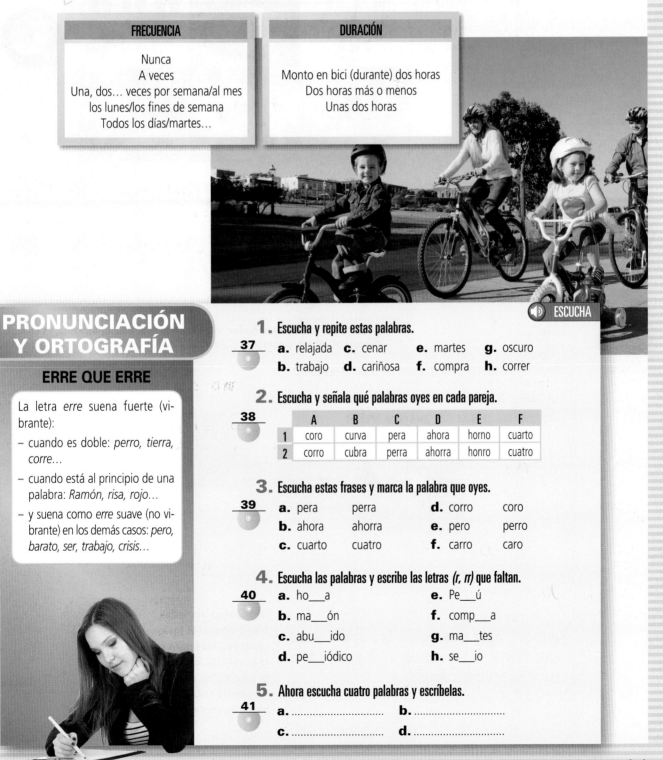

ESCUCHA

PRONUNCIACIÓN Y ORTOGRAFÍA

ERRE QUE ERRE

La letra *erre* suena fuerte (vibrante):

– cuando es doble: *perro, tierra, corre…*

– cuando está al principio de una palabra: *Ramón, risa, rojo…*

– y suena como *erre* suave (no vibrante) en los demás casos: *pero, barato, ser, trabajo, crisis…*

1. Escucha y repite estas palabras.

37

a. relajada	**c.** cenar	**e.** martes	**g.** oscuro
b. trabajo	**d.** cariñosa	**f.** compra	**h.** correr

2. Escucha y señala qué palabras oyes en cada pareja.

38

	A	B	C	D	E	F
1	coro	curva	pera	ahora	horno	cuarto
2	corro	cubra	perra	ahorra	honro	cuatro

3. Escucha estas frases y marca la palabra que oyes.

39

a. pera	perra	**d.** corro	coro
b. ahora	ahorra	**e.** pero	perro
c. cuarto	cuatro	**f.** carro	caro

4. Escucha las palabras y escribe las letras *(r, rr)* que faltan.

40

a. ho___a	**e.** Pe___ú
b. ma___ón	**f.** comp___a
c. abu___ido	**g.** ma___tes
d. pe___iódico	**h.** se___io

5. Ahora escucha cuatro palabras y escríbelas.

41

a. ....   **b.** ....

c. ....   **d.** ....

6

LÉXICO ▶ **Conoces...** Los hábitos diarios y los deportes

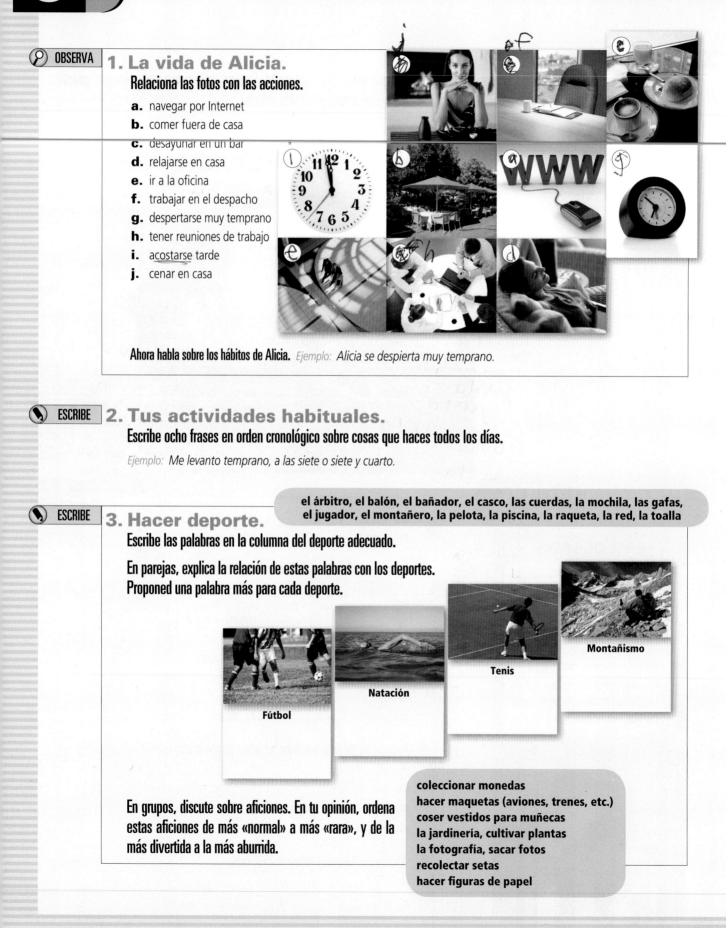

OBSERVA

1. La vida de Alicia.

Relaciona las fotos con las acciones.

a. navegar por Internet

b. comer fuera de casa

c. desayunar en un bar

d. relajarse en casa

e. ir a la oficina

f. trabajar en el despacho

g. despertarse muy temprano

h. tener reuniones de trabajo

i. acostarse tarde

j. cenar en casa

Ahora habla sobre los hábitos de Alicia. *Ejemplo: Alicia se despierta muy temprano.*

ESCRIBE

2. Tus actividades habituales.

Escribe ocho frases en orden cronológico sobre cosas que haces todos los días.

Ejemplo: Me levanto temprano, a las siete o siete y cuarto.

ESCRIBE

3. Hacer deporte.

el árbitro, el balón, el bañador, el casco, las cuerdas, la mochila, las gafas, el jugador, el montañero, la pelota, la piscina, la raqueta, la red, la toalla

Escribe las palabras en la columna del deporte adecuado.

En parejas, explica la relación de estas palabras con los deportes.
Proponed una palabra más para cada deporte.

Montañismo

Tenis

Natación

Fútbol

En grupos, discute sobre aficiones. En tu opinión, ordena estas aficiones de más «normal» a más «rara», y de la más divertida a la más aburrida.

coleccionar monedas
hacer maquetas (aviones, trenes, etc.)
coser vestidos para muñecas
la jardinería, cultivar plantas
la fotografía, sacar fotos
recolectar setas
hacer figuras de papel

LEE

1. Tengo una prima en Inglaterra.

Lee esta entrada del blog personal de Sonia donde nos habla de su prima y marca una cruz (x) si las frases hablan de Sally, de Sonia, o de las dos.

| Blogs ▼ | Búsqueda

Español ▼ Ayuda | Registrarse | Iniciar Sesión

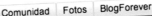

Inicio Comunidad Fotos BlogForever

Londres

Valencia

Tengo una prima inglesa. Se llama Sally, y es hija de mi tía Laura, hermana de mi padre. Laura está casada con Ken, mi tío. Viven al sur de Londres.

Sally y yo nos enviamos correos y nos contamos cosas de nuestras vidas. Tenemos hábitos muy diferentes. Por ejemplo, los horarios. Nos levantamos las dos a las siete, pero a mediodía ella come un sándwich a las doce y media, y yo como una comida de tres platos a las dos y media. Luego yo duermo una siesta de media hora y ella nunca duerme siesta. Yo ceno a las nueve y media, y los fines de semana a las diez. Sally cena normalmente a las seis y media o siete.

La comida también es diferente, sobre todo el desayuno. Sally desayuna té con tostadas, judías y huevos con beicon, yo solamente café con tostada. Además, en las comidas, Sally me cuenta que en Inglaterra usan mucha mantequilla en sus platos, mientras que en España usamos mucho aceite de oliva.

	Sally	**Sonia**
a. Se levanta antes de las ocho.	☐	☐
b. Es hija de Laura.	☐	☐
c. Come poco al mediodía.	☐	☐
d. Cena tarde.	☐	☐
e. Come mucho para desayunar.	☐	☐
f. Escribe correos electrónicos a su prima.	☐	☐

ESCRIBE

2. Los hábitos distintos.

Escribe una entrada para el blog de Sonia sobre el mismo tema: explica las diferencias de horarios en tu región.
¿Son los mismos que en el resto de tu país?
¿Se parecen a los de los españoles o a los de otros países europeos?

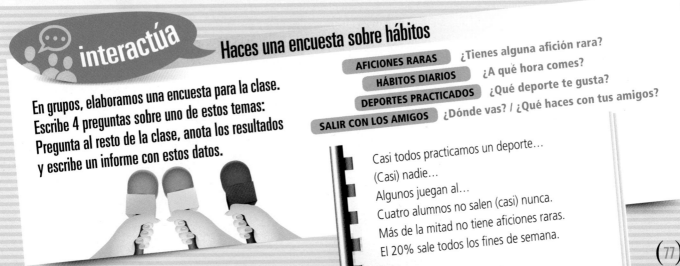

interactúa   Haces una encuesta sobre hábitos

En grupos, elaboramos una encuesta para la clase.
Escribe 4 preguntas sobre uno de estos temas:
Pregunta al resto de la clase, anota los resultados y escribe un informe con estos datos.

AFICIONES RARAS	¿Tienes alguna afición rara?
HÁBITOS DIARIOS	¿A qué hora comes?
DEPORTES PRACTICADOS	¿Qué deporte te gusta?
SALIR CON LOS AMIGOS	¿Dónde vas? / ¿Qué haces con tus amigos?

Casi todos practicamos un deporte...
(Casi) nadie...
Algunos juegan al...
Cuatro alumnos no salen (casi) nunca.
Más de la mitad no tiene aficiones raras.
El 20% sale todos los fines de semana.

¿CONOCES...

Entre semana

Por la mañana, los españoles desayunan poco. La mayoría empieza a trabajar entre las 8:30 y las 9. A media mañana muchos toman un segundo desayuno en un bar. Unos toman café, otros un bocadillo o un pincho de tortilla.

La palabra *mediodía* no significa las doce, sino la hora de comer, en general a las dos. En muchas empresas esta pausa es de dos horas y la mayoría de los trabajadores toman un menú completo -un primer plato, un segundo y un postre o café- en un restaurante cerca de su oficina. En general, se sale tarde, entre las 19 y las 20, ya que es frecuente quedarse más tiempo en el trabajo. Se cena tarde también, entre las 21 y las 22 horas y la cena no es tan abundante como la comida.

Durante el fin de semana

Antes de comer, muchos van a «tomar el aperitivo» sobre la una: la bebida puede ser acompañada de tapas, pequeñas cantidades de comida.

Después de la comida, muchos se echan la siesta. Pero ¿cuáles son los motivos de esta sana costumbre de dormir un rato después de comer? En un país caluroso, justo después de comer es cuando hace más calor. Además, muchos jóvenes salen por la noche y por la mañana trabajan o estudian y claro… ¡en algún momento hay que dormir! Por fin, la comida del mediodía es la más abundante así que después de comer a muchos les gusta descansar.

A media tarde algunos meriendan, sobre todo los niños y algunas personas mayores.

Vida nocturna

Por la noche es muy normal salir con amigos a cenar o «de tapeo», a tomar unas tapas. Después, muchos van a tomar algo, salen de copas: toman una bebida en un bar o en una terraza cuando el tiempo lo permite.

¿Dónde es posible un atasco a las dos o tres de la noche? Respuesta: naturalmente, en España, en los centros de las ciudades los fines de semana.

Vida al aire libre

¿Cuándo salen a la calle los españoles? Es mejor preguntar: ¿cuándo entran en casa? La calle es su medio. Además del aperitivo en terraza, por la tarde van a pasear a parques y calles, quedan a «dar una vuelta». Y por la noche, ¿qué mejor sitio que una terraza para tomar copas y charlar con los amigos?

---

1. En general los españoles lo hacen todo ____ que la gente de otros países. **a.** más tarde **b.** más temprano **c.** al revés

2. ¿A qué se llama «mediodía»? **a.** Las doce en punto **b.** Cuando el sol está alto **c.** Cuando se come

3. ¿Qué costumbre se debe, al menos en parte, al calor? **a.** Las tapas **b.** La siesta **c.** Trabajar hasta tarde

4. ¿Qué significa lo del *atasco* por la noche?
   a. La gente trabaja hasta muy tarde. **b.** A la gente no le gusta andar, van en coche a todas partes.
   c. Mucha gente sale por la noche.

5. ¿Cuándo van los españoles a las terrazas?
   a. Solo por las tardes. **b.** Por las tardes y por las noches. **c.** Al mediodía, por las tardes y por las noches.

Tapas

Competencia pragmática

Eres capaz de...

▶ hacer la compra

▶ preparar una comida

▶ pedir la comida en un restaurante

▶ pedir y ofrecer un favor

▶ dar instrucciones

▶ hacer la lista de la compra

Competencia lingüística

Puedes...

▶ usar los adjetivos y pronombres demostrativos

▶ utilizar verbos irregulares con diptongo en presente

▶ conjugar los verbos en imperativo afirmativo

▶ utilizar algunos verbos irregulares en imperativo afirmativo

Competencia sociolingüística

Conoces...

▶ los nombres de los alimentos y de los platos

▶ los pesos y recipientes

▶ la tortilla española y la hispanoamericana

Interactúa

▶ explicas tu receta favorita

¿DÓNDE PUEDES LEER ESTAS FRASES?

a. Bata los huevos y eche un poco de sal. ☐

b. Dos kilos de tomates y una bolsa de patatas. ☐

c. Chuleta de cordero con ensalada. ☐

1. En la carta de un restaurante

2. En una lista de la compra

3. En un libro de recetas de cocina

¿DÓNDE PUEDES OÍR ESTAS CONVERSACIONES?

En un restaurante

a. Yo preparo la ensalada y tú pones la mesa, ¿vale?

b. Póngame un kilo de naranjas, por favor.

c. ¿Me trae la carta, por favor?

En casa de unos amigos

En un mercado

¿DÓNDE COMPRAN?

🔍 OBSERVA 🔊 ESCUCHA **42**

1. Observa las fotos. Escucha y marca dónde hace la compra Inés y dónde la hace Carlos.

La tienda de alimentación

El hipermercado

El supermercado

El mercado

Carlos:	¡Hola! Soy el nuevo vecino del 2.º izquierda. Me llamo Carlos.
Inés:	Hola, yo soy Inés. Bienvenido.
Carlos:	Gracias. Oye, ¿dónde haces la compra, Inés?
Inés:	Normalmente hago la compra en el supermercado. Hago la compra de toda la semana el sábado y me la traen a casa.
Carlos:	¿Y hay un mercado cerca?
Inés:	Sí, el mercado del barrio. Está en la calle Quevedo. Las verduras y la fruta están frescas y baratas.
Carlos:	¿También hay carnicerías y otros puestos?
Inés:	Sí, claro, hay de todo: pescadería, carnicería, panadería, etc.
Carlos:	Yo prefiero el mercado. Hago la compra casi todos los días, así compro todo fresco.

💬 COMUNICA

VOY A HACER LA COMPRA

2. En parejas. Explica a tu compañero dónde haces la compra y por qué.

Puedes utilizar estas frases:

… es más barato.

… es más cómodo, haces la compra rápidamente.

… es más divertido, puedes comprar muchas cosas distintas, no solo comida.

… son más cómodas, están cerca de tu casa.

¡OJO!

Hacer la compra significa ir al supermercado/mercado para comprar alimentos. *Ir de compras* significa ir de tiendas para comprar ropa, complementos, etc.

💬 COMUNICA

EN LA PANADERÍA

3. Mira las fotos y di dónde se compran estos alimentos.

la charcutería, la panadería, el puesto de frutas y verduras, la pescadería, la carnicería

ⓐ el pan

ⓑ la lechuga

ⓒ las manzanas

ⓓ el pollo

ⓔ el chorizo

ⓕ las sardinas

ⓖ el salmón

ⓗ los tomates

ⓘ el jamón

ⓙ los plátanos

ⓚ las chuletas

ⓛ los pimientos

Ejemplo: El jamón se compra en la charcutería.

Lección 1

EN EL PUESTO DE FRUTAS Y VERDURAS

◀ᴺ ESCUCHA

4. **Escucha y contesta las preguntas.**   Al día siguiente en el mercado.

Dependiente: ¿Siguiente, por favor?

Carlos: Yo. Quiero un kilo de tomates y una lechuga, por favor.

Dependiente: ¿Qué tomates, estos de aquí o aquellos?

Carlos: Aquellos, parecen más ricos.

Dependiente: ¿Algo más?

Carlos: Sí, unas manzanas. Las quiero muy buenas.

Dependiente: Claro que sí. Estas manzanas son asturianas, esas son de Galicia y aquellas son de mi pueblo.

Carlos: Pues me llevo dos kilos de esas, de las de Galicia. Eso es todo. ¿Cuánto es?

Dependiente: Son… nueve euros con cincuenta.

Carlos: Aquí tiene.

Dependiente: Aquí tiene su cambio.

Carlos: Gracias, hasta mañana.

Dependiente: Hasta mañana, caballero. ¿Quién va ahora?

a. ¿Cuál de estas cosas compra Carlos?	1. un melón	2. una lechuga	3. peras
b. ¿Dónde están los tomates que elige Carlos?	1. aquí cerca	2. a poca distancia	3. lejos
c. ¿Cuántos tipos de manzanas tiene el vendedor?	1. dos	2. tres	3. cuatro
d. ¿Cuántas manzanas quiere Carlos?	1. medio kilo	2. un kilo	3. dos kilos
e. ¿Cuánto cambio le devuelve a Carlos el vendedor?	1. dos euros cincuenta	2. dos euros	3. no lo dice
f. ¿Cuántas veces por semana va Carlos al mercado?	1. una vez por semana	2. dos veces	3. todos los días

PARA AYUDARTE
PARA SEÑALAR ALGO

	Masculino / Femenino singular	Masculino / Femenino plural
cerca	**este / esta**	**estos / estas**
a poca distancia	**ese / esa**	**esos / esas**
lejos	**aquel / aquella**	**aquellos / aquellas**

Ejemplo: *Estas manzanas son asturianas, esas son de Galicia y aquellas son de mi pueblo.*

EN EL MERCADO

💬 INTERACTÚA

5. **En parejas. Elige un puesto en el mercado: A hace la compra y B es el dependiente.**

PARA AYUDARTE

Dependiente	**Cliente**
¿Siguiente, por favor?/¿Qué le pongo?	Quiero un kilo/medio kilo…, por favor.
¿Estos o aquellos?	Estos/Aquellos
¿Algo más?	Sí/No, eso es todo/Nada más, gracias.
Son…	¿Cuánto es?
Aquí tiene su cambio.	Aquí tiene.
Hasta luego. ¿Quién va ahora?	Gracias, hasta luego.

Puesto de jamones, Mercado de San Miguel, Madrid

PLATOS TÍPICOS

¿Qué platos te gustan más?

¿Qué platos españoles o hispanoamericanos conoces?

🗨 COMUNICA

1. Habla con tu compañero y responde a estas preguntas.

¿De qué país son típicos estos platos? Escríbelos.

la tortilla	el guacamole	la parrillada	el cebiche

EN CASA DE CLARA 44

2. Escucha y completa las frases del diálogo. Clara invita a comer a Elisabetta.

🔊 ESCUCHA

Clara: Elisabetta, ¿te gusta la tortilla de patatas?

Elisabetta: Sí, me gusta mucho.

Clara: Pues hoy tenemos tortilla para comer. ¿Quieres .... en mi casa?

Elisabetta: Muchas gracias, pero te ayudo a hacer la ....

Clara: Vale, estupendo. Yo te enseño. Es muy fácil. Mira, primero pela y corta unas ...., luego pon las patatas en una sartén con mucho aceite durante diez minutos. Después, aparte, bate tres huevos.

Elisabetta: Ya está, ¿ahora qué hago?

Clara: Ahora, quita el aceite de las patatas y mezcla las patatas fritas con los huevos batidos fuera de la sartén. Después, pon un poco de aceite en la sartén y añade la mezcla de patatas y huevos.

Elisabetta: Muy bien.

Clara: Oye, ¿y de primero hago una ensalada?

Elisabetta: Sí, me .... la ensalada.

Clara: Elisabetta, ¿puedes .... la mesa, por favor?

Elisabetta: Claro. ¿Para dos?

Clara: Sí, pon la mesa para dos. Jorge no come en casa hoy, come fuera, en un restaurante. Tiene que .... en la oficina por la tarde.

INVITAR

¿Quieres comer en mi casa?

OFRECER FAVORES

¿Te ayudo a preparar la comida?

PEDIR FAVORES

¿Puedes poner la mesa, por favor?

DAR INSTRUCCIONES CON IMPERATIVO

Pelar → ¡Pela unas patatas!
Batir → ¡Bate los huevos!

TE LO PIDO POR FAVOR

🔍 OBSERVA

3. Relaciona las órdenes con las situaciones.

Ejemplo:

Hay mucho ruido → *¡Cierra la ventana!*

a. Se oye un timbre. Alguien llama.
b. Necesitas dinero.
c. Estoy ocupado ahora.
d. No te entiendo.
e. Tengo hambre.
f. ¡Estamos en peligro!

1. ¡Haz algo rápido!
2. Abre la puerta.
3. Come estas galletas.
4. Toma veinte euros.
5. Espera un momento.
6. Repite, por favor.

JORGE COME EN UN RESTAURANTE

🔊 ESCUCHA

4. Escucha, lee el diálogo y marca la opción correcta. Después completa la nota del camarero.

45

Camarero: ¿Mesa para uno, caballero?

Jorge: Sí, para uno.

Camarero: Muy bien, sígame.

…

Jorge: ¿Tiene menú, por favor?

Camarero: Sí, de primero tenemos lentejas, ensalada mixta o espaguetis con tomate. De segundo: pollo asado, filete de ternera o salmón a la plancha.

¿Qué va a tomar?

Jorge: Sí, de primero quiero *lentejas/ensalada/espaguetis*. De segundo, *pollo/ternera/salmón*. ¿De postre qué tiene?

Camarero: Flan y tarta de queso caseros. También tenemos melón.

Jorge: Pues *el melón/la tarta de queso/el flan*.

Camarero: ¿Y para beber?

Jorge: Agua mineral sin gas. Una botella grande, tengo mucha sed.

Camarero: Muy bien.

…

Jorge: ¿Me trae la cuenta, por favor?

Camarero: ¿Va a pagar con tarjeta o en efectivo?

Jorge: *En efectivo/Con tarjeta.*

Camarero: Aquí tiene la cuenta.

EL CASTILLO 5

Primer plato:

Segundo plato:

Postre:

Bebida:

Pago:

RESTAURANTE EL CASTILLO MESA 5

💬 INTERACTÚA

¿LE TOMO NOTA YA?

6. En parejas, estáis en un restaurante, representad el diálogo. A es el cliente y B, el camarero.

Saludas y preguntas por la bebida

Eliges la bebida

Preguntas por la comida

Eliges la comida

Preguntas si quieren algo más

Pides la cuenta

Entregas la cuenta

¿TOMAMOS ALGO?

💬 COMUNICA

5. Relaciona las columnas y escribe CA (camarero) o CL (cliente) delante de cada frase.

_ _ **a.** ¡Oiga, por favor!

_ _ **b.** ¿Qué les pongo de beber?

_ _ **c.** Muy bien. ¿Y algo de comer?

_ _ **d.** Aquí tienen.

_ _ **e.** ¿Cuánto es?

_ _ **1.** Dos refrescos de naranja, por favor.

_ _ **2.** Sí, un momento.

_ _ **3.** Seis euros con cincuenta céntimos.

_ _ **4.** Un pincho de tortilla de patatas.

_ _ **5.** Muchas gracias.

Evalúate

Total ____ / 36

ADJETIVOS Y PRONOMBRES DEMOSTRATIVOS			
		Cerca del hablante	A poca distancia	Lejos del hablante
Singular	Masculino	*este*	*ese*	*aquel*
	Femenino	*esta*	*esa*	*aquella*
Plural	Masculino	*estos*	*esos*	*aquellos*
	Femenino	*estas*	*esas*	*aquellas*

ADVERBIOS DE LUGAR		
aquí	*ahí*	*allí*

Adverbios de lugar

Se utilizan para marcar la distancia.

- *Quiero esas manzanas de ahí, por favor.*
- *No están mal, pero mejor estas de aquí.*
- *¿Y aquellas, las de allí, cómo están?*

También existen formas neutras de los pronombres demostrativos: **esto**, **eso**, **aquello**.

Se emplean para hablar de un objeto que tenemos delante o de lo que alguien acaba de decir. No se usan para hablar de personas o animales.

- *¿Qué es **eso**?* 👉
- *No sé. Creo que es una especie de motor.*

- ***Esto** no me gusta nada.* («*lo que estamos viendo u oyendo*»).

1. Elige el demostrativo adecuado.

– ¡Qué ricos los pimientos! Me encantan *estos/esos/aquellos* del fondo.

– ¿Los rojos? Sí, me gustan, pero yo prefiero *estos/esos/ aquellos* amarillos de ahí, tienen un sabor delicioso.

– Bueno, pues no sé qué decir. Creo que a mí me gustan más *estos/esos/aquellos* verdes de aquí, los tradicionales.

| / 3 |

aquí   ahí   allí

2. A este texto le faltan algunos demostrativos. Encuentra los lugares donde faltan y reescribe el texto añadiendo los demostrativos necesarios.

– ¿Qué es de ahí? ....

– ¿A qué se refiere? ¿A de aquí? Es una fruta tropical. Se llama *chirimoya*. ....

– Póngame dos chirimoyas. Póngame del fondo, parecen más jugosas. ....

– Como quiera, pero de aquí están más maduras. ....

– Bueno, pues entonces póngame de ahí. ....

– Aquí tiene las chirimoyas. Tenga también. ....

– ¿Qué es? ....

– Es un regalo, es perejil para cocinar o para ensalada. ....

– ¡Ah, muchas gracias!

| / 7 |

VERBOS IRREGULARES				
VERBOS CON DIPTONGO			G EN 1.ª PERSONA	
PODER o>ue	QUERER e>ie	PEDIR e>i	TENER g, e>ie	PONER g
puedo	*quiero*	*pido*	*tengo*	*pongo*
puedes	*quieres*	*pides*	*tienes*	*pones*
puede	*quiere*	*pide*	*tiene*	*pone*
podemos	*queremos*	*pedimos*	*tenemos*	*ponemos*
podéis	*queréis*	*pedís*	*tenéis*	*ponéis*
pueden	*quieren*	*piden*	*tienen*	*ponen*

Las personas de la tabla:
(Yo) / (Tú) / (Él/ella/Ud.) / (Nosotros/as) / (Vosotros/as) / (Ellos/as/Uds.)

verbos con la misma irregularidad:

*contar: c**ue**nto, preferir: pref**ie**ro, cerrar: c**ie**rro, entender: ent**ie**ndo, vestir: v**i**sto, etc.*

Una chirimoya

3. Escribe el verbo entre paréntesis en la forma adecuada.

a. Por favor, Manuel, ¿me (poder) .... pasar la sal?

b. ¿Qué (querer) .... de primero, señora?

c. - Papá, ¿qué (poner) .... a la izquierda: el tenedor o el cuchillo?

   - A la izquierda (tener) .... que poner el tenedor, hijo.

d. ¿Qué (querer) .... tomar tus amigos?

e. Vais a llegar tarde. ¡(Tener) .... que daros prisa!

f. Juan (querer) .... comprar pan y (pedir) .... 2 barras.

g. No (poder) .... comprar en el mercado, no (tener, yo) .... tiempo.

/ 10

EL IMPERATIVO AFIRMATIVO					
LOS VERBOS REGULARES			**ALGUNOS IRREGULARES**		
HABLAR	BEBER	ABRIR	PONER	VENIR	HACER
(Tú) *habla*	*bebe*	*abre*	*pon*	*ven*	*haz*
(Usted) *hable*	*beba*	*abra*	*ponga*	*venga*	*haga*
(Vosotros/as) *hablad*	*bebed*	*abrid*	*poned*	*venid*	*haced*
(Ustedes) *hablen*	*beban*	*abran*	*pongan*	*vengan*	*hagan*

Con *vosotros* la forma verbal es igual que el infinitivo, solo cambia la *r* por una *d*.
Hablar   *hablad*

4. Completa las frases con el verbo en imperativo.

a. (Abrir, tú) .... la ventana. Hace mucho calor.

b. (Poner, usted) .... sus libros en esta mesa.

c. (Hablar, vosotros) .... más bajo, los niños duermen.

d. (Hacer, vosotros) .... gimnasia todos los días, es bueno para la salud.

e. (Venir, tú) .... aquí ahora mismo, por favor.

f. Buenos días, señora Salgado, (esperar, usted) .... un momento, por favor.

g. Toni, (bajar, tú) .... la música, está muy alta.

h. (Hacer, ustedes) .... el examen en silencio, por favor.

/ 8

5. Completa los diálogos con estos verbos en imperativo: *recoger, hablar, poner, abrir, beber.*

a. - Alfonso, ... la tele. Hay un partido de fútbol dentro de cinco minutos.   - Vale, papá.

b. - .... la puerta, por favor. Están llamando.   - Sí, ahora mismo voy.

c. - .... agua, hijo, hace mucho calor.   - Sí, vale.

d. - .... tus revistas de la mesa. Están por todas partes.   - De acuerdo, mamá.

e. - .... más alto, hay mucho ruido.   - ¿Qué?

f. - ¡Uf! ¡Qué calor! Conductor, ... usted la ventana un poquito, por favor.   - Ya voy.

g. - Cariño, ... los juguetes de tu hermana del suelo.   - ¡Vaaale!

h. - ¿Qué dice usted? .... más claro, no le entiendo.   - Digo que…

/ 8

ESCRIBE **1. Pesos, cantidades y recipientes.**

Relaciona los recipientes/las medidas con los productos.

a. un kilo de
b. una docena de
c. una botella de
d. un bote de
e. una lata de
f. un cartón/*tetrabrik* de
g. una caja de
h. una bolsa de
i. una barra de

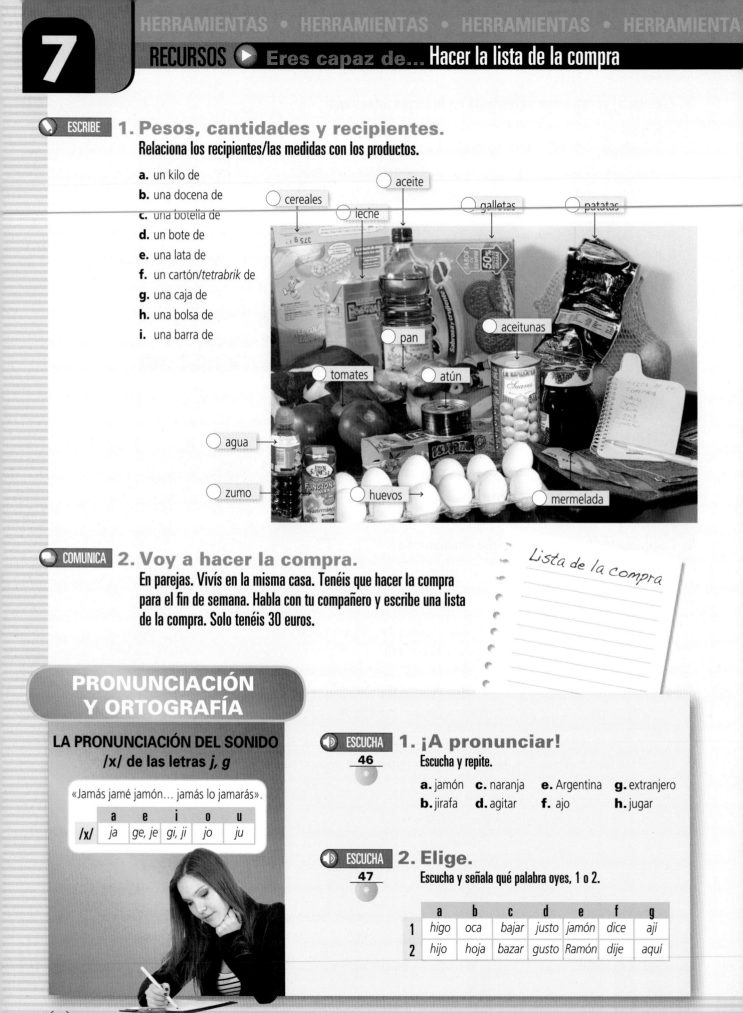

○ cereales   ○ aceite   ○ galletas   ○ patatas
○ leche
○ pan
○ aceitunas
○ tomates   ○ atún
○ agua
○ zumo   ○ huevos   ○ mermelada

COMUNICA **2. Voy a hacer la compra.**

En parejas. Vivís en la misma casa. Tenéis que hacer la compra para el fin de semana. Habla con tu compañero y escribe una lista de la compra. Solo tenéis 30 euros.

Lista de la compra

PRONUNCIACIÓN Y ORTOGRAFÍA

LA PRONUNCIACIÓN DEL SONIDO /x/ de las letras *j, g*

«Jamás jamé jamón… jamás lo jamarás».

	a	e	i	o	u
/x/	ja	ge, je	gi, ji	jo	ju

ESCUCHA **1. ¡A pronunciar!**
46

Escucha y repite.

a. jamón   c. naranja   e. Argentina   g. extranjero
b. jirafa   d. agitar   f. ajo   h. jugar

ESCUCHA **2. Elige.**
47

Escucha y señala qué palabra oyes, 1 o 2.

	a	b	c	d	e	f	g
1	higo	oca	bajar	justo	jamón	dice	ají
2	hijo	hoja	bazar	gusto	Ramón	dije	aquí

Conoces... Los nombres de los alimentos y de los platos ◀ **LÉXICO** **7**

ESCRIBE **1. ¿Qué comemos?**

Escribe la categoría de estos alimentos.

☐ filete de ternera	*P* merluza	☐ fresas	☐ zanahorias	☐ arroz	☐ queso
	El pescado	*La fruta*			*Los productos lácteos*

☐ chuletas de cordero	☐ atún	☐ naranjas	*M* judías	☐ pasta	☐ yogur
La carne			*Las verduras*	*Los hidratos de carbono*	

OBSERVA **COMUNICA**

2. La pirámide alimentaria.

Lee este texto, observa la foto y marca en el ejercicio 1 si debemos consumir cada alimento mucho (M) o poco (P).

POCO

La pirámide alimentaria es una guía visual que se propone para elaborar una dieta equilibrada. Los alimentos de arriba son los que deben consumirse menos y los que están abajo son los que se deben consumir más y con más frecuencia.

MUCHO

LEE **3. ¡Vamos a poner la mesa!**

Lee las frases y relaciona los objetos de la foto con las palabras en negrita.

Primero ponemos el **mantel** sobre la mesa. Después ponemos los **platos** para la comida. Ahora ponemos los cubiertos al lado de cada plato. Estos son los cubiertos: la **cuchara** es para tomar la sopa, el **tenedor** para pinchar, el **cuchillo** para cortar y la **cucharilla** para el postre. También colocamos una **servilleta**. Con ella nos limpiamos la boca. Por último, ponemos una jarra de agua, y **copas** para beber.

1.
2.
3.
4.
5.
6.
7.
8.

LEE

4. ¿Nos trae la carta, por favor?

Lee el menú y contesta las preguntas.

Menú del día:

Primero (a elegir):

Ensalada mixta

Tortilla de gambas

Judías blancas

Sopa castellana

Segundo (a elegir):

Chuletas de cordero

Filete de pollo

Merluza en salsa

Calamares a la romana

Postre (a elegir):

Arroz con leche

Tarta de chocolate

Fruta del tiempo (manzana/pera)

Café

Bebidas (a elegir):

Agua mineral

Refresco: naranja, limón

Cerveza sin alcohol

10 €
Bebida, pan y postre incluidos.

1. ¿Qué platos contienen huevo?

2. ¿Qué platos son adecuados para una dieta vegetariana?

3. ¿Qué pescado se puede tomar?

4. ¿Qué tipos de carne hay en el menú?

5. ¿Qué platos se comen con cuchara (incluidos los postres)?

COMUNICA

5. A tu gusto.

Discute en grupos.

– ¿Qué cosas te gustan y cuáles no?

– Si haces dieta para adelgazar, ¿qué te conviene?

– ¿Qué platos crees que son más adecuados para verano?

LEE

1. A cocinar.

Lee la receta y escribe las acciones subrayadas debajo de las fotos.

Salmorejo cordobés

Ingredientes para 2-4 personas:
500 gramos de tomates rojos bien maduros
100 gramos de pan duro
100 ml de aceite de oliva
1 diente de ajo
Sal al gusto

Receta

• <u>Corte</u> el pan en trozos pequeños.

• <u>Lave</u>, pele y <u>corte</u> los tomates en varios trozos. Ponga los trozos sobre el pan. Añada sal.

• Si está muy duro, deje el pan con el tomate durante 30 minutos, si no pase al siguiente paso.

• Pele y corte el ajo en varios trozos. <u>Añada</u> el ajo al pan y al tomate.

• <u>Añada</u> también el aceite de oliva y bata todo con la batidora muy fino.

• Por último, ponga el salmorejo en la nevera. <u>Sirva</u> el salmorejo bien fresco. Si quiere, puede acompañarlo con trozos de jamón serrano, huevo duro y unas gotas de aceite de oliva.

ESCRIBE

2. Una receta.

Ahora marca las frases como verdaderas o falsas.

		V	F
a.	El principal ingrediente del salmorejo es el tomate.	☐	☐
b.	El salmorejo es un plato frío y refrescante.	☐	☐
c.	Hace falta siempre cuchara para tomar el salmorejo.	☐	☐
d.	Lo primero es lavar, pelar y cortar los tomates.	☐	☐
e.	Hay que cortar y batir todos los ingredientes.	☐	☐
f.	Es obligatorio añadir jamón y huevo duro.	☐	☐

ESCUCHA
48

3. Acerca de la comida.

Escucha estas conversaciones y contesta las preguntas.

a. El cliente quiere el melón que está…
 1. … al lado del vendedor.
 2. … al lado del cliente.
 3. … lejos de los dos.

b. ¿Qué pide el cliente?
 1. Dos vasos de agua.
 2. Dos cafés.
 3. Dos raciones de churros.

c. ¿Dónde están?
 1. En el diálogo a.
 2. En el diálogo b.

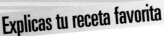

interactúa Explicas tu receta favorita

a. Elige un plato que te gusta mucho. Puede ser o no de tu país.

b. Anota los ingredientes y las cantidades.

c. Explica cómo se hace.

La tortilla española y la hispanoamericana

🔊 **LEE**

La tortilla española

El plato preferido de los españoles es la tortilla de patatas entre más de 35 platos de nuestra gastronomía, como el gazpacho, la paella, las croquetas, el cocido o los calamares, según el *Estudio Coca-Cola: Comer y beber en verano.*

La tortilla se prepara con patatas y huevos. Hay una variedad con cebolla. El aceite de oliva es, naturalmente, esencial. Además, se pueden añadir otros ingredientes, como pimientos, chorizo, salsa mayonesa, etc. Se come como ración, como tapa, o en bocadillo. Se toma caliente o fría.

La tortilla de América Central

Esta es una tortilla muy diferente. Está hecha de pasta de maíz cocida. Es la base de muchas recetas mexicanas, como las enchiladas, los tacos y las quesadillas. También se come en toda Centroamérica. En Colombia y Venezuela la llaman *arepa*, pero la forma de cocinarla es parecida.

La gente compra tortillas en las numerosas *tortillerías*. Incluso se pueden comprar tortillas hechas en la calle.

Después solo hay que rellenar la tortilla con los ingredientes preferidos: queso, jamón, chile, carne picada, etc. En realidad es el mismo sistema que la *pizza:* masa de harina cocida como soporte: se rellena, se toma con las manos y... ¡a comer! Sin duda es su sencillez lo que hace a la tortilla tan popular.

¿Por qué tienen el mismo nombre de *tortilla* si son tan diferentes? Pues por la forma de *torta*, es decir, de disco, redondo y plano. *Tortilla* significa simplemente *torta pequeña.*

Contesta a las preguntas.

1. La tortilla de patatas es típica de...
  a. América del Sur.
  b. España.
  c. América Central.

2. ¿Qué ingrediente se puede añadir a la tortilla de patatas?
  a. Maíz.
  b. Carne.
  c. Cebolla.

3. La tortilla de América Central está hecha normalmente con...
  a. trigo.
  b. maíz.
  c. patatas.

4. ¿Cómo se come la tortilla americana?
  a. Sola.
  b. Rellena.
  c. Mojada en bebidas.

5. ¿Comen tortillas en Colombia y Venezuela?
  a. Sí, pero las llaman *arepas.*
  b. Sí, y las llaman *tortillas.*
  c. No, ahí comen arepas, que son muy diferentes.

6. ¿Por qué tienen el mismo nombre las dos tortillas?
  a. Por su origen español.
  b. Por su forma redonda y plana.
  c. Por el nombre de su inventor.

ROPA Y COMPLEMENTOS

8

Competencia pragmática ▼

Eres capaz de...

▷ ir de compras

▷ elegir la ropa

▷ describir la ropa y dar tu opinión

Competencia lingüística ▼

Puedes...

▷ utilizar los pronombres personales de complemento directo

▷ emplear el pronombre relativo *que*

▷ conjugar los verbos *quedar y parecer*

Competencia sociolingüística ▼

Conoces...

▷ los nombres de los complementos de moda

▷ una firma de moda española muy conocida: Zara

▷ las tiendas de ropa preferidas de los españoles

Interactúa ▼

▷ compras por Internet

MIRA A TUS COMPAÑEROS Y DI QUIÉN LLEVA...

un pantalón vaquero

 una camisa o una blusa blanca

unos zapatos de piel

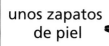 una falda

un vestido

 una camiseta

HABLA CON TUS COMPAÑEROS.

1. ¿Te gusta ir de compras?

2. ¿Cómo pagas normalmente, en efectivo o con tarjeta?

3. Pregunta a tu compañero/a cuánto cuesta su pantalón, falda, etc., y de qué talla es.

4. ¿Qué tipo de ropa prefieres?
   a. ¿Clásica o moderna?
   b. ¿Deportiva o formal?
   c. ¿De colores oscuros o claros?

MIRA ESTA FOTO. DI SI LA ROPA TE PARECE BONITA, FEA, ELEGANTE, CÓMODA, MODERNA.

Eres capaz de...

Ir de compras

Lucía y Candela van de compras a un centro comercial.

DE COMPRAS

49

🔊 ESCUCHA

1. Escucha, lee el diálogo y completa con estas expresiones.

| En efectivo | ¿Que precio tienen? | ¿me las puedo probar? |
| muy grandes | ahora mismo | unas gafas de sol |

Candela: Mira estas gafas de sol, ¿te gustan?

Lucía: Sí, pero son .... Me gustan más las negras.

Dependiente: Hola, ¿puedo ayudarlas?

Candela: Sí, quería ....

Dependiente: Pues aquí están las de esta temporada.

Candela: Me gustan esas grandes, ...

Dependiente: Sí, sí, aquí tiene un espejo.

Dependiente: ¿Cómo le quedan?

Candela: No sé, son un poco grandes. ¿Puedo probarme las negras?

Dependiente: Sí, ... las traigo.

Candela: Lucía, ¿qué te parecen? ¿Me quedan bien?

Lucía: Sí, estás muy guapa. Son muy bonitas.

Candela: Bueno, pues me las llevo. ....

Dependiente: 100 euros. ¿Cómo va a pagar, en efectivo o con tarjeta?

Candela: .... Aquí tiene.

Dependiente: Muchas gracias.

📖 LEE

¿QUÉ HACEN LUCÍA Y CANDELA?

2. Corrige las frases incorrectas.

a. Candela y Lucía están en un centro comercial.

b. Lucía quiere comprar unas gafas de sol.

c. A Candela le gustan las gafas grandes.

d. Lucía se prueba las gafas negras.

e. Candela compra las gafas negras.

f. Las gafas cuestan 110 euros.

g. Candela paga en efectivo.

LOS COLORES

3. Ordena los colores de estos jerseys.

🔍 OBSERVA ✍ ESCRIBE

| 1 rojo | ☐ amarillo | ☐ azul | ☐ naranja | ☐ verde | ☐ rosa |

OBSERVA ESCRIBE

CATÁLOGO
4. Observa esta ropa y escribe el nombre y el color de cada prenda.

1 *botas marrones* **2** deportivas .... **3** calcetines .... **4** cazadora .... **5** ....

6 .... **7** .... **8** .... **9** .... **10** ....

EN LAS REBAJAS LEE

5. Ordena el diálogo entre la dependienta y el cliente.

☐ **Dependienta:** ¿Cómo le quedan?
☐ **Cliente:** Con tarjeta de crédito.
☐ **Dependienta:** Buenas tardes, ¿puedo ayudarlo?
☐ **Cliente:** Me quedan bien, me los llevo, ¿cuánto cuestan?
☐ **Dependienta:** ¿De qué talla?
☐ **Cliente:** Sí, claro.
☐ **Cliente:** Quería unos pantalones vaqueros.
☐ **Dependienta:** 40 euros. Están rebajados. ¿Cómo va a pagar, en efectivo o con tarjeta?
☐ **Cliente:** De la 40 o 42.
☐ **Dependienta:** ¿Quiere probárselos?

-30%

COMPRAR EN UNA TIENDA

A
¿Puedo ayudarlo/la?
¿Qué desea?
¿De qué talla?
¿De qué color?
¿Cómo va a pagar?

B
Sí, quiero…
Quiero…/Quería…
De la talla…
Rojo, verde, etc.
¿Qué precio tiene?
En efectivo/Con tarjeta.

PREGUNTAR SI SE PUEDE
A. ¿Me puedo probar esta falda?
B. Sí, claro.

PREGUNTAR EL PRECIO
A. ¿Cuánto cuestan estos zapatos?
B. 75 euros.

EN LA SECCIÓN DE ROPA INTERACTÚA

6. En parejas. Representa un diálogo.

Dependiente/a
Saluda y pregunta si puedes ayudarlo.
Pregunta el color.
No tienes ese color.
Pregunta la talla.
Responde.
Di el precio.
Pregunta cómo va a pagar.

Cliente
Saluda y pide un jersey.
Responde.
Pide otro.
Responde.
Te lo quieres probar.
Te gusta. Pregunta el precio.
Responde.

EDUARDO SE COMPRA UN TRAJE

50 ◀)) ESCUCHA

1. Escucha y lee el diálogo entre Eduardo y el dependiente y marca la opción correcta.

Dependiente: ¿Cómo le queda el traje?

Eduardo: No muy bien. Me parece que los pantalones me quedan cortos y la chaqueta un poco estrecha.

Dependiente: Sí, tiene razón, ahora le traigo una talla más grande.

Dependiente: ¿Qué tal ahora?

Eduardo: Mejor, pero ahora las mangas de la chaqueta me quedan largas.

Dependiente: No importa. Podemos cortarlas un poco. ¿Ya no le queda estrecha?

Eduardo: No, ni estrecha ni ancha. Me queda perfecta, ¿verdad?

Dependiente: Sí, sí, le queda muy bien. ¿Desea alguna cosa más?

Eduardo: Sí, una corbata para este traje.

Dependiente: ¿Le gustan estas corbatas modernas o prefiere las clásicas?

Eduardo: No sé... quizá una corbata clásica, de rayas.

Dependiente: ¿Qué le parecen estas dos? La roja es muy bonita.

Eduardo: No, me gusta más la de rayas azules y blancas, creo que es más elegante.

Dependiente: Sí, estoy de acuerdo, es más elegante.

a. A Eduardo le parece que el primer traje le queda:
1. bien. 2. regular. 3. mal.

b. Dice que los pantalones están:
1. cortos. 2. largos. 3. bien.

c. El dependiente:
1. está de acuerdo. 2. no está de acuerdo. 3. no dice su opinión.

d. El segundo traje le queda:
1. mejor. 2. peor. 3. igual.

e. La chaqueta le queda:
1. ancha. 2. estrecha. 3. perfecta.

f. A Eduardo:
1. le gusta más la corbata clásica. 2. le gusta más la moderna. 3. le da igual.

g. Eduardo cree que la corbata azul y blanca de rayas es:
1. más elegante. 2. menos elegante. 3. igual de bonita que la otra.

¿CÓMO ME QUEDA?

💬 COMUNICA

2. Estos cuatro amigos te preguntan cómo les queda esta ropa. Mira las ilustraciones y diles tu opinión.

a.   **b.**   **c.**   **d.**

¡OPINA!

💬 INTERACTÚA

3. En parejas, describe la ropa de estas personas.

Pregunta a tu compañero su opinión y responde a sus preguntas.

PARA AYUDARTE
bonito - feo   alto - bajo   grande - pequeño
precioso - horrible   elegante   cómodo   moderno

¿QUÉ PREFIERES?

💬 INTERACTÚA

4. a. Haz una encuesta en la clase a tres de tus compañeros. Utiliza estas preguntas y prepara otras cuatro.

     1. ¿Qué te gusta más: comprar mucha ropa barata, o poca y más cara?

     2. ¿Qué prefieres: una discoteca con música alta, o un bar o pub tranquilo?

     3. ¿Qué te gusta más: hacer fiestas en tu casa o ir a fiestas en casa de amigos?

     4. ¿Qué prefieres: comer tapas variadas o una comida de dos platos y postre?

> *Preferir se conjuga como querer:*
> *prefiero*

b. Escribe un resumen de las respuestas de tus compañeros y léelo a la clase.

     Por ejemplo: *A todos les gusta más el cine que el teatro.*

                      Unos prefieren la comida china y otros, la italiana.

💬 INTERACTÚA **POR CORREO ELECTRÓNICO**

5. Escribe a un amigo un correo explicando qué ropa llevas normalmente y cuáles son tus gustos en ropa.

PRONOMBRES PERSONALES DE COMPLEMENTO DIRECTO		
	Singular	Plural
Masculino	**lo**	**los**
Femenino	**la**	**las**

Concuerdan en género y número con la palabra que sustituyen. Se colocan delante del verbo.

- ¿Compras <u>el pan</u> todos los días?
- Sí, **lo** compro todos los días.

Evalúate

Total _____ / 37

1. Completa los diálogos con *lo, los, la, las.*

a. – Señor, ¿le quedan bien las botas?
– Sí, me .... llevo.

b. – Mira este traje de chaqueta negro, ¿te gusta?
– Sí, es muy elegante, ¿me .... pruebo?

c. – Voy a hacer té, ¿cómo .... quieres?
– Con limón, por favor.

d. – Pepa, esa blusa te queda muy bien.
– Pues me .... compro.

e. – ¡Qué jersey de lana tan bonito!
– ¿Me .... pruebo? No tengo jersey de invierno.

f. – Teresa, ¿cómo te quedan los vaqueros?
– Genial. Me .... llevo.

g. – ¿Por qué miras tanto los bombones de chocolate? ¿............................... vas a comprar?
– Creo que sí. ¡Qué ricos!

h. – Ese apartamento del centro es precioso y el alquiler no es caro.
– ¿............................... vas a alquilar?

/ 8

2. Subraya el complemento directo y contesta a las preguntas como en el ejemplo.

a. - ¿Compras <u>los libros de inglés</u> en España?   - Sí, **los** compro en España.

b. - ¿Se lleva la chaqueta azul?   - Sí, me ....

c. - ¿Sabe su número de acceso a la cuenta?   - No, no ....

d. - ¿Lees todas esas revistas?   - Sí, ...

e. - ¿Haces la compra a diario?   - No, no ....

f - ¿Compras discos por Internet?   - Sí, ...

g. - ¿Tienen el precio puesto estos zapatos?   - No, no ....

h. - ¿Lees tus correos electrónicos todos los días?   - Sí, ...

/ 7

EL PRONOMBRE RELATIVO *QUE*

Se utiliza para unir frases y no repetir las informaciones sobre cosas, personas y lugares.

Voy a comprar una falda. Esta falda es muy bonita.
*Voy a comprar esta falda, **que** es muy bonita.*

3. Forma una sola frase con *que* para evitar la repetición.

a. Estas revistas son de moda. Me gustan estas revistas.

b. Quiere comprar una chaqueta. Compra la chaqueta roja.

c. Me gusta comprar libros. Compro libros originales.

d. ¡Qué bonitos estos zapatos! Estos zapatos son modernos. Estos zapatos son negros.

e. Compro muchos discos. Compro discos de música latina.

f. No me quedan bien todos los pantalones. Los pantalones estrechos me quedan bien.

/ 6

VERBOS *QUEDAR, PARECER, GUSTAR*

(A mí)	me	
(A ti)	te	
(A él/ella/Ud.)	le	queda/n
(A nosotros/as)	nos	parece/n
(A vosotros/as)	os	gusta/n
(A ellos/as/Uds.)	les	

El verbo **quedar** se conjuga como el verbo **gustar** (con los pronombres *me, te, le, nos, os, les*): se utiliza para expresar opinión. Va acompañado de un adverbio: *bien, mal, regular*, etc.

- *¿Cómo me quedan estos vaqueros?*
- *Te quedan muy bien.*

El verbo **parecer** se conjuga como el verbo **gustar** (con los pronombres *me, te, le, nos, os, les*) cuando se utiliza para expresar opinión.

Me parece + adjetivo
- *¿Qué te parece mi vestido nuevo?*
- *Me parece precioso.*

Otra construcción con el verbo *parecer:*

Me parece que + frase
A mí me parece que los supermercados son muy caros.

4. Corrige el orden de las palabras en las frases.

a. Este traje queda te estrecho.

b. Las camisas no me de flores gustan nada.

c. A mí que muy delgada me parece estás.

d. Estas de sol gafas preciosas nos parecen a nosotros.

e. Mi novio deportiva la ropa prefiere.

f. Estos pantalones algodón de quedan le muy cortos.

g. Las faldas cuero de encantan me.

h. Marta los vestidos amplios prefiere.

/ 8

5. Completa las frases con los verbos *quedar/parecer/gustar* en singular o plural.

a. Estas gafas te .... muy bien. Estás muy guapa con ellas.

b. A mí me .... que tu coche es estupendo.

c. A ellos no les .... las aceitunas, pero el pepino sí.

d. A mis amigas les .... caras estas tiendas de ropa.

e. A nosotros nos .... las prendas de algodón, son más naturales.

f. A mi novio no le .... bien el pelo corto. Prefiere llevarlo largo.

g. Tu casa me .... preciosa, es muy grande y luminosa.

h. A mis primos no les .... nada los deportes de riesgo.

/ 8

(97)

8

RECURSOS ▶ **Eres capaz de...** Describir la ropa y dar tu opinión

ESCRIBE **1. Describir el material y el diseño.**

a. Lee la tabla de materiales y marca las características con una cruz (x).

Materiales	frescos	de abrigo	caros	naturales	fáciles de lavar		Diseño	
Algodón							liso	de rayas
Lana								
Sintético								
Seda							de lunares	de cuadros
Piel								

b. Mira a tus compañeros y señala alguna prenda describiendo el material y tipo de tejido, color y diseño.

Ejemplo: Anne lleva un jersey de lana de rayas rojo y azul.

LEE **2. Problemas al comprar.**

Lee los diálogos, relaciónalos con las fotos y di si el problema está solucionado o no.

1. - Aquí tiene mi tarjeta de crédito.
- ¿Me enseña el carné o el pasaporte?
- No tengo el carné. ¿Puede reservarme la chaqueta hasta mañana?
- Sí, no se preocupe.

2. - No tengo esta talla.
- ¿Se puede pedir? ¿Cuánto tarda normalmente?
- Ahora llamo. Un momento, por favor.

3. - Me quedan largos los pantalones. ¿Se pueden arreglar?
- Sí, claro, hacemos todos los arreglos gratis.

PRONUNCIACIÓN Y ORTOGRAFÍA

LAS LETRAS Z Y C, CON SONIDO /θ/

CONTRASTE CON SONIDOS PARECIDOS

ESCUCHA **51** **1. ¡A pronunciar!**

Escucha y repite estas palabras. Todas contienen el sonido /θ/.

a. zapato   **c.** centro   **e.** comercial
b. zoo   **d.** azul   **f.** parezco

Escucha otra vez y subraya las letras que suenan /θ/.

ESCUCHA **52** **2. Elige.**

Escucha y marca de cada pareja la palabra que oyes.

	a	b	c	d	e	f	g	h
1	cocido	zueco	cazar	cedo	cazo	cacé	ceda	aceite
2	cosido	sueco	callar	dedo	caso	café	seda	afeite

Conoces... **Los nombres de los complementos** ◀ **LÉXICO** **8**

✎ ESCRIBE **1. Los complementos.**
Escribe el nombre en su sitio.

los guantes
el gorro
la bufanda
las sandalias
el pañuelo
la pulsera

el g

los

la b

el

las

la

✎ ESCRIBE **2. Ropa y zapatos.**
Clasifica las palabras en su categoría.

liso, de plástico, corto, la corbata, de piel, las botas, de rayas, los vaqueros, seda, la blusa, largo, la cazadora, las zapatillas de deporte, los calcetines, lana, la minifalda, ancho, las sandalias, estrecho, algodón, de lunares, de cuadros, el jersey

ROPA	ZAPATOS	DESCRIPCIÓN	MATERIALES

💬 COMUNICA **3. ¿Cómo es?**
Haz combinaciones con la ropa, los complementos o los zapatos y los materiales, el color y el diseño. *Ejemplo: Un bolso rojo de piel, moderno.*

✎ ESCRIBE **4. ¿Qué es?** Completa las frases con la opción correcta.

a. En invierno siempre llevo guantes de .... Soy muy friolera.   1. lana   2. seda

b. Cuando vamos a la montaña, nos ponemos .... para andar mejor.   1. las sandalias   2. las botas

c. En mi trabajo siempre debo ir con traje de chaqueta y ....   1. cinturón   2. corbata

d. Me gustan los .... grandes para poder llevar muchas cosas.   1. bolsos   2. cinturones

e. En verano siempre visto ropa de .... Es lo más fresco.   1. cuero   2. algodón

f. A mi hermana le gustan los vestidos .... Son muy alegres.   1. de lunares   2. negros

g. Esta .... es muy agradable. Es de lana.   1. corbata   2. bufanda

h. Los fines de semana me pongo ropa muy informal, unos .... y un jersey.   1. vaqueros   2. pantalones

---

📖 LEE **5. Cómodo y elegante.**
Tacha la palabra que es diferente.

a. elegante, cómodo, moderno, delgado

b. bolso, gafas, pantalón, cinturón

c. minifalda, sandalias, botas, zapatillas

d. lana, bufanda, algodón, seda

e. bonito, mal, estupendo, genial

f. chaqueta, cazadora, jersey, falda

g. estrecho, grande, corto, pequeño

h. de cuadros, piel, liso, de rayas

LEE

ZARA

ÚLTIMA SEMANA
• • •
MUJER
TRF
HOMBRE
NIÑOS
CAMPAÑA
LOOKBOOK
PEOPLE!
EVENTOS
FW11FILMS

TIENDAS
NEWSLETTER
PRENSA
EMPRESA
CONTACTO

AÑADIR A LA CESTA

☐ Pantalón azul
Ref: 561/236
18,95 €

☐ Camisa de cuadros
Ref: 238/122
15,95 €

✕

CÓMO COMPRAR

VÍDEO GUÍA
CÓMO COMPRAR
INFORMACIÓN GENERAL
PAGO
ENVÍO
DEVOLUCIONES
CAMBIOS
TECNOLOGÍA

Comprar en <u>Zara.com</u> es muy sencillo. Sigue los siguientes pasos:
1. Elige la sección (mujer, hombre, niños) y la familia (tipo de prenda: falda, chaqueta, pantalón, etc.).
2. Mira el producto que te interesa. Con un clic puedes ver la fotografía más grande y ver el producto por detrás, la composición, las tallas disponibles, la referencia y el precio.
3. Selecciona una prenda y añade el artículo a la cesta.
4. Para hacer un pedido, regístrate.
5. Después de escribir tus datos, comprueba si son correctos y pulsa *confirmar*.
6. Selecciona una tarjeta de crédito y confirma el pedido.
7. Recoge tu pedido en una de nuestras tiendas de Zara o recibe el producto por correo en tu casa.

✕

INFORMACIÓN GENERAL

VÍDEO GUÍA
CÓMO COMPRAR
INFORMACIÓN GENERAL
PAGO
ENVÍO
DEVOLUCIONES
CAMBIOS
TECNOLOGÍA

Preguntas frecuentes
• **¿Cuánto va a tardar en llegar mi pedido?**
Los envíos a la tienda tardan entre 3 y 5 días, los envíos a domicilio 2-3 días.
• **¿Cuánto pago por gastos de envío?**
Los envíos a la tienda son gratuitos. Los envíos a domicilio son 3,95 €.
• **¿Cómo puedo devolver un artículo?**
Es muy sencillo: en una de nuestras tiendas Zara (las prendas en perfecto estado y con su *ticket*). La ropa interior no se cambia.

LEE

1. La tienda *on-line*.

Lee la página web de Zara y corrige los errores de las frases siguientes.

a. Todos los productos están mezclados.
b. Pulsando la tecla del ratón, la imagen se ve más grande, nada más.
c. Después de seleccionar la prenda la compras directamente.
d. Puedes pagar con dinero en metálico o con cheque.
e. Es necesario ir a una tienda Zara a recoger el pedido.
f. Los envíos a la tienda tardan menos que a casa.
g. Todos los envíos cuestan casi 4 €.
h. Toda la ropa se puede devolver.

ON LINE SHOPPING

☐   ☐   ☐
S   M   Lg
☐   ☐   ☐
👕 👕 👕

8

2. Marta compra ropa por Internet.

Marta y María están mirando la página web de Zara. Escucha y contesta las preguntas.

a. ¿Qué busca Marta?

b. ¿Qué prefiere María?

c. ¿Cuánto vale?

d. ¿Qué problema plantea Marta?

e. ¿Cuál es la solución que sugiere María?

f. Después de elegir el producto, ¿dónde hace clic Marta?

g. ¿Qué tiene que escribir Marta, además de sus datos personales?

ZARA

ÚLTIMA SEMANA   CALIDADES ▼   CARACTERÍSTICAS ▼   COLOR ▼   TALLA ▼   PRECIO ▼

* * *

MUJER
- Chaquetas
- **Vestidos**
- Camisas
- Pantalones
- Jeans
- Shorts
- Faldas
- Camisetas
- Punto
- Beachwear
- Zapatos
- Bolsos

VESTIDO LISO NEGRO 39 EUR   VESTIDO LISO ROJO 39 EUR

COMUNICA

3. El regalo.

En grupos de 3 o 4. Tenéis que hacer un regalo a un amigo.
Decide con tu grupo:

¿Cuánto dinero gastáis?   ¿Qué regalo le compráis?

Cada miembro del grupo presenta una sugerencia, si es posible mostrando una foto (del libro, por ejemplo) o mostrando el objeto (ropa o complemento). Todos dicen su opinión y sus preferencias.

interactúa

Compras por Internet

En parejas. A manda a B un correo con las fotos de dos artículos de ropa de una tienda *on-line* y le pregunta cuál le gusta más, porque no sabe cuál elegir.

¿Qué artículo te gusta más?

¿Por qué?

Da un consejo a tu amigo sobre la compra *on-line*.

¿CONOCES...

Las tiendas de ropa preferidas de los españoles

LEE

Internet

Cada vez más gente compra ropa por Internet, aunque menos que en otros países. Los precios son más bajos que en las tiendas y es muy cómodo comprar. Sin embargo, a veces los envíos no llegan o la talla no es la adecuada… Entonces hay que devolver la ropa y eso puede ser complicado.

Ir de compras

Además, a mucha gente le gusta «ir de compras» con amigos: dar un paseo, charlar, entrar en varias tiendas, ver cosas bonitas, tomar un café o unas tapas… ¡ah, sí!, y además, con un poco de suerte, comprar algo que necesitas de verdad.

Las boutiques

Son pequeñas tiendas de ropa y complementos de marca. La ropa es más cara que en los grandes almacenes, pero es más original, ya que son diseños exclusivos. Estas boutiques ofrecen ropa de diferentes estilos: clásico, moderno, etc.

Las tiendas de moda

La mayoría de los españoles compra en tiendas de moda muy conocidas. Son marcas que ofrecen ropa con diseños de moda a precios no muy altos, las más conocidas son Zara y Mango. Estas tiendas también ofrecen rebajas interesantes en enero y en julio.

Los mercadillos callejeros

En los mercadillos se compra ropa muy barata: a veces con un pequeño defecto o de la temporada pasada. Los mercadillos están en los barrios de las ciudades y en muchos pueblos. Los puestos se instalan un día a la semana, sábado, domingo o entre semana.

Los grandes almacenes

En las ciudades mucha gente compra la ropa en los grandes almacenes. Situados en grandes edificios, su particularidad es que «tienen de todo»: todas las marcas y todas las tallas. En las rebajas de enero, después de las Navidades y del Día de Reyes, el 6 de enero, y en julio se llenan de gente que quiere comprar más barato: entre un 15% y un 40% normalmente. El gran almacén más conocido en España es El Corte Inglés.

Contesta a las preguntas.

1. ¿Qué tipo de tienda prefiere la gente para comprar ropa?
2. ¿Cuándo hay rebajas?
3. Si no quieres vestir igual que todo el mundo, ¿en qué tipo de tienda debes comprar tu ropa?
4. ¿Cuándo puedes comprar en un mercadillo de la calle?
5. ¿Qué ventajas tiene comprar por Internet?
6. ¿Qué se entiende en el texto «Ir de compras»?
   a. Es difícil comprar cosas necesarias.
   b. El autor se olvidaba de las cosas necesarias que se compran.
   c. Comprar cosas necesarias no es lo más importante cuando se va «de compras».
7. ¿Y a ti, te gusta ir de compras?

¿Y tú, qué compras por Internet? ¿Por qué?

1. Billetes de viaje
2. Libros
3. Entradas
4. La compra
5. Tecnología
6. Nada
7. Otras cosas…

EL CORTE INGLÉS

Lanzarote, islas Canarias, España

QUEDAR CON AMIGOS

9

Competencia pragmática

Eres capaz de...

▶ quedar con alguien (II)

▶ invitar, aceptar o rechazar una invitación

▶ hablar de lo que haces ahora

▶ decir cuándo se celebra algo

Competencia lingüística

Puedes...

▶ usar *tener que* + infinitivo

▶ usar *estar* + gerundio

▶ conjugar los verbos irregulares: *oír, jugar* y *conocer*

Competencia sociolingüística

Conoces...

▶ los meses del año y las estaciones

▶ los nombres de las actividades de ocio

▶ los Sanfermines

Interactúa

▶ quedas este fin de semana

MIRA ESTAS FOTOS Y EXPLICA LO QUE ESTÁN HACIENDO.

1. ... están tomando un café

2. ... están jugando con una pelota

3. ... están hablando

4. ... están comiendo

5. ... está bebiendo

6. ... están riendo

¿QUÉ COSAS TIENES QUE HACER ESTA SEMANA?

LEE LA LISTA Y ELIGE UNA O DOS COSAS. TAMBIÉN PUEDES PONER EJEMPLOS REALES.

1. Tengo que visitar a mis padres.

2. Tengo que hacer la compra.

3. Tengo que estudiar para un examen.

4. Tengo que hacer un trabajo/informe.

5. Tengo que devolver un libro/CD.

6. Tengo que comprar ropa/unos zapatos.

7. Tengo que pagar una factura.

8. Tengo que comprar un regalo para...

Eres capaz de...

Quedar con alguien (II)

Pablo y Eva quedan para el fin de semana.

¿VIENES A COMER A MI CASA?

54

1. Escucha el diálogo. Contesta verdadero o falso y corrige la información.

Pablo: Hola, Eva, ¿vienes a comer a mi casa el viernes?

Eva: Ay, lo siento, el viernes no puedo, es que tengo trabajo.

Pablo: Bueno, pues entonces, ¿nos vemos el sábado y vamos al cine?

Eva: No, el sábado imposible. Lo siento, tengo que hacer muchas cosas. ¿Por qué no quedamos el domingo?, ¿qué te parece?, ¿comemos fuera y luego vamos al cine o al teatro?

Pablo: Vale. ¿A qué hora quedamos?

Eva: ¿Nos vemos a las dos en el restaurante Los Asturianos?

Pablo: No sé, la verdad es que no me apetece mucho comer fuera. ¿Por qué no vienes a mi casa y hago una paella?

Eva: Perfecto, tú haces la paella y yo llevo un postre rico, ¿de acuerdo?

Pablo: Genial. Nos vemos en mi casa, el domingo a las dos de la tarde. Después de comer vamos al cine o al teatro, ¿vale?

Eva: Estupendo. ¡Un plan perfecto!

	V	F
a. Pablo invita a Eva a comer el viernes en su casa.	☐	☐
b. Eva no puede quedar el viernes, tiene trabajo.	☐	☐
c. Pablo propone ir al cine el viernes.	☐	☐
d. Eva prefiere quedar el sábado.	☐	☐
e. Pablo sugiere comer en el restaurante Los Asturianos.	☐	☐
f. A Pablo no le apetece y sugiere cocinar una paella en su casa.	☐	☐
g. Eva acepta la invitación y dice que ella lleva la bebida.	☐	☐
h. Pablo y Eva quedan el domingo a las tres de la tarde en casa de Pablo.	☐	☐

ACEPTAN O RECHAZAN 📖 LEE

2. Lee el diálogo y subraya lo que dicen Pablo y Eva para aceptar o rechazar la propuesta del otro. Escribe las expresiones en estas columnas.

ACEPTAR UNA INVITACIÓN	RECHAZAR UNA INVITACIÓN

¿TE APETECE? 💬 INTERACTÚA

3. En grupos, invita a tus compañeros a hacer algunas de las siguientes cosas. Ellos aceptan o rechazan según sus gustos.

a. Ir a un cibercafé.

b. Tomar unas tapas.

c. Visitar una exposición.

d. Ir a un musical.

e. Ir a ver un partido de fútbol/tenis/rugby...

f. Probar un restaurante nuevo.

g. Ir de compras a un mercadillo.

h. Ver una película en versión original.

Ejemplo:

- *María, ¿vamos al mercadillo mañana por la mañana?*
- *Lo siento, por la mañana es imposible, tengo clase de Pilates.*

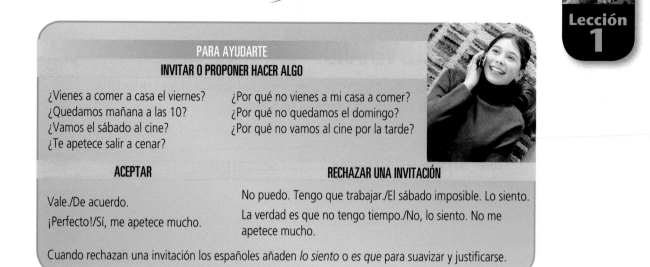

PARA AYUDARTE

INVITAR O PROPONER HACER ALGO

¿Vienes a comer a casa el viernes?
¿Quedamos mañana a las 10?
¿Vamos el sábado al cine?
¿Te apetece salir a cenar?

¿Por qué no vienes a mi casa a comer?
¿Por qué no quedamos el domingo?
¿Por qué no vamos al cine por la tarde?

ACEPTAR

Vale./De acuerdo.
¡Perfecto!/Sí, me apetece mucho.

RECHAZAR UNA INVITACIÓN

No puedo. Tengo que trabajar./El sábado imposible. Lo siento.
La verdad es que no tengo tiempo./No, lo siento. No me apetece mucho.

Cuando rechazan una invitación los españoles añaden *lo siento* o *es que* para suavizar y justificarse.

¿QUÉ HACEMOS ESTE FIN DE SEMANA?

📖 LEE

4. Ordena el diálogo.

☐ **Marta:** Vale, de acuerdo. Vamos a dar una vuelta y comemos algo.

☐ **Pedro:** ¿Por qué? ¿Es que tienes que estudiar?

☐ **Pedro:** Marta, ¿vamos a las carreras de caballos este fin de semana?

☐ **Marta:** No, no tengo que estudiar por ahora. Es que viene mi tía a visitarnos y quiero ir con ella de compras el viernes. Y la verdad es que no me apetece mucho ir a las carreras de caballos.

☐ **Pedro:** Bueno, ¿y por qué no vamos al campo el sábado?

☐ **Marta:** El sábado imposible, mi tía se queda todo el día.

☐ **Marta:** ¿Este fin de semana? No sé, me parece que no puedo.

☐ **Pedro:** Entonces, vamos a dar una vuelta y picamos algo el domingo, ¿vale?

Calle con mesones, Madrid

ESTOY ABURRIDO

💬 INTERACTÚA

5. Invita a salir a varios compañeros. Completa tu agenda para el fin de semana. Tú eres A y tus compañeros, B.

A. Invita a hacer algo el fin de semana.

B. Rechaza la invitación porque tienes que hacer algo.

A. Insiste y sugiere otro día.

B. Acepta la invitación, pero sugiere hacer otra cosa/actividad.

A. Acepta y queda con tu compañero.

B. Acepta y di adiós.

	SÁBADO	DOMINGO
MAÑANA	*café con Thomas*	
TARDE		
NOCHE		

Eres capaz de... ▶

Hablar de lo que haces ahora

Alicia está enseñando sus fotos de vacaciones a Luis.

RECUERDOS DEL VERANO

55

◀) **ESCUCHA**

1. Mira las fotos, escucha el diálogo sin leerlo y marca el orden en el que ven las fotos. Después escucha otra vez, lee y contesta las preguntas.

Alicia: Mira, Luis, esta foto es de Cartagena de Indias. Aquí estoy montando en bici por el centro de la ciudad.

Luis: Sí, y la gente te está mirando.

Alicia: Por eso estoy riéndome, mira, ja, ja.

Luis: ¿Y esta?

Alicia: ¡Ah!, estas son mis amigas Elisa y Carmela. Están comiendo en la terraza de un restaurante. Me lo paso muy bien con ellas.

Luis: Y en esta otra foto estás con Carmela, ¿verdad?

Alicia: Sí, aquí estamos tomando el sol en la playa.

Luis: ¡Qué envidia! ¡En octubre y en la playa! Seguro que el agua no está nada fría, ¿verdad?

Alicia: Está buenísima. ¿Ves a estos niños? Están nadando.

Luis: Y esta foto también es de la playa. ¿Quién es ese?

Alicia: Este es mi amigo Gerardo. Está haciendo *windsurf*. Es muy simpático.

a. ¿En qué ciudad se ve a Alicia montando en bici?

b. ¿Por qué está riéndose Alicia?

c. ¿Qué están haciendo Elisa y Carmela?

d. ¿Con quién está Alicia tomando el sol en la playa?

e. En una foto de la playa unos niños están nadando. ¿Qué demuestra eso?

f. ¿Quién está practicando *windsurf*?

PARA AYUDARTE

Estar + gerundio (-ando, -iendo) se utiliza para acciones en curso.

montar: ...está montando   **hacer:** ...estamos haciendo

reír: ...me estoy riendo

TODOS ESTÁN OCUPADOS

💬 **INTERACTÚA**

2. En parejas. B llama por teléfono para hablar con alguien, A contesta el teléfono y explica por qué no puede ponerse una persona, o decide que sí puede ponerse. Mira las fotos.

Ejemplo:

B: *¿Está Alicia, por favor?*

A: *Alicia está durmiendo. Ahora no puede ponerse. Llame más tarde, por favor.*

B: *Vale, gracias.*

¡OJO!

Ducharse es un verbo reflexivo.
Se dice *estar duchándose*.

Alicia   Eduardo

Elisabetta   Javier

Roberto   Eva

💬 COMUNICA

¡MÍMICA!

3. En grupos: Por turnos, cada miembro del grupo representa con mímica una de estas acciones:

Si tras 30 segundos nadie adivina qué se está representando, se acaba el turno. El primer jugador que adivina el verbo gana un punto. Se hacen dos rondas. Gana el jugador que acumula más puntos.

Podéis añadir más acciones.

Ejemplo: Elena está hablando por teléfono.

Acciones
bailar - bailando
leer - leyendo
reírse - riéndose
beber - bebiendo
jugar - jugando (al golf / tenis)
comer - comiendo
cantar - cantando
escribir - escribiendo (con un bolígrafo / con un teclado de ordenador)
esquiar - esquiando o practicando esquí
lavarse - lavándose los dientes
dormir - durmiendo

HABITUALMENTE O AHORA

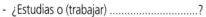

✎ ESCRIBE

4. Completa este diálogo con los verbos entre paréntesis en presente o *estar* + gerundio.

- ¿Estudias o (trabajar) ....?

- Bueno, este verano (trabajar) .... de camarera para ganar un poco de dinero, pero soy estudiante, (estudiar) .... Ingeniería Industrial en la universidad.

- ¿Y qué deportes (practicar) .... habitualmente?

- Yo (jugar) .... al pádel y (montar) .... en bici. Ahora tengo una lesión en la mano derecha, por eso no (jugar) .... nada al pádel, pero sí (montar) .... en bici casi todos los días.

PARA AYUDARTE

Monto en bici = lo hago habitualmente

Ahora, estoy montando en bici = lo estoy haciendo ahora mismo

Estoy montando en bici mucho este verano = lo hago con mucha frecuencia actualmente

¿CUÁNDO LO HACES?

5. En parejas. Pregunta a tu compañero por cosas que hace habitualmente, y si las hace en la actualidad (no ahora mismo, sino hoy, esta semana, este mes, este año).

💬 INTERACTÚA

Puedes usar este vocabulario:

practicar deportes (jugar al...), ir a clases de..., estudiar, trabajar, salir al campo, hacer fotos (dibujar/pintar), leer libros, ir al gimnasio, conducir (montar en bici/en moto/a caballo)

Evalúate

Total _____ / 41

TENER + QUE + INFINITIVO		
(Yo)	tengo	
(Tú)	tienes	Se usa para expresar una **obligación personal**.
(Él/ella/Ud.)	tiene	
(Nosotros/as)	tenemos + que + infinitivo	*Todos los días tengo que ir a trabajar*
(Vosotros/as)	tenéis	
(Ellos/as/Uds.)	tienen	

1. En cada frase, escribe una respuesta con *tener que* + verbo entre paréntesis.

a. - Mis hijos se pasan el día entero corriendo y luego están agotados.

  - .... (descansar más)

b. - Estoy engordando, como demasiado.

  - .... (adelgazar unos kilos)

c. - Mi jefa se pasa todo el día en la oficina.

  - .... (trabajar menos y divertirse más)

d. - Adrián y Miguel, vuestro dormitorio está muy desordenado.

  - .... (ordenarlo)

e. - Quiero ir a Australia a trabajar.

  - .... (aprender inglés)

f. - La profesora nos manda leer varios libros.

  - Si queremos aprobar, ... (leerlos) / 6

ESTAR + GERUNDIO	
(Yo)	estoy
(Tú)	estás
(Él/ella/ Ud.)	está
(Nosotros/as)	estamos + gerundio
(Vosotros/as)	estáis
(Ellos/as/Uds.)	están

GERUNDIOS REGULARES	
-AR	-ER/-IR
-ando	-iendo
trabajando	aprendiendo
	escribiendo

ALGUNOS GERUNDIOS IRREGULARES	
leer	leyendo
dormir	durmiendo
ir	yendo
venir	viniendo
reír	riendo

Se usa para hablar de acciones que se realizan ahora mismo o con frecuencia en la actualidad.
Estoy leyendo un buen libro. Ahora, en verano, estoy comiendo menos.

2. Completa las columnas con la forma adecuada.

INFINITIVO	GERUNDIO
a. bailar	....
b.	leyendo
c. escribir	....
d.	jugando
e. hacer	....
f.	estudiando
g. ver	....
h.	comiendo
i.	riendo
j. tener	....

/ 10

3. Completa los huecos de la carta con la perífrasis *estar* + gerundio.

Querida Leonor:

¿Qué tal va todo? Te escribo para contarte lo que (hacer) ....
aquí todos nosotros.

Como sabes, estamos de vacaciones en Málaga. Mis hermanos pequeños (estudiar) ....
.... porque tienen exámenes en septiembre. Mi novia y yo (jugar)..........................
.... mucho al tenis últimamente. También (salir) .... a correr por
la playa ahora por las tardes. Ya ves, hacemos mucho ejercicio, no como mi padre, que (traba-
jar) .... en Madrid todavía. Este verano, mamá (practicar).......................
.... mucho yoga, le encanta. Parece que Eduardo (ver) ....
la tele en el salón. En el cuarto de Sonia (sonar) .... la radio, así que
supongo que (bailar) ...., como siempre. Su profesora le recomienda
leer, pero como su pasión es bailar...

¿Y tú?¿Dónde (pasar) .... las vacaciones tú y tus hermanos? Cuéntame
todo, ¡y pronto!

Un fuerte abrazo,
Sergio

/ 10

> El **presente simple** se utiliza con expresiones de tiempo como *siempre, en general, todos los días.*
>
> ***Estar* + gerundio** se utiliza con expresiones de tiempo como *ahora (mismo), hoy, en este momento.*

4. Completa las frases con los verbos en presente simple o con *estar* + gerundio.

a. Todos los días (comprar, yo) .... el periódico.

b. Escucha, Jorge (tocar) .... el piano otra vez.

c. Hijo, ¿te (lavar) .... las manos siempre antes de comer?

d. No puedo contestar el teléfono ahora, (ducharse, yo) ....

e. Mi hijo Arturo (jugar) .... al tenis muy bien.

f. Este año (ir, yo) .... al gimnasio en lugar de ir a clases de Pilates, como antes.

/ 6

PRESENTE DE INDICATIVO DE VERBOS IRREGULARES		
JUGAR U>UE	**OÍR**	**CONOCER C>ZC**
(Yo) *ju**e**go*	*oi**g**o*	*cono**zc**o*
(Tú) *ju**e**gas*	*o**y**es*	*conoces*
(Él/ella/Ud.) *ju**e**ga*	*o**y**e*	*conoce*
(Nosotros/as) *jugamos*	*oímos*	*conocemos*
(Vosotros/as) *jugáis*	*oís*	*conocéis*
(Ellos/as/Uds.) *ju**e**gan*	*o**y**en*	*conocen*

El verbo *oír* tiene varias irregularidades.

Otros verbos con las mismas irregularidades que *conocer: conducir* (c>zc).

5. Completa las frases con los verbos *jugar, oír* o *conocer.*

a. Elisa .... al pádel todas las semanas.

b. ¿Por favor, puede hablar más alto? Nosotros no .... nada.

c. Todavía (yo) no .... al nuevo profesor de informática.

d. ¿(Tú) .... ese ruido? ¡Es espantoso!

e. Mi amigo norteamericano .... España muy bien. Le gusta hacer turismo.

f. Estamos aburridos. ¿........................... a las cartas un ratito?

g. En mi clase de alemán (nosotros) .... las noticias un rato todas las semanas.

h. ¿Tus padres .... tu nueva casa?

i. ¡Qué bien (vosotros) .... al golf! ¿Cuánto tiempo lleváis practicando?

/ 9

9 Eres capaz de... ▶ Decir cuándo se celebra algo

ESCRIBE

1. Los meses del año y las estaciones.

Escribe el nombre de los meses que faltan en su sitio: diciembre, febrero, agosto, mayo, octubre.

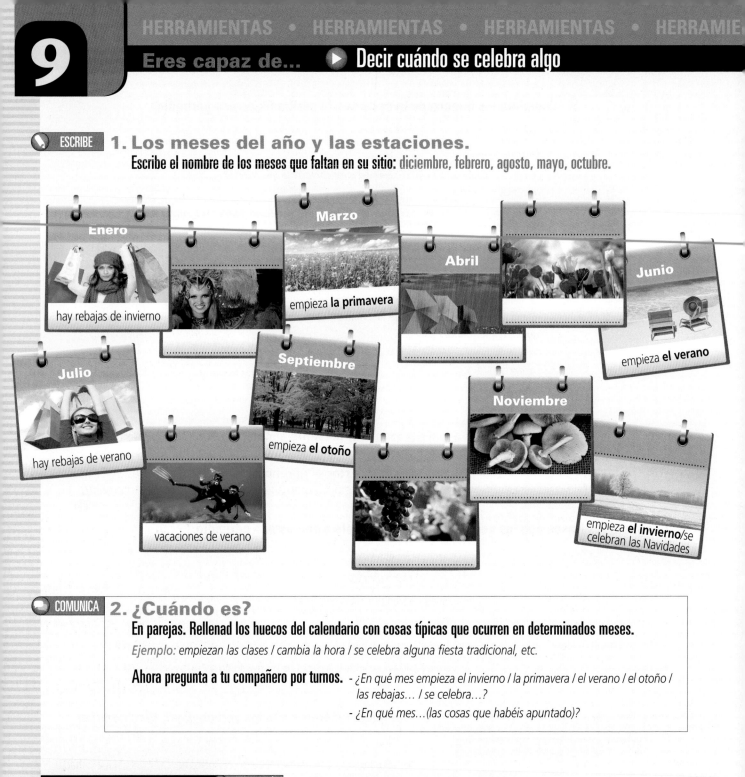

Enero
hay rebajas de invierno

Marzo

Abril

empieza **la primavera**

Junio
empieza **el verano**

Julio
hay rebajas de verano

Septiembre
empieza **el otoño**

Noviembre

vacaciones de verano

empieza **el invierno**/se celebran las Navidades

COMUNICA

2. ¿Cuándo es?

En parejas. Rellenad los huecos del calendario con cosas típicas que ocurren en determinados meses.

Ejemplo: empiezan las clases / cambia la hora / se celebra alguna fiesta tradicional, etc.

Ahora pregunta a tu compañero por turnos. - *¿En qué mes empieza el invierno / la primavera / el verano / el otoño / las rebajas… / se celebra…?*

- *¿En qué mes…(las cosas que habéis apuntado)?*

INTERACTÚA

3. Tu cumpleaños.

En parejas. Invita a tu compañero a tu fiesta de cumpleaños.

Di qué día es tu cumpleaños.

Busca en una agenda un día cercano en fin de semana.

Pregunta a tu compañero si puede ir.

Tu compañero te contesta.

Ejemplo:

A: *¿Quieres venir a mi fiesta de cumpleaños?*
B: *¿Cuándo es tu cumpleaños?*
A: *El 30 de marzo.*
B: *Bueno, ¿qué día es la fiesta?*
A: *Pues el 30 es miércoles… mejor lo celebramos el sábado 2 de abril. ¿Puedes venir?*
B: *Vale, muchas gracias.*

LEE

4. Días de fiesta. Lee y contesta las preguntas.

¡Feliz día de la Hispanidad, a todos!

En homenaje al maestro Quino. Y no crean que se me olvidó la bandera argentina, es que Mafalda es la mejor bandera que cualquier país podría tener.

12 de octubre
Fiesta Nacional de España y Día de la Hispanidad

En España se conmemora la llegada de las carabelas de Cristóbal Colón a América, el 12 de octubre de 1492.

En muchos países de Hispanoamérica también es un día festivo para conmemorar las raíces culturales comunes.

Este mismo día se celebra en España la fiesta religiosa de la Virgen del Pilar, que tiene una basílica en Zaragoza, patrona de la Hispanidad.

El 1 de noviembre se celebra el Día de Todos los Santos y el 2, el Día de los Difuntos tanto en España como en otros países con mayoría católica. En México se celebra de manera espectacular el día 2 de noviembre, llamado el *Día de Muertos*.

El 25 de diciembre, Navidad, el 1 de enero, Año Nuevo y el 6 de enero, Día de Reyes

Son fiestas navideñas importantes, y en España se celebran tanto las vísperas como las fiestas en sí. Así, el 24 de diciembre se llama *Nochebuena*, el 31 de diciembre, *Nochevieja*, en España se comen doce uvas, una por cada campanada de medianoche de este día, para tener suerte en el año que comienza, y el 5, la noche de Reyes.

6 de enero

Es el Día de los Reyes Magos. Este día los niños reciben regalos traídos por los Reyes Magos de Oriente. Hoy por hoy muchos celebran también Papá Noel en Navidad (25 de diciembre), pero las cabalgatas de Reyes el 5 de enero (desfiles de los Reyes Magos y sus pajes) son muy apreciadas tanto por los niños españoles como por los de otros países hispanófonos. Muchos niños escriben su carta a los Reyes Magos para pedir regalos. El 5 y 6 de enero se consumen grandes cantidades de «roscones de Reyes», un bizcocho redondo, que lleva una sorpresa dentro, generalmente una figurita.

¿Qué festividad...

a. ... gusta especialmente a los niños?

b. ... tiene que ver con los antepasados?

c. ... recuerda el pasado común de los países donde se habla español?

d. ... celebran los españoles comiendo uvas?

e. ... se celebra el 24 y el 25 de diciembre?

Escribe el nombre de cada día festivo.

Diciembre	Diciembre	Diciembre	Enero	Enero	Enero
24	**25**	**31**	**1**	**5**	**6**

INTERACTÚA ## 5. Fechas señaladas.

En grupos, cada alumno pregunta al siguiente una fecha importante o señalada, por ejemplo, la fiesta nacional de su país, la fecha de nacimiento de su padre, alguna fecha histórica (llegada a la Luna por primera vez), etc. Se trata de contestar lo más rápidamente posible.   *Ejemplos:* – ¿Cuál es la fecha de la Revolución francesa?
– El catorce de julio de mil setecientos ochenta y nueve.

PRONUNCIACIÓN Y ORTOGRAFÍA

LA ESCRITURA DEL SONIDO /k/

56

	a	*e*	*i*	*o*	*u*
	ca	que	qui	co	cu
	ka	ke	ki		

1. El sonido /k/.

ESCUCHA

Escucha y mira el cuadro y di si estas afirmaciones son verdaderas (V) o falsas (F).

	V	F
a. La letra *q* siempre va seguida de *u*.	☐	☐
b. Después de *qu* puede venir cualquier vocal.	☐	☐
c. Los grupos *ce* y *que* suenan igual.	☐	☐
d. Las letras *q* y *k* suenan igual.	☐	☐
e. No hay muchas palabras en español con la letra *k*.	☐	☐

2. La ortografía correcta.

57 **a.** Escucha estas palabras y complétalas con una de las sílabas del cuadro.

    a. es........cha   **b.** por........   **c.** ....zadora   **d.** ....ro   **e.** ....mo

58 **b.** Escucha y di qué palabras incluyen el sonido /k/. Luego escucha otra vez y escribe las letras que faltan.

    a. ....bre   **b.** ....pleaños   **c.** di........bre   **d.** pe........ña   **e.** ....nar   **f.** miér........les

9

LÉXICO ▶ Conoces... Las actividades de ocio

🔍 OBSERVA

1. La *Guía del Ocio.*

Mira las diferentes secciones de la *Guía del Ocio* de Madrid y contesta a las preguntas.

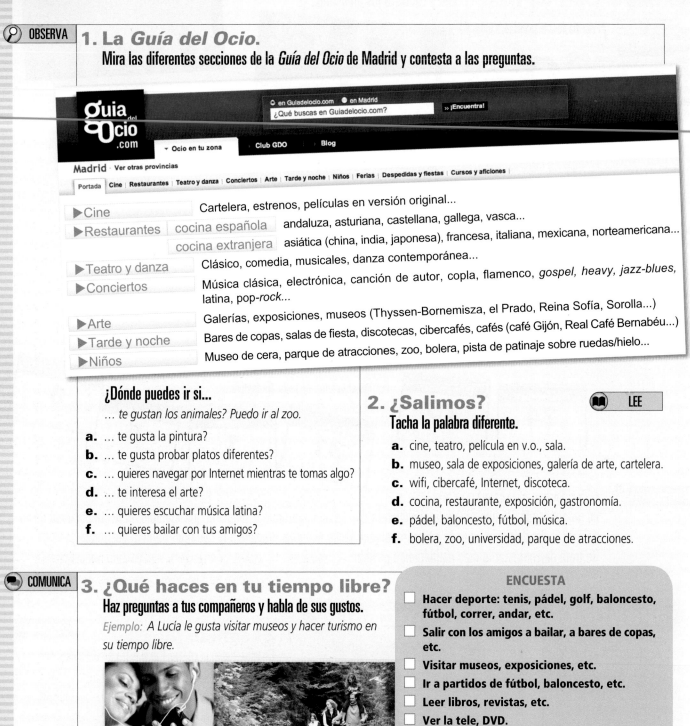

guia del Ocio .com

○ en Guiadelocio.com ● en Madrid
¿Qué buscas en Guiadelocio.com?   » ¡Encuentra!

▾ Ocio en tu zona   Club GDO   Blog

Madrid · Ver otras provincias

Portada | Cine | Restaurantes | Teatro y danza | Conciertos | Arte | Tarde y noche | Niños | Ferias | Despedidas y fiestas | Cursos y aficiones |

▶Cine   Cartelera, estrenos, películas en versión original...

▶Restaurantes   cocina española   andaluza, asturiana, castellana, gallega, vasca...
                cocina extranjera asiática (china, india, japonesa), francesa, italiana, mexicana, norteamericana...

▶Teatro y danza   Clásico, comedia, musicales, danza contemporánea...

▶Conciertos   Música clásica, electrónica, canción de autor, copla, flamenco, *gospel, heavy, jazz-blues,* latina, pop-*rock...*

▶Arte   Galerías, exposiciones, museos (Thyssen-Bornemisza, el Prado, Reina Sofía, Sorolla...)

▶Tarde y noche   Bares de copas, salas de fiesta, discotecas, cibercafés, cafés (café Gijón, Real Café Bernabéu...)

▶Niños   Museo de cera, parque de atracciones, zoo, bolera, pista de patinaje sobre ruedas/hielo...

¿Dónde puedes ir si...

... te gustan los animales? Puedo ir al zoo.

a. ... te gusta la pintura?
b. ... te gusta probar platos diferentes?
c. ... quieres navegar por Internet mientras te tomas algo?
d. ... te interesa el arte?
e. ... quieres escuchar música latina?
f. ... quieres bailar con tus amigos?

2. ¿Salimos?

📖 LEE

Tacha la palabra diferente.

a. cine, teatro, película en v.o., sala.
b. museo, sala de exposiciones, galería de arte, cartelera.
c. wifi, cibercafé, Internet, discoteca.
d. cocina, restaurante, exposición, gastronomía.
e. pádel, baloncesto, fútbol, música.
f. bolera, zoo, universidad, parque de atracciones.

💬 COMUNICA

3. ¿Qué haces en tu tiempo libre?

Haz preguntas a tus compañeros y habla de sus gustos.

Ejemplo: A Lucía le gusta visitar museos y hacer turismo en su tiempo libre.

ENCUESTA

☐ **Hacer deporte: tenis, pádel, golf, baloncesto, fútbol, correr, andar, etc.**
☐ **Salir con los amigos a bailar, a bares de copas, etc.**
☐ **Visitar museos, exposiciones, etc.**
☐ **Ir a partidos de fútbol, baloncesto, etc.**
☐ **Leer libros, revistas, etc.**
☐ **Ver la tele, DVD.**
☐ **Escuchar música.**
☐ **Navegar por Internet (chatear con los amigos, contestar tu correo electrónico, etc.).**
☐ **Viajar, hacer turismo, conocer tu región, etc.**
☐ **Ir de compras.**
☐ **Salir a pasear por la ciudad, el campo, etc.**
☐ **Ir al cine, al teatro, etc.**
☐ **Comer fuera de casa, conocer restaurantes nuevos.**

Eres capaz de... Actuar en español ◀ **ACTÚA**

9

Roberto y sus amigos reciben esta invitación por medio de la red social VENTE. Roberto llama a Alicia, otros amigos mandan mensajes de texto.

📖 **LEE** 🔊 **ESCUCHA**

1. Una tarde de sábado.
Lee todos los mensajes.

Amigos   Aplicaciones   Mensajes   Inicio 🏠 🔒   Buscar   🔍

Muro   Información   Fotos

Hola, amigos/amigas. Os mando un enlace para ver algunas cosas para hacer este fin de semana. ¿Quién se apunta? ¿Qué preferís? A mí me apetece el concierto. Si queréis, mañana mismo compro las entradas por Internet. Decidme esta tarde si queréis venir.

*plan***findesemana.es**   [   ] Buscar

Portada   Enviar plan   Newsletter   Login   Intercambio de idiomas   Directorio RR.PP. y eventos   Contacto

GUÍA DE ESPECTÁCULOS
Recomendamos para el fin de semana:

Teatro: *Mírate en el espejo,* de Antonio Ozores. La comedia más divertida y atrevida del año, en el Teatro Calderón, con la compañía Los Juglares, funciones todas las tardes, menos los lunes a las 20:00, sábados también función de tarde a las 17:00. Venta de entradas en taquilla y en ocioentradas.com. Entradas de 20 a 50 euros.

Cine: Blancanieves. La sensación de la temporada. Completamente distinta a todas las demás películas.

Cine Proyecciones, todos los días sesiones a las 16:00, 19:00 y 22:00 horas. Sábados y domingos y vísperas de festivos también a las 00:00 en sesión de noche. Entradas en taquilla y en ocioentradas.com Precio: 9 euros.

Música en directo: Bandada presenta su segundo disco en la Sala Vip. Tras el éxito de su primer disco, número uno de las listas de venta, Bandada vuelve al escenario.

Conciertos sábado y domingo, 21:00 horas. Entradas en taquilla y ocioentradas.com. Precio único: 70 euros. 1 consumición incluida.

Mensajes **Ricardo** Editar

vale m apunto tatro k día hora? Ricardo

Enviar

Mensajes **Ana** Editar

no pued tengo k estud xamen Ana

Enviar

Escucha la conversación de Roberto y Alicia. Después contesta las preguntas.

59

a. ¿Alicia propone hacer varias cosas o una sola?

b. ¿Qué día hay dos funciones de teatro?

c. ¿Qué espectáculo empieza más tarde?

d. ¿Cuál es el espectáculo más caro?

e. ¿Cuántos amigos van al mismo espectáculo? ¿Cuál es?

f. ¿Por qué no quiere ir Roberto a la obra de teatro?

g. Escribe los mensajes de texto completos, y con puntuación.

💬 **interactúa**   **Quedas este fin de semana**

a. En parejas, consulta una guía de espectáculos de tu ciudad y escoge dos o tres opciones para hacer algo con un grupo de amigos. A invita a B. B acepta y pregunta qué opciones prefiere A. A y B proponen ideas y expresan preferencias.

b. Escribe un correo o entrada de red social para proponer a tu grupo de amigos dos o tres opciones de actividades.

CONOCES...

Los Sanfermines

LEE Lee el texto y contesta las preguntas.

LAS FIESTAS DE SAN FERMÍN

Los Sanfermines se celebran cada año en Pamplona (Navarra) en honor al santo patrón de la ciudad: San Fermín. La fiesta comienza a las 12 del mediodía del 6 de julio con el lanzamiento del tradicional chupinazo (cohete) desde el balcón del ayuntamiento. Tras el chupinazo se produce una especie de ataque de locura colectiva, y toda la ciudad salta y grita de alegría. El primer encierro empieza el día 7 de julio, es una carrera en la que los mozos (jóvenes) corren delante de los toros en un trayecto de unos 800 metros. Las fiestas terminan a las 12 de la noche del 14 de julio con el *Pobre de mí*, canto que marca el final de las fiestas.

El origen de los Sanfermines se sitúa hace varios siglos. Sin embargo, su fama mundial se debe al escritor estadounidense Ernest Hemingway, un gran entusiasta de estas fiestas.

Hoy en día participa mucha gente de todo el mundo y la juerga, la diversión y la alegría son sus ingredientes más importantes.

En San Fermín se oye música a todas horas y en todas partes. Música de instrumentos de la tierra, gaiteros, la banda municipal La Pamplonesa, conciertos de grupos de música peruana, *jazz* o *rock,* improvisados en la calle. Hay mucha música en vivo: conciertos… y también música grabada: *bakalao, rock radikal basko, techno,* música electrónica, etc.

¿Pero cómo es Pamplona el resto del año? ¿Dónde está el secreto de crear las mejores fiestas del mundo?

Pamplona o Iruña (nombre en euskera) es una ciudad corriente, no muy grande (190 000 habitantes), que se encuentra a unos 50 km al sur del Pirineo. Es una ciudad agradable, con muchos espacios verdes (que en San Fermín sirven de dormitorio gratuito), las distancias son cortas (a todos los sitios se puede ir a pie) y tiene dos universidades. En fin: es un buen sitio para vivir y del 6 al 14 de julio es el mejor sitio del mundo para divertirse. Algunos dicen que la tranquilidad del resto del año permite la explosión de fiesta en San Fermín.

Adaptado de sanfermin.com

a. ¿Cuándo son las fiestas de San Fermín?

b. ¿Qué es el chupinazo? ¿Qué sucede después?

c. ¿Qué son los encierros?

d. ¿Quién le dio fama mundial a los Sanfermines?

e. ¿Qué tipo de música se oye en San Fermín?

Contesta verdadero o falso y corrige las frases que no sean correctas.   **V F**

1. Iruña es el nombre de Pamplona en catalán.

2. Está situada a 50 km al sur de los Pirineos.

3. Es una ciudad normal como cualquier otra.

4. Sus zonas verdes sirven de hotel gratuito durante los Sanfermines.

5. Es un buen sitio para vivir, pero es mejor evitar las fechas del 6 al 14 de julio.

6. Durante el resto del año es una ciudad tranquila, pero en las fiestas de San Fermín es una ciudad alegre y muy animada.

Machu Picchu, Perú

HACER PLANES

10

Competencia pragmática

Eres capaz de...

▶ expresar intenciones
▶ hacer planes y responder a las propuestas
▶ hacer una llamada de teléfono

Competencia lingüística

Puedes...

▶ usar *ir a* + infinitivo
▶ expresar causa: *¿por qué?* y *porque*
▶ utilizar los marcadores temporales con presente y futuro
▶ colocar los pronombres de complemento directo y reflexivos

Competencia sociolingüística

Conoces...

▶ los nombres de actividades turísticas
▶ la belleza natural de Costa Rica

Interactúa

▶ eliges un viaje

¿PUEDES DECIR LO QUE ESTÁN HACIENDO?

¿CUÁLES SON TUS PLANES PARA EL PRÓXIMO FIN DE SEMANA?

– ¿Qué vas a hacer este fin de semana?
– Voy a…

SUGIERE UN PLAN A TU COMPAÑERO:

– ¿Vamos al cine mañana por la tarde? / ¿Quieres venir a mi casa el sábado?
– Bueno, vale. / No puedo.

JUAN Y SUS AMIGOS

60  ESCUCHA

1. Escucha y completa el diálogo con los elementos del recuadro.

Juan pregunta a sus amigos qué ...., sábado, por la noche. El domingo es su cumpleaños y quiere celebrarlo.

voy a irme
van a hacer mañana
vas a hacer algo
voy a cenar
voy a quedarme
vas a salir
vas a hacer
voy a ir

Juan: ¿Qué ...., Carmen?

Carmen: No sé, creo que .... en casa tranquilamente y voy a ver un DVD.

Juan: Uf, ¡qué aburrido! Y tú, Matías, ¿qué vas a hacer?

Matías: Voy a estudiar Matemáticas. El lunes tengo examen.

Juan: ¡Qué rollo! Lola, ¿y tú .... esta noche?

Lola: Sí, ... en casa de mi primo Alberto. Es su cumpleaños.

Juan: Vale, y tú, Isabel, ¿........................ esta noche?

Isabel: Sí, ... a un concierto de *rock*. Tocan Los Rodríguez. Y tú, Juan, ¿qué vas a hacer?

Juan: Pues, la verdad, no lo sé. Como todos estáis ocupados, ... al cine yo solo a ver la última película de Javier Bardem.

¡QUÉ VAN A HACER MAÑANA POR LA NOCHE?

60 ESCUCHA

2. Cierra el libro, escucha otra vez y apunta qué va a hacer cada amigo.

a. Carmen ....
b. Matías ....
c. Lola ....
d. Isabel ....
e. Juan ....

EXPRESAR INTENCIONES O PLANES PARA EL FUTURO

Voy a estudiar Matemáticas ahora.
Y tú, ¿vas a hacer algo esta noche?

LA FIESTA SORPRESA 📖 **LEE**

3. En parejas, formulad las preguntas y las respuestas con esta información.

Los amigos de Juan le van a organizar una fiesta sorpresa por su cumpleaños. Él no sabe nada. ¿Cómo van a organizar la fiesta?

Ejemplo:

- ¿Cuántos amigos van a ir a la fiesta?

- Diez en total.

n.º de amigos (10 en total)
dinero por persona (25 euros)
lugar de la fiesta (casa de Carmen)
hora (a las 20:30)
regalo (un MP4)

REPARTIRSE LAS TAREAS **61** ◉ 🔊 **ESCUCHA**

4. Escucha, relaciona y explica.

☐ Tarta con velas | d Globos para decorar | ☐ Música

d Regalo | ☐ Llamar a los amigos | ☐ Comprar comida y bebida

a. Isabel —— preparar la mesa, los adornos (los globos), comprarle un regalo.

b. Lola y Alberto —— llamar a los demás amigos, encargarse de la música.

c. Matías —— comprar comida (bocadillos, patatas fritas, aceitunas, empanada, canapés) y bebida (refrescos) y hielo.

d. Carmen —— hacer la tarta de cumpleaños y comprar las velas.

Ejemplo: Carmen va a preparar la mesa, los adornos (los globos) y va a comprarle un regalo a Juan.

¿QUÉ Y CUÁNDO? 💬 **INTERACTÚA**

5. En grupos. Preguntad quién va a hacer estas cosas y cuándo.

– ¿Cuándo vas a irte de vacaciones?

– El mes que viene.

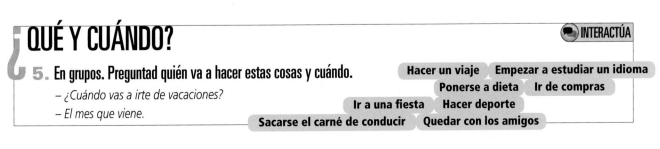

Hacer un viaje Empezar a estudiar un idioma
Ponerse a dieta Ir de compras
Ir a una fiesta Hacer deporte
Sacarse el carné de conducir Quedar con los amigos

INÉS TIENE UNA PROPUESTA

62

🔊 ESCUCHA

Lago de Covadonga, Asturias, España

1. a. Escucha y completa el diálogo.

Inés: Oye, ¿os gusta salir al campo?

Fran: ¿Al campo? Sí, claro.

María: A mí también.

Javier: Y a mí.

Inés: ¿............*Vamos*............ al campo este fin de semana? ¿A una excursión?

Fran: ¡............................! Me apetece mucho. ¿............................?

Javier: .... ir a la sierra, a escalar algún pico.

Fran: Yo .... algo más tranquilo. Además, en la sierra hace frío ahora.

Inés: ¿............................ nos bañamos en el lago? Podemos acampar al lado. Tengo una tienda de campaña grande, cabemos todos. ¿............................, María? ¿Vamos a la sierra .... al lago?

María: No sé, ... Hombre, es verdad que el lago es bonito.

Fran: ¿De acuerdo, entonces?

Javier: Sí, ¡............................, vamos al lago en mi coche! Es bastante grande.

b. Coloca cada expresión en el recuadro adecuado.

PROPONER PLANES	ACEPTAR UNA SUGERENCIA	PLANTEAR UNA ALTERNATIVA
¿Vamos...?		

EXPRESAR INDIFERENCIA	PEDIR OPINIÓN

💬 INTERACTÚA

¿QUÉ VAMOS A HACER?

2. En grupos de dos o tres, elige una actividad de la lista y haz planes con tus compañeros. Tenéis que estar de acuerdo en todo.

> una fiesta de cumpleaños sorpresa para un amigo
>
> un mercadillo para recaudar fondos para una causa benéfica
>
> una función de teatro u otro espectáculo (los artistas sois vosotros y vuestros amigos) para tu colegio, trabajo, universidad, etc.
>
> un concurso artístico (fotografía, pintura, escultura, etc.) en vuestro lugar de trabajo/estudio

Explicad vuestros planes a la clase. Indica quién va a hacer cada cosa.

Ejemplo: Vamos a organizar un/-a ... Estos son nuestros planes. María se encarga de... Jorge llama a... Carlos hace los...

63

ALGO VA MAL

🔊 ESCUCHA 📖 LEE

3. a. Ya es hora de salir y Fran no aparece. María lo llama. Escucha la conversación y señala verdadero o falso.

> **María:** ¿Fran?, hoy tenemos excursión, ¿<u>lo</u> recuerdas? Estamos esperándo<u>te</u>, ¿dónde estás?
>
> **Fran:** Estoy en casa, buscando mis llaves. No <u>las</u> encuentro. … Ah, dice mi hermano que <u>las</u> tiene.
>
> **María:** Si quieres, vamos a buscar<u>te</u>.
>
> **Fran:** No, no es necesario; mi hermano va a llevar<u>me</u> en coche. Estamos ahí en quince minutos. ¿<u>Lo</u> tenéis todo preparado?
>
> **María:** Sí, claro. Oye, ¿tu hermano qué hace? Pregúnta<u>le</u> si quiere venir con nosotros.
>
> **Fran:** No sé, creo que no. Voy a preguntar<u>le</u>…. Dice que no. Tiene que estudiar.
>
> **María:** Bueno, ven pronto.

	V	F
a. Fran llega tarde.	☐	☐
b. El hermano de Fran va también a la excursión.	☐	☐
c. María se ofrece a ir a recoger a Fran.	☐	☐
d. María y los demás lo tienen todo preparado.	☐	☐
e. Fran viene con su padre.	☐	☐

b. Lee el diálogo y observa los pronombres subrayados. Di si están delante o detrás del verbo.

LOS PRONOMBRES DE COMPLEMENTO DIRECTO Y REFLEXIVOS

Se colocan delante del verbo con verbos conjugados.
¿Lo tenéis todo? No las encuentro.

Se colocan detrás del verbo con imperativo / infinitivo / gerundio.
Pregúntale. Vamos a buscarte. Estamos esperándote.

¡OJO! Cuando hay dos verbos, se puede elegir entre dos posiciones:
Te estamos esperando = Estamos esperándote

REACCIONA

💬 COMUNICA

4. Responde a estas frases sin repetir las partes subrayadas: utiliza pronombres.

Ejemplo: - *¿Vas a invitar a tus amigos?*
- *Sí, voy a invitarlos. / No, no voy a invitarlos.*

a. ¿Estás esperando <u>a Marta</u>?

b. ¿Cuándo vas a traer <u>los CD</u>?

c. ¿Me estás mirando <u>a mí</u>?

d. ¿Organizas tú <u>el viaje de fin de curso</u>?

e. ¿Tienes <u>las llaves</u>?

f. ¿Vamos a visitar <u>a los Sánchez</u>?

DUDA, INCERTIDUMBRE, FALTA DE CERTEZA

¿Sabes si…?

Sí, seguro (que sí) / Claro (que sí)   **+**
Creo que sí
No sé / No tengo ni idea
Creo que no
No, seguro que no / Claro que no   **–**

 INTERACTÚA

5. **PREGUNTAS «TRIVIALES»**

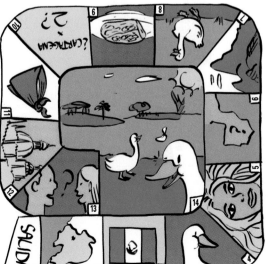

1. Salida.
2. ¿La capital de Ecuador es Quito?
3. ¿Está México en Sudamérica?
4. Oca.
5. ¿Shakira es venezolana?
6. ¿Andalucía está en el norte de España?
7. ¿El Machu Picchu es famoso por ser el monte más alto de Perú?
8. Oca.
9. ¿La tortilla de patatas es el plato favorito de los mexicanos?
10. ¿Hay una Cartagena en España y otra en Colombia?
11. ¿Los Sanfermines son la principal fiesta de Pamplona (España)?
12. ¿El principal monumento de Segovia (España) es su catedral?
13. ¡¡¡Pregunta de tus compañeros!!! (un compañero te hace una pregunta de cultura española).
14. Llegada.

Evalúate

Total _____ / 30

IR + A + INFINITIVO		
(Yo)	voy	
(Tú)	vas	
(Él/ella/Ud.)	va	
(Nosotros/as)	vamos	+ a + infinitivo
(Vosotros/as)	vais	
(Ellos/as/Uds.)	van	

Voy a trabajar en una biblioteca la semana próxima.

Se utiliza para expresar intenciones, hacer planes.

Ir a + infinitivo se utiliza con los siguientes marcadores temporales:

PRESENTE	FUTURO
Ahora Esta semana Este mes	Enseguida, dentro de poco Esta tarde, esta noche, luego, mañana La semana que viene, la semana próxima, dentro de una semana El mes que viene, el mes próximo, etc.

PORQUE Y POR QUÉ

Porque se utiliza para expresar la causa.
¡Ojo! Para formular una pregunta se utiliza
¿Por qué?

Ejemplo: *¿Por qué estudias?*
Porque mañana tengo un examen.

---

1. **Mira las fotos y escribe por qué lo van a hacer. Utiliza un marcador temporal.**
esta tarde - esta noche - enseguida (2) - ahora (2) - ~~mañana~~

Ejemplo:
Óscar / estudiar / tener un examen
Óscar estudia porque va a tener un examen mañana.

a. Eva / montar en bici / comprar

....
....
....

d. Marcos / cocinar / invitar a unos amigos a cenar

....
....
....

b. María y Hugo / estar contentos / visitar La Habana

....
....
....

e. Lucía / ir al cine / gustar las películas de Almodóvar

....
....
....

c. Ellos / bañarse / tener calor

....
....
....

f. Mi amiga / leer el periódico / querer informarse

....
....
....

_____ / 12

PRONOMBRES PERSONALES		
SUJETO	COMPLEMENTO DIRECTO	REFLEXIVO
(Yo)	me	me
(Tú)	te	te
(Él/ella/Ud.)	lo / la	se
(Nosotros/as)	nos	nos
(Vosotros/as)	os	os
(Ellos/as/Uds.)	los / las	se

Los pronombres personales de complemento directo van delante del verbo conjugado.

- ¡Ya tengo un móvil nuevo!
- ¿**Lo** tienes con Internet?

Los pronombres personales de complemento directo van detrás del verbo en imperativo, infinitivo o gerundio.

- Ven**te** y come el bocadillo.
- Sí, vale, voy a comer**lo**.

- ¿Estás empezando el libro?
- No, estoy terminándo**lo**.

> **¡OJO!** Cuando hay dos verbos, se puede elegir entre dos posiciones:
> *Lo estoy terminando = Estoy terminándolo*

2. En estos tres diálogos faltan algunos pronombres. Identifica dónde y escribe el pronombre adecuado: *me, te, lo, la, nos, os, los, las.*

a. - ¿Por qué no vais a la piscina a bañar, niñas?
- ¿Está ya la tarta, mamá? Queremos comer.
- Esperad un segundo, estoy terminando. ¡Ah!, otra cosa.
- Sí… Después de venir de la calle tenemos que lavar las manos.

b. - ¿Qué vas a hacer esta tarde?
- Nada, voy a quedar en casa. Estoy constipada.
- Si quieres, dejo un libro.
- Vale. ¿Tienes el último libro de Vargas Llosa?
- Sí, aquí tengo. ¿Quieres leer?
- Sí, gracias. Deja encima de la mesa. Voy a leer después de cenar.

c. - Tengo tres películas nuevas. ¿Quieres ver?
- No, gracias. Tengo muchos deberes y tengo que terminar esta noche.

/ 12

3. Relaciona preguntas y respuestas, y completa las respuestas con el pronombre correcto.

a. ¿Quién te viene a recoger?

b. ¿Nos está esperando Juan?

c. ¿Voy contigo o me quedo?

d. ¿Te quedas para cuidar al perro?

e. ¿Has llamado ya a Inés?

f. ¿Qué te pasa, estás preocupada?

1. Sí, es tarde y no vuelve Jorge. Empiezo a ....

2. Todavía no. Tengo que ....

3. Creo que Carlos ....

4. Mejor .... en casa.

5. Sí, está .... desde las cinco.

6. No puedo ...., me voy al médico ahora.

/ 6

10

Eres capaz de... ▶ **Hacer una llamada de teléfono**

OBSERVA

1. Llamar por teléfono.
Relaciona cada pregunta con la respuesta adecuada.

a. ¿De parte de quién?

b. ¿Puede ponerse Juan, por favor?

c. ¿Cuándo volverá?

d. ¿Quién le llama?

e. ¿Está Andrés, por favor?

f. ¿Quiere dejar un mensaje?

1. Sí, ahora se pone.

2. Soy Andrés.

3. Lo siento, está ocupado ahora.

4. No, gracias, llamaré más tarde.

5. Después de comer, seguramente.

6. De (parte de) María.

> ¡OJO!
> Cuando una persona responde al teléfono:
> En España dice: *Sí, ¿Diga?* o *¿Dígame?*
> En México dice: *¿Bueno?*

ESCUCHA | 64

2. ¿Quién llama?
Escucha estas cinco conversaciones telefónicas e identifica qué ha pasado en cada una.

	Diálogos	1	2	3	4	5
a. Preguntan por una persona que no está ahora en casa.		☐	☐	☐	☐	☐
b. Preguntan por una persona que no se puede poner al teléfono.		☐	☐	☐	☐	☐
c. La persona que llama se equivoca de número de teléfono.		☐	☐	☐	☐	☐
d. La llamada es para la persona que contesta el teléfono.		☐	☐	☐	☐	☐
e. Preguntan por una persona que puede ponerse al teléfono.		☐	☐	☐	☐	☐

ESCUCHA | 64

3. ¿Cómo se hace?
Escucha otra vez y apunta ejemplos para completar cada cuadro.

Escribe varias formas de...

... CONTESTAR EL TELÉFONO	... DECIR CON QUIÉN QUIERES HABLAR	... EXPLICAR QUE LA PERSONA NO ESTÁ DISPONIBLE

Escribe una forma (o dos) de...

... PREGUNTAR QUIÉN LLAMA	... OFRECERSE A TRANSMITIR UN MENSAJE	... EXPLICAR QUE HAY UN ERROR

Di cuál o cuáles son formales e informales.

	1	2	3	4	5
FORMAL					
INFORMAL					

INTERACTÚA

4. En la recepción.

En grupos de tres: A es recepcionista de la Academia de idiomas.

B y C llaman a la Academia preguntando por alguna persona de la lista. A da la información. B y C hablan con la persona o dejan un mensaje.

Se pasa el turno cada 3 minutos y B pasa a ser recepcionista, y después C.

ALUMNO A

id	Información
a.	Eres tú, el/la recepcionista.
b.	Está enfermo, en casa. Su tfno. es 931 345 622.
c.	Está libre ahora.
d.	Está hablando por otra línea. Puede ponerse en diez minutos.
e.	Está en clase. Acaba a las seis.
f.	No la conoces. No trabaja ni estudia aquí.

Cargar Tabla 1   Cargar Tabla 2

ALUMNOS B y C

id	Nombres	Mensaje
1.	Sara / Javier	....
2.	Carlos	....
3.	Nuria	....
4.	Don Carlos García	....
5.	Doña Elisabetta Moratti	....
6.	Doña Elvira Morientes	....

Cargar Tabla 1   Cargar Tabla 2

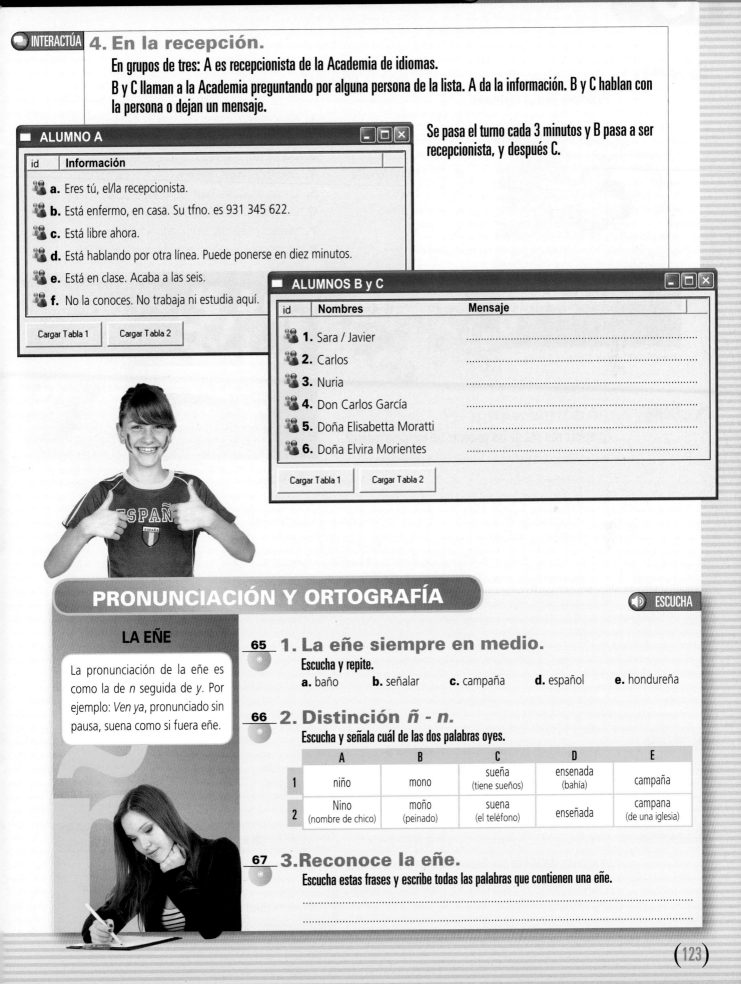

PRONUNCIACIÓN Y ORTOGRAFÍA

ESCUCHA

LA EÑE

La pronunciación de la eñe es como la de *n* seguida de *y*. Por ejemplo: *Ven ya*, pronunciado sin pausa, suena como si fuera eñe.

65 ### 1. La eñe siempre en medio.

Escucha y repite.

a. baño   **b.** señalar   **c.** campaña   **d.** español   **e.** hondureña

66 ### 2. Distinción *ñ - n.*

Escucha y señala cuál de las dos palabras oyes.

	A	B	C	D	E
1	niño	mono	sueña (tiene sueños)	ensenada (bahía)	campaña
2	Nino (nombre de chico)	moño (peinado)	suena (el teléfono)	enseñada	campana (de una iglesia)

67 ### 3. Reconoce la eñe.

Escucha estas frases y escribe todas las palabras que contienen una eñe.

....

....

10

LÉXICO ▶ Conoces... Los nombres de actividades turísticas

OBSERVA

1. ¿Turismo activo o de sol y playa?

Relaciona las dos columnas.

a.	Naturaleza	**1.**	Monumentos: catedrales, iglesias, castillos, museos
b.	Balneario	**2.**	Jardín botánico, planetario, zoo
c.	Ocio nocturno	**3.**	Cocina regional, platos típicos, vinos de la zona
d.	Sol y playa/Montaña	**4.**	Discotecas, bares, terrazas
e.	Gastronomía	**5.**	El mar, la piscina, la nieve, nadar, esquiar
f.	Turismo activo	**6.**	Escalada, rutas a caballo/descenso de río, etc.
g.	Familia	**7.**	Masajes relajantes, sauna, aguas termales
h.	Cultura	**8.**	Excursiones por el campo/el bosque/la montaña

Catedral de Palma de Mallorca, España

ESCRIBE

2. ¿Adónde van a ir?

Completa con una de las palabras del ejercicio anterior.

El Jardín de cactus,
Lanzarote, España

a. - ¿Saben tus padres ya lo que van a hacer este verano?

- Sí, van a ir a un .... a relajarse y a darse unos masajes.

b. - ¿Dónde vais a ir este puente de diciembre?

- Al Pirineo y vamos a .... Dicen que hay bastante nieve.

c. - ¿Vas a hacer algún curso de idiomas en el extranjero este año?

- No, qué va, este año vamos a visitar pueblos de Castilla y a conocer su .... Ya sabes que a mí me gusta mucho comer.

d. - ¿Este fin de semana hacéis alguna escapada?

- Pues sí, vamos a ir con los niños al .... Les encantan las estrellas.

e. - ¿Te gusta el turismo activo?

- Sí, me gusta mucho la montaña y practico la ....

f. Cuando voy de viaje por España, me gusta conocer sus .... y sobre todo sus iglesias. La Sagrada Familia de Gaudí es mi preferida.

COMUNICA

3. Tus próximas escapadas.

Elige el tipo de actividad que prefieres y explica por qué.
¿Qué tipo de persona eres: tranquila, activa, estresada, aventurera...?

Ejemplo: Yo prefiero el turismo activo. Soy un poco aventurera y me gusta la escalada.

INTERACTÚA

4. ¿Vas a la playa a menudo?

En parejas, decid con qué frecuencia vais a estos sitios.

Ejemplo: Me voy de vacaciones a la playa una vez al año, normalmente en verano.

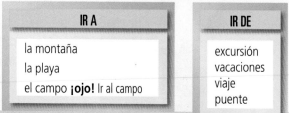

IR A	IR DE
la montaña	excursión
la playa	vacaciones
el campo ¡ojo! Ir al campo	viaje
	puente

ESCUCHA

68

1. En la agencia de viajes.

Marta y Cristina hablan con el empleado de la agencia. Escucha y contesta las preguntas.

a. ¿A dónde quieren ir Cristina y Marta, y cuánto tiempo?

b. ¿Por qué se llama el viaje *Perú a la Carta*?

c. ¿En cuántos hoteles diferentes van a alojarse?

d. ¿Dónde van a hacer una excursión por la selva?

e. ¿Desde dónde van a hacer la excursión al lago Titicaca?

f. ¿Qué día van a ir a Nazca?

Machu Picchu, Perú

COMUNICA

2. Infórmate de las excursiones.

En parejas. A lee el folleto de la excursión a Machu Picchu y B, el de la excursión a Nazca. Luego intercambiad la información.

a. Hora de salida y duración de la excursión.

b. Tipo de transporte y destinos.

c. Qué puede verse.

d. Comida.

e. Lo más interesante (en tu opinión).

Machu Picchu

Mañana: Traslado hasta la estación de trenes de Cuzco para iniciar la excursión a Machu Picchu, la ciudad perdida de los incas. Viaje de 4 horas hasta el poblado turístico de Aguas Calientes, de ahí se toma un bus (media hora) a la ciudadela de Machu Picchu. La visita a la ciudad inca dura entre 2 y 3 horas. Luego, en Aguas Calientes, almuerzo, visita y baño en las aguas termales medicinales. Al día siguiente, a las 5 de la mañana, subida a Machu Picchu para apreciar el espectacular amanecer. Luego *trekking* hasta la cumbre del monte Huaynapicchu (2 horas ida y vuelta). Toda la mañana en Machu Picchu para sacar fotos y disfrutar de este místico lugar. 14:00: Traslado en bus a Cuzco y comida en el restaurante Incanto, donde va a degustar tres platos representativos de la cocina peruana: causa rellena de pollo, cebiche de pescado y lomo salteado.

Cebiche, plato típico de Perú

Líneas de Nazca

Por la mañana traslado al aeropuerto de Nazca, para un vuelo de 45 minutos sobre las pampas de Nazca, para ver las gigantescas figuras de animales y plantas (el mono, la araña, el colibrí, etc.) dibujadas por los preincas. Todavía no se sabe el motivo de estos dibujos. Muchos creen que estas figuras fueron hechas por extraterrestres. Después visita al «Cementerio de Chauchillas» y la ciudad de Nazca, donde tenemos incluido un almuerzo bufé. Luego a las 14:30 traslado a la terminal de autobuses de Nazca para retornar a la ciudad de Lima.

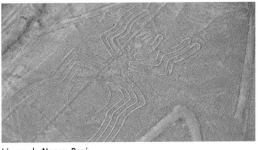

Líneas de Nazca, Perú

interactúa — Eliges un viaje

a. En grupos preparad un breve folleto turístico de un lugar de cualquier país.

En el folleto se incluye la información siguiente:

- Qué lugar es y dónde está (país, región, etc.)
- Cómo llegar (medios de transporte)
- Dónde dormir (tipo de alojamiento)
- Por qué ir (atracciones turísticas)

b. Ahora se forman parejas con alumnos de grupos diferentes. A es el empleado de la agencia y B es el cliente. A explica el contenido del folleto, B hace preguntas para decidir si está interesado.

Cuando se termina la conversación y B decide si quiere hacer el viaje propuesto o no, A y B cambian de papel, y ahora B es el empleado de la agencia y A, el cliente. Ahora B tiene que vender el viaje a A, quien también decide si acepta o no.

La belleza natural de Costa Rica

🔖 **LEE** Lee el texto y contesta las preguntas.

LA MAGIA DE LA NATURALEZA

Costa Rica es el destino ideal para los amantes de la naturaleza y del descanso que no desean aburrirse en sus días de vacaciones.

Este pequeño país centroamericano es el único país en el mundo con una riqueza biológica tan variada. Es un refugio extraordinario de vida: con un territorio de apenas 51 000 kilómetros cuadrados, aquí se encuentra aproximadamente el 5% de la biodiversidad mundial.

En este maravilloso país se puede disfrutar de la naturaleza, bajar al cráter de un volcán, ver todo tipo de animales: quetzales, tucanes, osos, monos y hasta jaguares y pumas. A la vez, nos encontramos con una gran variedad de flores tropicales.

Costa Rica es uno de los seis lugares del mundo donde se puede observar la arribada de tortugas, es decir, la puesta de huevos de tortugas en la playa, llamado *desove*.

Para preservar la conservación de sus zonas naturales, Costa Rica cuenta con muchos parques naturales, reservas biológicas y reservas forestales. El simple hecho de caminar por la selva escuchando los sonidos de los animales y de la lluvia chocando contra las plantas y flores tropicales es una experiencia inolvidable.

Como podemos apreciar, Costa Rica no es solo un país de turismo de sol y playa, sino que ofrece muchas posibilidades al turista. Desde practicar deportes acuáticos como el *windsurf*, el buceo, la pesca, la navegación hasta bajar en kayak por los rápidos. Si alguien no es tan atrevido, también se puede dar una vuelta a caballo o montar en bicicleta por los senderos del bosque.

En cuanto a su gastronomía, los *ticos* (se llama así a los costarricenses por su tendencia a usar diminutivos) sorprenden al visitante con platillos autóctonos elaborados a base de arroz y frijoles, que combinados a la costarricense constituyen el plato típico nacional llamado *gallo pinto*. Además, se pueden degustar más de 150 variedades de frutas entre las que destacan la mora, los mamones, el banano, el mango, la guayaba.

Adaptado de www.guiascostarica.com

a. ¿Por qué es conocida Costa Rica?

b. ¿Qué extensión tiene?

c. Menciona alguno de los animales que se pueden ver en Costa Rica.

d. ¿Qué deportes acuáticos se pueden practicar?

e. ¿Quiénes son los *ticos*? ¿Y por qué se llaman así?

f. ¿Cuál es el plato típico nacional? ¿En qué consiste?

g. Menciona alguna de las frutas que se pueden comer en Costa Rica. ¿Son las mismas que en tu país?

PROBLEMAS DE SALUD

11

Competencia pragmática ▼

Eres capaz de...

▶ hablar de la salud

▶ expresar posibilidad, permiso y obligación

▶ hablar del cuerpo humano

Competencia lingüística ▼

Puedes...

▶ utilizar los marcadores de frecuencia

▶ conjugar el verbo *doler*

▶ usar *tener que*, *hay que*, *deber* y *poder*

Competencia sociolingüística ▼

Conoces...

▶ las partes del cuerpo humano

▶ los nombres relacionados con la sanidad

▶ unos datos sobre la salud en España

Interactúa ▼

▶ respondes a consultas *on-line*

¿QUÉ TE PASA?

RELACIONA.

a. Me duele la cabeza

b. Tengo fiebre

c. Estoy nervioso/a

d. Me siento mareado/a

¿QUÉ ME RECOMIENDAS?

SEÑALA CON QUÉ FRECUENCIA DEBEN HACERSE TODAS ESTAS COSAS PARA LLEVAR UNA VIDA SANA.

Debes comer fruta y verdura... ➕ ... todos los días.

Ir al médico y al dentista... ... a menudo.

Tienes que hacer ejercicio... ... una vez al año.

Puedes comer carne... ... dos veces a la semana.

No debes fumar... ... a veces.

Puedes acostarte tarde... ... nunca.

69

◀) **ESCUCHA**

¿QUÉ ME PASA, DOCTORA?

1.a. Escucha el diálogo, contesta verdadero o falso y corrige la infomación.

Camila: Hola, buenos días, doctora.

Doctora: Buenos días, dígame. ¿Qué le pasa?

Camila: Pues es que no sé lo que me pasa, estoy muy nerviosa. Me duele la cabeza todos los días y a veces me duelen los ojos también.

Doctora: ¿Duerme bien?

Camila: ¡Qué va! Duermo unas cinco o seis horas y mal.

Doctora: ¿Hace algún tipo de ejercicio físico?, ¿practica algún deporte?

Camila: No, la verdad es que no. No tengo tiempo, tengo mucho trabajo en mi oficina. Bueno, a veces doy paseos por la playa con mi perro.

Doctora: Eso no es suficiente. Hay que hacer ejercicio todos los días o por lo menos dos veces a la semana. Y la alimentación, ¿qué tal? ¿Sigue una dieta sana? ¿Come fruta y verduras todos los días?

Camila: Bueno, lo intento, pero no siempre lo consigo. Cuando estoy trabajando, solo como un bocadillo y tomo un café. Tengo reuniones de trabajo a menudo y no tengo tiempo para comer.

Doctora: Bueno, pues creo que lo que usted tiene es estrés. Tiene que cambiar su estilo de vida: hacer ejercicio con regularidad, llevar una dieta sana, dormir más horas, tomar menos café y...

	V	F
a. Camila está muy nerviosa.	☐	☐
b. A Camila le duele la cabeza a menudo.	☐	☐
c. A Camila a veces le duelen los ojos.	☐	☐
d. Camila duerme unas seis o siete horas.	☐	☐
e. Camila hace deporte una vez a la semana.	☐	☐
f. Todos los días da un paseo por la playa.	☐	☐
g. La doctora le recomienda hacer ejercicio dos veces a la semana.	☐	☐
h. Camila siempre sigue una dieta sana.	☐	☐
i. A menudo come en restaurantes.	☐	☐
j. La doctora piensa que Camila tiene estrés.	☐	☐

EXPRESAR SÍNTOMAS
Dolor: Cuando trabajo con el ordenador, **me duele la cabeza**. Si camino mucho, **me duelen los pies**.
Tengo fiebre
Me siento / Estoy cansado / mareado / estresado, etc.

💬 **COMUNICA** **b.** ¿Qué recomendaciones le da la doctora a Camila?

EXPRESAR LA FRECUENCIA CON QUE SE HACEN LAS COSAS
A: ¿Cuántas veces hace deporte o ejercicio físico a la semana? B: ¿Yo? Nunca. No tengo tiempo.

Siempre **+**
Todos los días
Muchas veces
A menudo
Una vez a la semana / al día
A veces
Pocas veces
Nunca **−**

¿CON QUÉ FRECUENCIA...?

COMUNICA

2. Rellena el cuestionario y pregunta a tu compañero. Añade alguna pregunta más.

	TODOS LOS DÍAS	A MENUDO	UNA VEZ A LA SEMANA/MES	POCAS VECES	NUNCA
a. ¿Haces deporte? ¿Cuál?					
b. ¿Comes comida rápida? ¿Qué?					
c. ¿Tomas frutas y verduras?					
d. ¿Tomas té o café?					
e. ¿Comes dulces, pasteles, tartas?					
f. ¿Comes carne o pescado?					
g. ¿Vas al trabajo/a la universidad a pie?					
h. ¿Sales con tus amigos?					
i. ¿Comes comida casera?					
j.					

ESCRIBE

¿QUÉ HACE TU COMPAÑERO?

3. Escribe frases.
Ejemplo: Sophie juega al golf una vez a la semana.

EN LA CONSULTA

LEE

4. Ordena el diálogo entre la doctora y Alejandro.

☐ **Doctora:** ¿Por qué todos los fines de semana?

☐ **Alejandro:** No, ¡qué va! La fruta hay que pelarla y es un rollo. Me tomo un helado o un trozo de tarta.

☐ **Doctora:** ¿Y para cenar los fines de semana qué tomas?

☐ **Alejandro:** No, no muy bien. Estoy más gordo y me encuentro bastante pesado.

☐ **Doctora:** Bueno, pues mira, para adelgazar y encontrarte más ligero hay que cambiar tus hábitos. Para empezar...

☐ **Alejandro:** Bueno, sí, comida rápida todos los fines de semana.

☐ **Doctora:** ¿Pero de postre tomas fruta o yogur?

☐ **Alejandro:** Pues por la noche me como un bocadillo.

☐ **Doctora:** Buenas tardes, dime, Alejandro, ¿qué te pasa? ¿No te encuentras bien?

☐ **Alejandro:** Es que me gusta salir con mis amigos por ahí y la comida rápida está buena y es barata.

☐ **Doctora:** ¿Tomas mucha comida rápida? Ya sabes, hamburguesas, *pizzas*, perritos calientes...

70

HÁBITOS SALUDABLES

ESCUCHA

5. Escucha a estas personas y relaciona sus nombres con sus hábitos y la frecuencia con la que hacen esas cosas.

QUIÉN	QUÉ HACE	CON QUÉ FRECUENCIA
Virginia	come un sándwich vegetal y una fruta	**dos veces a la semana.**
Joaquín	hace deporte	**a menudo.**
Antonia	no come carne	**todos los días.**
Álvaro	no duerme la siesta	**casi nunca.**
Paco	va a pie al trabajo	**nunca.**

71

EN LA RECEPCIÓN DEL HOSPITAL

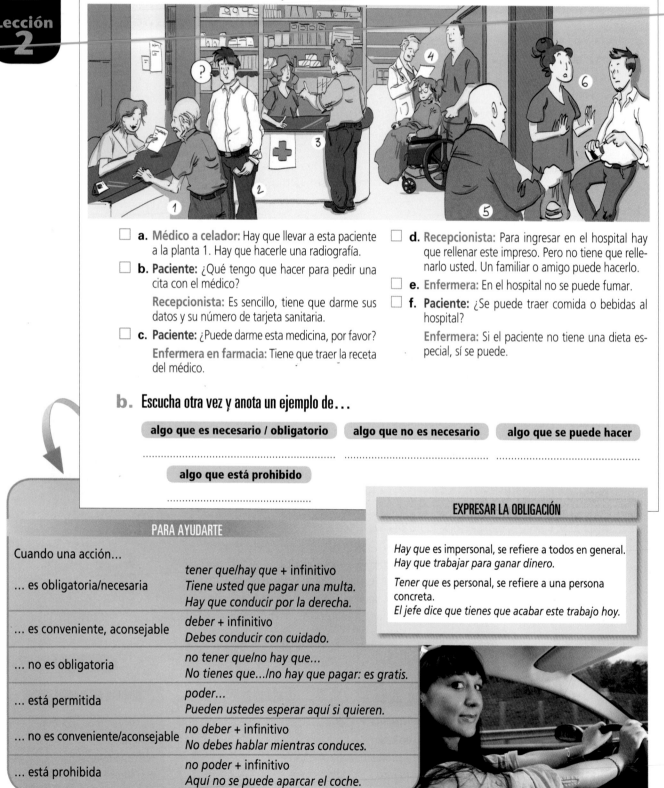

1.a. Escucha las conversaciones y relaciónalas con las escenas numeradas.

🔊 ESCUCHA

☐ **a. Médico a celador:** Hay que llevar a esta paciente a la planta 1. Hay que hacerle una radiografía.

☐ **b. Paciente:** ¿Qué tengo que hacer para pedir una cita con el médico?

Recepcionista: Es sencillo, tiene que darme sus datos y su número de tarjeta sanitaria.

☐ **c. Paciente:** ¿Puede darme esta medicina, por favor?

Enfermera en farmacia: Tiene que traer la receta del médico.

☐ **d. Recepcionista:** Para ingresar en el hospital hay que rellenar este impreso. Pero no tiene que rellenarlo usted. Un familiar o amigo puede hacerlo.

☐ **e. Enfermera:** En el hospital no se puede fumar.

☐ **f. Paciente:** ¿Se puede traer comida o bebidas al hospital?

Enfermera: Si el paciente no tiene una dieta especial, sí se puede.

b. Escucha otra vez y anota un ejemplo de...

algo que es necesario / obligatorio	algo que no es necesario	algo que se puede hacer
....	....	....

algo que está prohibido

....

PARA AYUDARTE

Cuando una acción...	
... es obligatoria/necesaria	*tener que/hay que* + infinitivo *Tiene usted que pagar una multa.* *Hay que conducir por la derecha.*
... es conveniente, aconsejable	*deber* + infinitivo *Debes conducir con cuidado.*
... no es obligatoria	*no tener que/no hay que...* *No tienes que.../no hay que pagar: es gratis.*
... está permitida	*poder...* *Pueden ustedes esperar aquí si quieren.*
... no es conveniente/aconsejable	*no deber* + infinitivo *No debes hablar mientras conduces.*
... está prohibida	*no poder* + infinitivo *Aquí no se puede aparcar el coche.*

EXPRESAR LA OBLIGACIÓN

Hay que es impersonal, se refiere a todos en general.
Hay que trabajar para ganar dinero.

Tener que es personal, se refiere a una persona concreta.
El jefe dice que tienes que acabar este trabajo hoy.

Lección 2

¡QUÉ HAY QUE HACER?

2. Relaciona las dos columnas para formar frases con sentido.

a. Para tener carné de conducir…

b. Para viajar a muchos países…

c. Para votar en las elecciones…

d. Para encender esta máquina…

e. Para tocar el piano bien…

1. hay que apretar este botón.

2. hay que estudiar mucho.

3. hay que ser mayor de edad.

4. hay que aprobar un examen.

5. hay que tener un pasaporte.

🔍 OBSERVA

¿QUÉ SIGNIFICAN LAS SEÑALES?

3. Observa estas señales. Después, elige la instrucción adecuada para cada señal.

a	b	c	d	e	f	g
No se puede ir a más de 100 por hora.	Hay que seguir recto.	Se debe ceder el paso.	Se puede pasear el perro.	Debe lavarse a máquina.	Aquí se puede acampar.	Hay que tirar los papeles a la papelera.

1. No se puede / Se puede girar a la derecha.

2. Hay que / No hay que girar a la derecha.

3. Se puede / Se debe apagar el móvil.

4. No se puede / Se puede planchar.

5. Debe lavarse / No tiene que lavarse a mano.

6. Aquí se puede / Aquí se debe cambiar dólares por euros.

¡TRATO HECHO!

💬 COMUNICA

4. En parejas. Tú quieres pedirle cosas a tu compañero y él a ti. Primero, prepara tu lista de peticiones, 4 o 5.

Después, ¡a negociar! Escucha las peticiones de tu compañero y di que sí, pero solo si tu compañero acepta alguna de tus peticiones.

Ejemplo: **A:** *¿Me ayudas a hacer este ejercicio?*

B: *Te ayudo a hacer el ejercicio si me prestas tu bolígrafo, ¿vale?*

A: *¡Vale! ¡Trato hecho!*

Puedes usar estas ideas para tu lista de peticiones:

¿Puedes ayudarme a…? (limpiar mi casa, lavar el coche, etc.)

¿Me prestas tu…? (lápiz, ordenador, (teléfono) móvil, bici, moto, etc.)

¿Puedes acompañarme a…? (el médico, ir de compras, etc.)

¿Me dejas…? (conducir tu coche, elegir la música, usar el mando a distancia de la tele, etc.)

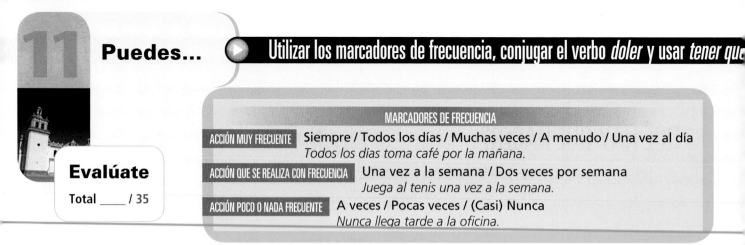

Evalúate

Total ____ / 35

MARCADORES DE FRECUENCIA	
ACCIÓN MUY FRECUENTE	Siempre / Todos los días / Muchas veces / A menudo / Una vez al día *Todos los días toma café por la mañana.*
ACCIÓN QUE SE REALIZA CON FRECUENCIA	Una vez a la semana / Dos veces por semana *Juega al tenis una vez a la semana.*
ACCIÓN POCO O NADA FRECUENTE	A veces / Pocas veces / (Casi) Nunca *Nunca llega tarde a la oficina.*

1. **Añade una de estas expresiones de tiempo en cada frase en el lugar adecuado:**
nunca, a veces, siempre **(2)**, *a menudo* **(2)**, *todos los días* **(2)**, *una vez al día, pocas veces.*

   a. Mi familia va a esquiar en Navidad. Nos gusta mucho y no queremos cambiar.

   b. Yo no veo telenovelas. Me parecen aburridas.

   c. Juan sale a pasear con su perro. Se pone triste si no lo saca al menos.

   d. Marta y yo salimos juntas, pero salgo con otros amigos.

   e. Nos gusta ir al trabajo a pie, pero como llueve, vamos en coche.

   f. Me acuerdo de mi abuelo cuando voy a Bilbao.

   g. El deporte me encanta. Voy al gimnasio.

   h. Tomo comida rápida. No me gusta mucho. ▢ / 9

VERBO *DOLER*		
(A mí)	*me*	
(A ti)	*te*	
(A él/ella/Ud.)	*le*	*duel**e** la garganta*
(A nosotros/as)	*nos*	*duel**en** los oídos*
(A vosotros/as)	*os*	
(A ellos/as/Uds.)	*les*	

El verbo *doler* se conjuga como el verbo *gustar*.

2. **Mira el cuadro y escribe lo que le duele a cada uno.**

A...	... el estómago	... la garganta	... las muelas	... los pies
Fernando	✓		✓	
Isabel		✓		✓
Marta y Juan	✓		✓	
Sofía y Miguel		✓		✓

   a. A Fernando le duele ....

   b. A Fernando ....

   c. A Isabel ....

   d. A Isabel ....

   e. A Marta y Juan ....

   f. A Marta y Juan ....

   g. A Sofía y Miguel ....

   h. A Sofía y Miguel .... ▢ / 8

FRASES CONDICIONALES

Si + presente de indicativo + presente de indicativo.
Si no duermo bien, me duele la cabeza.

Si + presente de indicativo + imperativo.
Si tienes tiempo, ven a mi casa.

Sirven para expresar condiciones reales. Con el imperativo, los pronombres se ponen detrás.
Si te duele la cabeza, tómate un calmante.

3. Relaciona las dos columnas.

a. Si llegamos tarde,	**1.** tiene que tener cuidado.
b. Si comes demasiado,	**2.** tomamos un taxi.
c. Si fumas mucho,	**3.** descansa un rato.
d. Si quieres,	**4.** te duele el estómago.
e. Si estás cansada,	**5.** déjalo poco a poco.
f. Si conduce de noche,	**6.** podemos ir al cine.

/ 6

HAY QUE Y *TENER QUE* + INFINITIVO

EXPRESAR LA OBLIGACIÓN	
De forma impersonal	**Hay + que + infinitivo** *Para estar en forma, hay que hacer ejercicio.*
De forma personal	**Tener + que + infinitivo** *Si quieres estar en forma, tienes que hacer ejercicio.*

PEDIR Y DAR PERMISO O PROHIBIR

Se puede + infinitivo
– ¿Se puede pasar?
– Sí, claro (que se puede).

No se puede + infinitivo
No se puede pasar.

DAR UN CONSEJO

Deber + infinitivo
Debes dormir más, seis horas es poco.

4. En parejas. A formula la pregunta adecuada para cada respuesta.

Ejemplo:

¿Qué tengo que hacer para vacunar a mi perro?   *Si quieres entrar en el equipo de baloncesto, tienes que entrenar mucho.*
Si quieres vacunar a tu perro, tienes que ir a un veterinario.   *Si quieres participar en el torneo, tienes que inscribirte en la oficina.*

Después B piensa en otras 3 preguntas parecidas. A tiene que pensar en una respuesta adecuada. Al terminar A y B se cambian.

5. Completa las frases con *tener, poder,* o *hay* en la forma correcta.

a. Para encender el motor, ... que meter la llave en el contacto.

b. No .... conducir después de beber alcohol. Es ilegal.

c. No .... tomar medicamentos sin consultar con el médico.

d. No hay mucho tiempo. .... que correr.

e. ¿............................. (tú) ayudarme, por favor?

f. Yo voy a la reunión, pero tú no .... que ir si no quieres.

/ 6

6. Completa las frases con los verbos *mandar, fumar, pasar, comer, aprobar, entrar.*

a. - ¿Se puede .... en tu oficina?
 - No, no está permitido, es un espacio libre de humo.

b. - ¿Se puede .... a esa discoteca con zapatillas de deporte?
 - No, tienes que llevar zapatos.

c. Se puede .... un poco de pan con esa dieta.

d. No se puede .... el curso sin hacer el examen final.

e. - ¿Se puede ....?
 - Sí, cómo no, adelante.

f. - ¿Se puede .... la traducción al profesor por correo electrónico?
 - Creo que sí, tenemos su dirección.

/ 6

11

RECURSOS ▶ **Eres capaz de...** Hablar del cuerpo humano

📖 **LEE**

1. El cuerpo humano.
Lee las frases y localiza las partes del cuerpo.

○ Los zapatos son para los **pies**.
○ El **pelo** crece mucho y hay que cortarlo de vez en cuando.
○ Las gafas son para los **ojos**.
○ La **nariz** sirve para oler y para respirar.
○ Se anda con las **piernas**.
○ Para nadar se usan los **brazos**.
○ Al final de los brazos están las **manos**.
○ En cada mano tenemos cinco **dedos**.
○ Detrás tenemos la **espalda**.
○ Dentro de la **boca** tenemos muelas. Las usamos para masticar la comida.
○ El **cuello** une la cabeza con el cuerpo.
○ Las **orejas** sirven para oír y escuchar.

PRONUNCIACIÓN Y ORTOGRAFÍA

SUENAN IGUAL, SE ESCRIBEN DISTINTO

Por este motivo, es difícil saber cómo se escribe una palabra y la única manera es aprender de memoria su ortografía.

En español se pronuncian igual:

- **b** y **v**: siempre /b/.

Por ejemplo: *bota* (para los pies) y *vota* (del verbo *votar*).

- **g** y **j** cuando van seguidas de *e* o *i*.

Por ejemplo: *garaje, jirafa*.

- **ll** (doble l) e **y** (ye).

La mayoría de los hablantes de español pronuncian la doble l igual que la ye. Por ejemplo: *valla* y *vaya* (del verbo *ir*).

- Además, la hache **h** es muda, así que, por ejemplo, *hola* (el saludo) suena igual que *ola* (onda en el mar).

🔊 **ESCUCHA**
72
◉

1. Ortografía.
Escucha y escribe cada palabra en la columna de la izquierda. Después marca las letras que contiene, como en el ejemplo.

	b	v	g	j	ll	y	h
a. hablar	x						x
b.							
c.							
d.							
e.							
f.							
g.							
h.							

Conoces... Los nombres relacionados con la sanidad ◀ LÉXICO **11**

OBSERVA **1. En el hospital.**
Escribe las palabras debajo de las fotos.

la consulta · las urgencias · el médico (especialista) · la enfermera
la sala de espera · la ambulancia · la paciente · el hospital

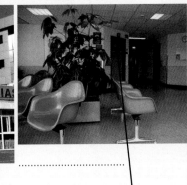

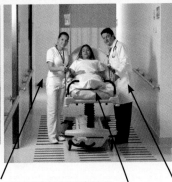

....

....

....

....

....

....

....

ESCRIBE **2. ¿*Tener* o *estar*?** Elige el verbo correcto.

mareado	fiebre	un constipado	alergia	gripe	enfermo/malo	estresado	tos

Tener
Estar

OBSERVA **3. Medicina y tratamiento.**
Relaciona cada consejo con su foto.

a. tomar una infusión · b. descansar en la cama · c. hacer yoga · d. tomar un calmante · e. no comer · f. tomar un jarabe · g. tomar gotas

COMUNICA **4. ¿Qué recomiendas?** Relaciona el malestar con su posible remedio.

a. Me duele mucho el estómago. **1.** Tómate un calmante.
b. Tengo la garganta irritada y toso. **2.** ¿Por qué no te tomas una infusión?
c. Tengo fiebre y estoy constipado. **3.** Ponte estas gotas.
d. Estoy muy estresado. **4.** Toma este jarabe.
e. Tengo los ojos muy rojos. **5.** ¿Por qué no haces yoga?

INTERACTÚA **5. ¿Estás bien?** En parejas, A tiene una enfermedad o malestar y B le recomienda algo.

Ejemplo: **A:** *Estoy mareada y me duele mucho el estómago.*
B: *Pues descansa en la cama y tómate una infusión.*

1. ¿Cuál es el tratamiento?

Lee los consejos de este consultorio médico en la web, y contesta las preguntas.

COMBATE EL INSOMNIO

Hay que corregir la causa. Si la causa es el estrés emocional, será más útil ir al médico para un tratamiento contra el estrés que tomar medicamentos para dormir.

Los cambios de conducta son mucho más eficaces que las pastillas para el insomnio.

Algunos consejos que pueden resultar útiles:

- Debes tener horarios regulares de sueño. Una hora para dormir y una hora para levantarse ayudan al cuerpo a programarse y esto facilita el sueño.
- No debes tomar bebidas con cafeína después de la media tarde.
- Tienes que hacer ejercicio todos los días y no dormir durante el día. Estas dos medidas te pueden ayudar a sentirte cansado por las noches.
- Puedes elegir un ritual antes de dormir. Leer en la cama, oír música o alguna actividad para relajarse.
- Si no tienes sueño, es mejor salir de la cama; angustiarse solo empeora el problema del insomnio.
- No puedes comer mucho antes de acostarte. Si puedes, toma alimentos como la leche, la carne y la lechuga que contienen un aminoácido que ayuda a dormir.

Ten cuidado con los medicamentos.

Los tranquilizantes suaves pierden su eficacia cuando la persona se acostumbra a ellos. Algunos pueden producir síntomas de abstinencia cuando se acaba el tratamiento y hay que dejarlos poco a poco.

Para comprar tranquilizantes hay que presentar receta médica, porque pueden producir hábito, adicción, o sobredosis. Son muy peligrosos cuando se combinan con alcohol u otros medicamentos.

Adaptado de www.consultoriomedicodigital.com

a. ¿Qué es mejor que las pastillas para combatir el insomnio?

b. ¿Qué se debe hacer cuando se sufre estrés?

c. ¿Cómo se puede ayudar al cuerpo a programarse?

d. ¿Qué cosa no debes hacer durante el día?

e. ¿Qué debes hacer si estás en la cama y no puedes dormir?

f. ¿Por qué debes tomar leche, carne o lechuga por la noche?

g. Escribe tres palabras que resumen los peligros de los tranquilizantes:

.............................., ... y ....

2. Carlos va al médico.

a. Escucha la conversación atentamente dos veces y anota las causas del problema de Carlos.

....

b. Después, compara tus notas con las de tu compañero. Discute qué debe o no debe hacer Carlos.

c. Finalmente, en parejas, escribe los consejos que el doctor da a Carlos para solucionar su problema.

3. El juego de los problemas.

Primero, en parejas: preparamos dos trozos de papel pequeños, uno con un problema (de salud o de otra cosa), otro con el consejo o solución apropiados.

Me duele la cabeza.

Debes tomar una aspirina.

En grupos grandes (de 4 a 6 alumnos), ponemos los papeles en dos montones: el de los problemas y el de las soluciones. Un jugador toma un papel de problema y otro, un papel de solución. Los leen en voz alta y el grupo decide si la solución es apropiada. Si lo es, los jugadores tiran los papeles y pasa el turno a la siguiente pareja. Si no lo es, guardan la solución e intentan utilizarla para otros problemas.

El objetivo del juego es no tener ningún papel. Pierden los últimos en tenerlos.

interactúa

Respondes a consultas *on-line*

Consultas

Responde las consultas como en el modelo. Indica algo que (no) tienen que hacer, o (no) pueden hacer, o (no) deben hacer.

Miguel   Jueves, 03 de marzo   20:15

… No puedo dormir. No hago ejercicio. Me siento nervioso. Ceno muy tarde.

Clínica   Viernes, 04 de marzo   09:05

Querido Miguel:
Si no puedes dormir, debes relajarte. No hay que cenar tarde, hay que cenar temprano. Si te sientes nervioso, debes darte un baño de agua caliente por la noche antes de acostarte.

a. … A menudo me duele la tripa. Como muchos dulces y chocolate.

b. … Nunca hago ejercicio. Siempre estoy sentado. Me duele la cabeza a veces.

c. … Me acuesto muy tarde todos los días. Solo duermo cinco horas. Me duelen los ojos, y me siento cansada.

CONOCES...

Datos sobre la salud en España

LEE | **Lee el texto y contesta las preguntas.**

Estos son los resultados del estudio llamado *Encuesta Europea de Salud* en España realizado por el Instituto Nacional de Estadística, en colaboración con el Ministerio de Sanidad, Política Social e Igualdad. El estudio recoge los datos de 22 188 entrevistas a personas de más de 16 años durante doce meses entre 2009 y 2010.

BUENA SALUD

El 70,9% de los españoles mayores de 16 años considera que su salud es buena o muy buena. En concreto lo hacen un 75,8% de los hombres y el 66,1% de las mujeres.

Pero el peso... Por el contrario, más de la mitad de los encuestados mayores de edad está por encima del peso considerado como normal.

LA OBESIDAD

El porcentaje de personas con obesidad llega hasta el 16%, y el de sobrepeso, al 37,7%. La obesidad afecta al 22,7% de hombres y al 23,7% de las mujeres mayores de 54 años.

LOS JÓVENES FUMAN Y BEBEN

Los jóvenes en esta franja de edad (entre 18 y 24 años) fuman diariamente (26,2%) y beben de manera intensiva por lo menos cada mes (20,6%). La mitad de ellos, un 11,4%, lo hace como mínimo una vez a la semana.

EJERCICIO

¿Y qué pasa con el ejercicio que realizamos? Pues según la encuesta, las mujeres hacen ejercicio físico intenso con menor frecuencia que los hombres: el 15,7% frente a un 34,4%. En cambio, ellas practican más el ejercicio moderado: 42,7% frente a 26,0%.

¡TOMA MUCHA FRUTA!

Siete de cada diez personas, afirman comer fruta por lo menos una vez al día. Seis de cada diez aseguran hacer lo mismo con las verduras. Pero la diferencia por edades es bastante relevante: solo cinco de cada diez jóvenes de 16 a 24 años consumen fruta diariamente, frente a nueve de cada diez mayores de 64 años.

TRASTORNOS MÁS FRECUENTES

¡Y mucha atención! Los trastornos más frecuentes padecidos por los españoles mayores de 16 años diagnosticados por un médico son: la hipertensión arterial (el 17,2%), los dolores lumbares (el 16,3%) y cervicales (el 14,2%), la alergia crónica (el 12%) y los dolores de cabeza (el 8,6%).

Adaptado de www.ine.es

		V	F
a. Siete de cada diez españoles...	**1.** tienen buena salud	☐	☐
	2. creen que su salud es buena	☐	☐
b. En España hay...	**1.** más personas que padecen obesidad	☐	☐
	2. más personas que tienen sobrepeso	☐	☐
c. Un 26,2% de jóvenes de entre 18 a 24 años...	**1.** no fuman casi nunca	☐	☐
	2. fuman diariamente	☐	☐
d. Las mujeres hacen ejercicio físico...	**1.** con más frecuencia que los hombres	☐	☐
	2. con menos frecuencia que los hombres	☐	☐
e. Los jóvenes comen...	**1.** más frutas y verduras que los mayores	☐	☐
	2. menos frutas y verduras que los mayores	☐	☐
f. El trastorno más frecuentes padecido por los españoles es...	**1.** los dolores de cabeza	☐	☐
	2. la hipertensión arterial	☐	☐

Calle de Andalucía, España

Competencia pragmática ▼

Eres capaz de...

▸ dar noticias y hablar de hechos recientes

▸ hablar de lo que ya se ha hecho y de lo que no se ha hecho todavía

▸ expresar estados de ánimo y reaccionar ante las noticias

Competencia lingüística ▼

Puedes...

▸ conjugar verbos en pretérito perfecto compuesto

▸ usar los marcadores temporales con el pretérito perfecto compuesto

▸ utilizar los pronombres y adjetivos indefinidos

Competencia sociolingüística ▼

Conoces...

▸ el nombre de los estados de ánimo

▸ los medios de comunicación

▸ la prensa en español

Interactúa ▼

▸ cuentas experiencias recientes

¿QUÉ NOTICIA RECIENTE TE HA PARECIDO MÁS IMPORTANTE?

¿CÓMO TE HAS ENTERADO?

a. Por el periódico

b. Por la radio

c. Por la televisión

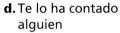

d. Te lo ha contado alguien

e. Por Internet

¿CONOCES A ALGUIEN QUE RECIENTEMENTE...

... se ha casado?

... ha tenido un accidente?

... ha aprobado un examen?

... ha encontrado un trabajo?

... ha conocido a alguien especial?

12

Eres capaz de... ▶ Dar noticias y hablar de hechos recientes

Lección 1

74

 🔊 **ESCUCHA**

NOTICIAS RADIOFÓNICAS

1. Escucha las noticias de la radio y marca verdadero o falso.

Radio Juventud, la radio que te habla claro. Sintonízanos en el 97 punto cero de tu dial.

- Hoy el alcalde de la capital ha puesto la primera piedra de un nuevo museo de Arte Contemporáneo. El alcalde ha dicho que este museo va a ser el más grande de la ciudad.

- Ha muerto a los 78 años de edad José Antolínez, el actor y escritor. A su entierro han ido más de tres mil personas.

- Hoy ha sido un día muy caluroso. En algunos barrios de la capital ha hecho más calor que nunca: 39 grados centígrados. En el norte ha llovido bastante. En el sur y este del país ha hecho un viento muy fuerte.

- La ministra de Medio Ambiente ha dicho que la contaminación del aire en las ciudades ha alcanzado niveles preocupantes. Ha pedido al presidente del Gobierno medidas especiales para disminuirla. El Gobierno se va a reunir mañana viernes para tratar este tema.

- Se ha descubierto un fósil de un ser humano de más de veinte mil años de antigüedad en las obras del metro. Esta mañana ha visitado las obras el ministro de Cultura. El ministro ha declarado que el hallazgo es muy importante.

	V	F
a. Se ha construido un museo muy importante.	☐	☐
b. Ha ido poca gente al entierro de un escritor.	☐	☐
c. Hoy ha hecho mucho calor.	☐	☐
d. La ministra está preocupada por la contaminación.	☐	☐
e. Han hecho un descubrimiento importante en el metro.	☐	☐

¡QUÉ SUERTE!

📖 **LEE**

2. Relaciona la noticia con la reacción más adecuada.

 **a**
 **b**
 **c**
d
e
f
g

a. He tenido un accidente.

b. He recibido una carta de mi tía Lucía. Está muy enferma.

c. Me ha tocado la lotería.

d. Estoy enfadada porque no me han subido el sueldo.

e. Mi novia me ha dejado. Estoy bastante mal.

f. He perdido el avión por cinco minutos.

g. Estoy contento porque he aprobado el examen de español.

1. ¡Qué mala suerte!

2. ¡Qué suerte! ¿Cuánto te ha tocado?

3. ¡Ánimo, hombre! A lo mejor os reconciliáis.

4. ¡Dios mío! ¿Te ha pasado algo?

5. ¡Qué mal! Es una injusticia.

6. Lo siento mucho. Que se mejore.

7. ¡Enhorabuena! Se nota que has estudiado mucho.

LO HE LEÍDO

🔍 OBSERVA

3. Relaciona los verbos con su participio.

a. poner	**1.** hecho
b. leer	**2.** salido
c. hablar	**3.** desayunado
d. hacer	**4.** puesto
e. salir	**5.** leído
f. desayunar	**6.** ido
g. ir	**7.** hablado

💬 COMUNICA

¡QUÉ HA HECHO MARTA HOY?

4. Ordena las fotos y explica lo que ha hecho Marta hoy.

Ejemplo: Hoy Marta ha desayunado leche con galletas.

LAS SEIS DIFERENCIAS

✏️ ESCRIBE

5. En la primera foto Marta está trabajando, en la segunda va a salir a cenar. Escribe frases para explicar lo que ha pasado con estas expresiones, como en el ejemplo.

soltarse el pelo	*Marta se ha soltado el pelo.*
cambiarse de ropa	
maquillarse	
quitarse las gafas	
ponerse joyas	
pintarse los labios	

¡QUÉ HAS HECHO HOY O ESTA SEMANA?

🔊 INTERACTÚA

6. En parejas, pregunta a tu compañero por las cosas que ha hecho hoy o esta semana.

Ejemplo: – ¿Has salido con tus amigos hoy/esta semana?

– No, no he salido/Sí, esta tarde.

Eres capaz de... ► Hablar de lo que ya se ha hecho y de lo que no se ha hecho todavía

12

Lección 2

75 (◄)) ESCUCHA (📖) LEE

¿PONEN ALGO INTERESANTE EN LA TELE?

1. Lee la programación de TV y escucha las conversaciones. ¿Cuántos errores hay en la conversación? Identifícalos y corrígelos.

Programación para hoy lunes:

La Primera	
19.00	Telenovela *Color de rosa*.
20.00	Cine de 1.ª, *La chispa de la vida*, de Á. de la Iglesia.
22.00	Fútbol. Desde el estadio Santiago Bernabéu, partido de ida de los octavos de final de la Champions League Real Madrid-Inter.
00.00	Noticias de la noche.
00.30	Documental: *Los parques naturales de Costa Rica: el último paraíso.*

Antena Dos	
19.15	En directo desde el Parlamento, debate sobre el presupuesto nacional.
19.45	*Dinero y poder*: los más recientes casos de corrupción política, un reportaje exclusivo de Antena Dos.
20.30	*Temas de hoy*. Programa de debates presentado por Daniel de la Hoz.
21.30	Noticias.
22.00	Cine para sonreír. Ciclo de cine de humor: *Torrente 2*, de S. Segura.

- ¿Ya ha acabado la telenovela?
- No, todavía no ha acabado. Le faltan diez minutos. Después empieza la película *La chispa de la vida*.
- ¿Han empezado ya las noticias de La Primera?
- No. Todavía está el programa de debate.

- ¿A qué hora ponen el documental sobre los parques naturales de Costa Rica?
- No sé. Creo que es después del partido de fútbol.
- ¿En qué cadena retransmiten en directo los debates del Parlamento?
- En La Primera solo ponen un resumen y es en diferido. A lo mejor es en Antena Dos.
- ¿Ponen algo interesante?
- Humm, en La Primera no hay nada interesante. Ahora, en Antena Dos hay un reportaje sobre los casos de corrupción entre políticos. A lo mejor está bien.
- ¿Y más tarde, no hay alguna comedia o algún programa de humor? Tengo ganas de relajarme, no de enfadarme más todavía.
- No, no hay ninguna comedia ni ningún programa de humor. Lo siento.

- ¿Alguien quiere ver la película de *Torrente*?
- Jorge, nadie quiere ver la película. Todos queremos ver el partido en Antena Dos.

PARA AYUDARTE

Ya están las noticias = Antes no estaban, ahora sí están las noticias.
Ya no están las noticias = Antes estaban, ahora no están.
Todavía están las noticias = Antes estaban, y ahora siguen las noticias.
Todavía no están las noticias = Antes no estaban, ahora tampoco están.

Todavía indica que sigue la misma situación.
Ya indica que ha habido un cambio en la situación.

🖊 **ESCRIBE**

LA AGENDA DE RICARDO

2. Mira la agenda de Ricardo y escribe frases con lo que Ricardo ha hecho ya y lo que todavía no ha hecho.

Ejemplo: - *Ricardo todavía no ha llevado su traje a la tintorería.*

- ....
- ....
- ....
- ....
- ....

> Martes, 23 de abril
>
> *llevar traje a la tintorería*
> ~~*ir a sacar dinero*~~
> *escribir un correo a Laura*
> ~~*ver la exposición de Barceló*~~
> *comprar un libro*
> *llamar a la oficina*

CUESTIONARIO

💬 **INTERACTÚA**

3. ¿Has tenido muchas experiencias en tu vida? Contesta y compara con tus amigos.

Ejemplo: - *¿Alguna vez has montado en camello?*
- *Sí, alguna vez, he montado en camello en Canarias.*

Tenerife, Canarias, España

¿Alguna vez…

- … has entrado dentro de una pirámide o has subido a la alto de una? (En Egipto, México, Guatemala, etc.)
- … has montado en un animal aparte del caballo? (Burro, camello, elefante, etc.)
- … has tenido una mascota?
- … has escrito un poema o has compuesto una canción?
- … te has bañado / has buceado con tiburones / delfines / etc., cerca?
- … has visto de cerca a una persona famosa?
- … has estado en un desierto / jungla tropical?
- … has hecho una cosa ilegal / peligrosa?

PARA AYUDARTE

EXPRESAR UNA CANTIDAD INDETERMINADA O INEXISTENTE

número no determinado	cero	
algún / alguno **alguna** **algunos** **algunas**	**ningún / ninguno** **ninguna**	**todo** **toda** **todos** **todas**

algún / ningún: seguido de sustantivo
- *¿Has visto algún reportaje interesante?*

alguno / ninguno: sin sustantivo
- *Sí, he visto alguno / uno…*
- *No, no he visto ninguno.*

algo = alguna cosa
nada = ninguna cosa

- *¿Quieres comer algo?*
- *No, no quiero nada.*

alguien = alguna persona
nadie = ninguna persona

- *¿Viene alguien? Oigo un ruido.*
- *No, no viene nadie.*

todo = todas las cosas

- *¿Qué te gusta comer?*
- *Me gusta todo.*

💬 **COMUNICA**

CONOCE A TU COMPAÑERO

4. Pregunta a tu compañero por estas cosas:
¿Tienes / Haces / Hablas algún/alguna…?

familiar en el extranjero
idioma extranjero
afición
deporte

Evalúate

Total /69

PRETÉRITO PERFECTO COMPUESTO DE LOS VERBOS REGULARES				
		COMPRAR	**COMER**	**VIVIR**
(Yo)	*he*	*comprado*	*comido*	*vivido*
(Tú)	*has*	*comprado*	*comido*	*vivido*
(Él/ella/Ud.)	*ha*	*comprado*	*comido*	*vivido*
(Nosotros/as)	*hemos*	*comprado*	*comido*	*vivido*
(Vosotros/as)	*habéis*	*comprado*	*comido*	*vivido*
(Ellos/as/Uds.)	*han*	*comprado*	*comido*	*vivido*

Uso: expresa un acontecimiento pasado dentro de una unidad de tiempo no terminado.
Esta mañana he tomado un buen desayuno.

1. Escribe el verbo en pretérito perfecto compuesto.

a. Este verano (ir, nosotros) .... a la playa. (Estar) .... en un hotel de cuatro estrellas muy cerca del mar. El hotel nos (gustar) .... mucho. Es nuevo y muy cómodo. (Tomar, nosotros) .... el sol todos los días y (comer) .... mucho pescado y marisco. Además, (tener) .... un tiempo estupendo, sol y buena temperatura todos los días.

b. Te presento a mi amigo Pedro Juan, es una persona muy interesante. (Viajar, él) .... mucho por Hispanoamérica y (vivir) .... en diferentes países, como Chile, Argentina y Paraguay. En sus viajes, (conocer) .... a todo tipo de personas desde escritores hasta pescadores.

c. Esta mañana (tener, yo) .... muchos problemas. (Levantarse, yo) .... tarde, a las ocho y media. Luego, (perder) .... el autobús. Así que (llegar) .... tarde a la oficina. Durante la mañana, (trabajar) .... muchísimo, por eso ahora estoy agotado.

d. Esta tarde mi hijo César (ir) .... al cine con sus amigos. (Comprar) .... las entradas por Internet. Allí (encontrarse) .... por casualidad con los compañeros de la universidad y todos (sentarse, ellos) .... juntos en el cine. Luego, (tomarse, ellos) .... un refresco en un bar antes de volver a casa.

/ 19

2. Participios regulares e irregulares. Relaciona los participios con su infinitivo.

		PARTICIPIOS REGULARES	
a. Abierto	**1.** Comprar	**- AR**	**- ER / - IR**
b. Bebido	**2.** Decir	- ado	- ido
c. Comprado	**3.** Poner	encontrado	tenido
d. Conocido	**4.** Viajar	llamado	vivido
e. Dicho	**5.** Volver		

f. Escrito   **6.** Abrir

3. Clasifica los participios del ejercicio anterior en dos columnas: los regulares y los irregulares.

g. Hecho	**7.** Ver
h. Puesto	**8.** Escribir
i. Recibido	**9.** Hacer
j. Dormido	**10.** Recibir
k. Viajado	**11.** Dormir
l. Visto	**12.** Conocer
m. Vuelto	**13.** Beber
n. Ido	**14.** Ir

/ 14

Participios regulares	Participios irregulares
Bebido	Abierto
....	....
....	....
....	....
....	....
....	....
....	....

/ 12

4. **Completa con las expresiones de tiempo adecuadas:**
alguna vez, una vez, varias veces, nunca, ya, todavía no.

a. - ¿Has hecho submarinismo ....?
   - No, ..., la verdad es que no nado muy bien.

b. - ¿Has terminado .... de comer?
   - No, ... Me falta el postre.

c. - ¿Habéis estado .... en Andalucía?
   - Sí, ... Conocemos Granada, Sevilla y Córdoba.

d. - ¿Han probado .... tus amigos los chapulines (saltamontes) en México?
   - No, ... Acaban de llegar, pero han oído que son muy sabrosos.

e. - ¿Has viajado .... a algún país sin hablar el idioma?
   - Sí, ..., cuando estuve en Atenas. Pero los griegos son amables y te hablan en español o inglés.

f. - ¿Ha visto Antonio .... el nuevo musical?
   - Sí, ... Estuvo una vez con sus padres, otra vez con su novia y otra conmigo.

g. - ¿Han conocido tus hijos .... a su nuevo profesor?
   - No, ... Han estado enfermos y no han ido a clase.

h. - ¿Has recibido .... un regalo sin saber de quién era?
   - No, ... A mí no me hacen muchos regalos.

/ 16

MARCADORES TEMPORALES		PRONOMBRES Y ADJETIVOS INDEFINIDOS		

Hoy
Esta mañana
Esta tarde
Esta noche   *he hecho la compra.*
Esta semana   *hemos estado de vacaciones.*
Este mes
Este año

- *¿Has estado alguna vez en el Caribe?*
- *No, no he estado nunca.*

- *¿Has contestado los correos electrónicos?*
- *Sí, los he contestado esta mañana.*

OBJETOS	Algo	*¿Tenemos algo dulce?*
	Nada	*No, no tenemos nada.*
PERSONAS	Alguien	*¿Lo sabe alguien?*
	Nadie	*No, no lo sabe nadie.*
OBJETOS Y PERSONAS	Algún / Alguno, -a, -os, -as	*¿Tienes algún libro de Cortázar?*
	Ningún / Ninguno, -a	*Creo que no tengo ninguno.*

Algo, alguien y *alguno* se usan en frases afirmativas. *Nada, nadie* y *ninguno* en frases negativas.
Cuando es adjetivo, tiene el mismo género y número que el nombre que acompaña.
Para masculino singular se utilizan las formas *algún, ningún.*
- *¿Tienes algún disco de Juanes?*   - *Sí*   - *¿Me dejas alguno, por favor?*

5. **Completa con el indefinido correcto.** | / 8 |

Querida Ana:
Te escribo preocupado porque............................. se ha inventado la historia de que yo he salido con otra chica. No sé si este rumor te ha llegado, pero por si acaso te digo que no es cierto. No hay .... otra chica. .... de esto es cierto. .... se lo ha inventado, ... idiota envidioso de la oficina para hacernos daño a ti y a mí.
.... amigos me han dicho que no merece la pena contarte nada. Pero yo pienso que si .... vez te enteras por otra persona es mucho peor. .... debe interponerse entre nosotros.

12

RECURSOS ▶ Eres capaz de... **Expresar estados de ánimo y reaccionar ante las noticias**

LEE

1. ¡Cuánto sentimiento!

Relaciona estas expresiones de sentimientos con sus definiciones.

a. ¡Qué pena! (decepción)	**1.** Esperanza de que algo bueno va a pasar o está pasando.
b. ¡Qué bien! (alegría)	**2.** Tristeza al no conseguir algo esperado o ver que es peor de lo esperado.
c. ¡Qué me dices! (sorpresa)	**3.** Sentimiento positivo al ver que algo malo y esperado al fin no se produce.
d. ¡Qué lata! (aburrimiento)	**4.** Sentimiento de sorpresa cuando pasa algo inesperado.
e. ¡Ojalá! (ilusión)	**5.** Falta de tranquilidad por esperar mucho tiempo.
f. ¡Menos mal! ¡Uf! (alivio)	**6.** Reacción frente a algo malo para convencerse de que es inevitable.
g. ¡Qué remedio! (resignación)	**7.** Falta de interés o diversión, a veces provocado por la monotonía.
h. ¡Ya era hora! ¡Vamos! (impaciencia)	**8.** Sentimiento de satisfacción, placer o felicidad, estar contento y mostrarlo.

ESCRIBE

2. La reacción más normal.

Lee estas frases de correos electrónicos, observa el emoticono utilizado y elige la respuesta más adecuada entre estas expresiones.

a. - Tengo que corregir 200 ejercicios de mis alumnos.

b. - Han arreglado la tele justo a tiempo para ver mi serie.

c. - Nos ha tocado la lotería.

d. - Javier no puede salir. Tiene que estudiar.

e. - Mira, ya llega el autobús, quince minutos tarde.

f. - Shakira viene aquí a dar un concierto.

g. - No te han dado el trabajo.

h. - A lo mejor mis padres me compran un coche.

a. ....

b. ....

c. $ $ ....

d. ....

e. ....

f. .... No sabía nada.

g. .... Ya tendré más suerte la próxima vez.

h. ....

> ¡Qué bien!
> ¡Qué pena!
> ¡Qué me dices!
> ¡Menos mal!
> ¡Ya era hora!
> ¡Ojalá!
> ¡Qué remedio!
> ¡Qué lata!

PRONUNCIACIÓN Y ORTOGRAFÍA

ESCUCHA **76**

1. Puntuación.

Escucha y escribe los signos de puntuación para estas frases (exclamativos, interrogativos o solo un punto).

a. Qué mala suerte

b. Y tú, estás contento también

c. Qué interesante

d. Esta película es antigua

e. Sabes de qué signo del horóscopo eres

f. No me digas

LEE

2. Entonación.

En parejas, por turnos. A dice una de las frases de abajo. B debe distinguir si es una pregunta (¿?), una exclamación (¡!) o una afirmación (.).

Hoy es jueves	Estás loco	Nuestro autobús se marcha
Qué día tan bonito	Otro programa de cotilleo en la tele	Estás guapísima hoy
Qué día tienes libre		

ESCRIBE

1. ¿De qué medio hablamos?

Escribe las palabras en la columna correspondiente.
La misma palabra se puede asociar con más de un
medio.

el anuncio   la arroba   el artículo   el canal
la página   el pie de foto   el/la presentador/-a
la cartelera   la emisora   el micrófono   navegar
el programa   la publicidad   el/la reportero/a
el suplemento dominical   el virus

INTERNET

PRENSA (ESCRITA)

RADIO

TELEVISIÓN

OBSERVA

2. Las secciones de un periódico.

Explica en qué sección van estas noticias.

a) nacional
b) internacional
c) local
d) deportes
e) economía
f) ciencia y tecnología
g) arte y cultura
h) ocio y espectáculos

Contador gana el Tour de Francia.

Lista de novelas más vendidas en el mundo el año pasado.

Se convocan elecciones en Bolivia.

El alcalde de tu ciudad inaugura/ abre un parque nuevo.

Accidente aéreo en (tu país).

SE ESTRENA UNA PELÍCULA DE SPIELBERG.

SE HA DESCUBIERTO UNA VACUNA CONTRA LA MALARIA.

Baja la tasa de desempleo: tres mil parados menos en el último mes.

COMUNICA

3. Programas de televisión.

Relaciona las frases con los tipos de programas televisivos.

a. Generalmente se ve primero en el cine, después en la tele.
b. Salen personas hablando que nunca se ponen de acuerdo.
c. Un tema de actualidad, con imágenes exclusivas, a veces de gran impacto.
d. Son muchos capítulos, la historia es romántica y no muy original.
e. El contenido es científico o cultural. Tienen mucho éxito los de animales.
f. Es un programa corto, siempre los mismos personajes con historias parecidas.
g. Un repaso de todos los temas de actualidad, lo que ha pasado recientemente.
h. Hay premios, normalmente de dinero. Los participantes intentan ganar.

○ reportaje
○ documental
○ noticias
○ telenovela
○ película
○ serie
○ debate
○ concurso

INTERACTÚA

4. Noticias de casa.

En parejas. Comenta alguna noticia tuya o de tu familia o conocidos. Utiliza alguna de estas expresiones.

casarse   tener un bebé / ser padre   morirse   aprobar / suspender un examen (decir cuál)
encontrar / cambiar de trabajo   cambiarse de casa   irse a otra ciudad / otro país

A ... le ha tocado la lotería / le/la han llevado al hospital / le/la han operado / le han dado un premio.

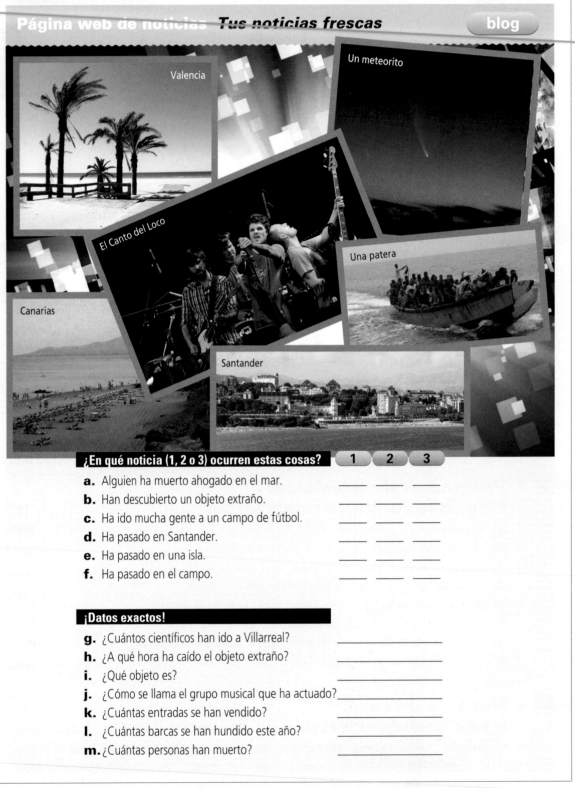

1. Llamadas del oyente.

Escucha tres llamadas de oyentes que quieren contar noticias recientes, y apunta los datos para los redactores de tu web.

Página web de noticias *Tus noticias frescas* **blog**

Valencia

Un meteorito

El Canto del Loco

Una patera

Canarias

Santander

¿En qué noticia (1, 2 o 3) ocurren estas cosas? 1 2 3

a. Alguien ha muerto ahogado en el mar. ____ ____ ____

b. Han descubierto un objeto extraño. ____ ____ ____

c. Ha ido mucha gente a un campo de fútbol. ____ ____ ____

d. Ha pasado en Santander. ____ ____ ____

e. Ha pasado en una isla. ____ ____ ____

f. Ha pasado en el campo. ____ ____ ____

¡Datos exactos!

g. ¿Cuántos científicos han ido a Villarreal? _____

h. ¿A qué hora ha caído el objeto extraño? _____

i. ¿Qué objeto es? _____

j. ¿Cómo se llama el grupo musical que ha actuado? _____

k. ¿Cuántas entradas se han vendido? _____

l. ¿Cuántas barcas se han hundido este año? _____

m. ¿Cuántas personas han muerto? _____

COMUNICA | **2. El Día Internacional de las Buenas Noticias.**

a. En grupos de tres, habla con tus compañeros y piensa cuáles son las seis noticias mejores, de al menos tres secciones distintas: nacional, internacional, local, deportes, arte y cultura, economía, espectáculos y ocio.

b. Preparad las noticias y leedlas a toda la clase como un boletín de radio llamado *Día Internacional de las Buenas Noticias*.

c. Después de escuchar las noticias de toda la clase, se vota por la mejor noticia, la más positiva.

LEE | **3. Portada.**

Lee los titulares de los periódicos de hoy y contesta las preguntas.

Penélope Cruz estrena película

SE CONVOCAN ELECCIONES EN VENEZUELA PARA DENTRO DE DOS MESES.

El Real Madrid gana 3-0 al Bayern de Múnich

Ricky Martin lanza un nuevo disco

LOS TRANSPORTISTAS ARGENTINOS HACEN HUELGA

a. ¿Alguien ha hecho huelga?

b. ¿Algún cantante ha sacado un disco?

c. ¿Hay alguna noticia sobre cine?

d. ¿Ha pasado algo en Venezuela?

e. ¿Hay alguna noticia económica?

f. ¿Ha ganado algún equipo alemán?

SUBE EL PRECIO DEL PETRÓLEO

interactúa

Cuentas experiencias recientes

Escribe un correo a un amigo siguiendo estas instrucciones.

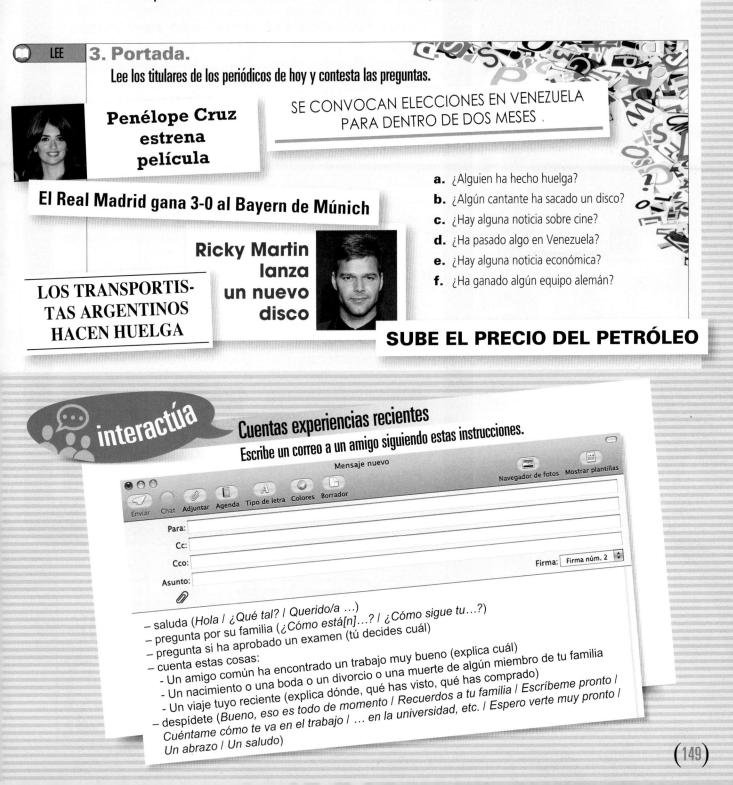

— saluda (*Hola* / *¿Qué tal?* / *Querido/a …*)
— pregunta por su familia (*¿Cómo está[n]…?* / *¿Cómo sigue tu…?*)
— pregunta si ha aprobado un examen (tú decides cuál)
— cuenta estas cosas:
  - Un amigo común ha encontrado un trabajo muy bueno (explica cuál)
  - Un nacimiento o una boda o un divorcio o una muerte de algún miembro de tu familia
  - Un viaje tuyo reciente (explica dónde, qué has visto, qué has comprado)
— despídete (*Bueno, eso es todo de momento* / *Recuerdos a tu familia* / *Escríbeme pronto* /
  Cuéntame cómo te va en el trabajo / *… en la universidad, etc.* / *Espero verte muy pronto* /
  Un abrazo / *Un saludo*)

La prensa en español

LEE **Lee el texto y contesta las preguntas.**

Tirada de periódicos
(en papel)

El País (España): 475 000
El Mundo (España): 365 000
Marca (España): 400 000
Clarín (Argentina): 300 000
El Tiempo (Colombia): 275 000
El Universal (México): 180 000
El Comercio (Perú): 100 000
El Universal (Venezuela): 80 000

Entra en las páginas web de tres medios de comunicación el mismo día y compara las portadas.

1. ¿Cuántas noticias aparecen en los tres medios?

2. ¿Qué noticia se presenta como más importante (mayor tamaño de letra y de fotos, más extensión, etc.) en cada medio? Resume la noticia en una frase: ¿Qué ha pasado?

3. ¿Cómo describirías cada medio?
   a. prensa *seria*
   b. sensacionalista o *amarilla*
   c. prensa deportiva
   d. prensa del corazón o prensa *rosa*
   e. (otra)

LA VANGUARDIA Clarín EL MUNDO
EL MERCURIO EL NACIONAL EL UNIVERSAL

LOS PERIÓDICOS DIGITALES MÁS VISITADOS

www.elmundo.es Es el diario más leído en idioma español con más de un millón de lectores al día.

En su versión *on-line* este diario ofrece todas las secciones y suplementos de su versión escrita y además apartados especiales sobre libros, viajes, salud, economía, Internet, diccionarios, etc.

www.elpaís.com La página del diario *El País* es la segunda más visitada de España en cuanto a noticias se refiere. Solo la mitad de sus visitantes son de España, ya que el resto proviene mayormente de países latinoamericanos.

www.clarín.com El diario Clarín es el principal y más leído de Argentina y su versión *on-line* es la segunda más leída en español.

El 70% de los visitantes son argentinos y el resto se reparte entre lectores de Latinoamérica y España.

www.latercera.cl Es el diario chileno más leído con sede en Santiago y de cobertura nacional. Su versión impresa es la de mayor tirada en todo Chile y su versión *on-line* es la más visitada de su país y la cuarta más leída en idioma español.

Otros destacados diarios digitales son: www.eluniversal.com.mx de México, y www.eltiempo.com de Colombia.

Prensa más especializada:
Marca: periódico deportivo
www.marca.com
¡Hola!: revista del corazón
www.hola.com

Chichén Itzá, México

Competencia pragmática ▼

Eres capaz de...

▶ contar hechos pasados

▶ pedir excusas

▶ expresar el estado de ánimo

Competencia lingüística ▼

Puedes...

▶ conjugar verbos regulares e irregulares en pretérito perfecto simple

▶ usar los marcadores temporales con el pretérito perfecto simple

▶ utilizar los pronombres de objeto directo e indirecto

Competencia sociolingüística ▼

Conoces...

▶ los nombres de los muebles y objetos de un despacho

▶ la vida de dos grandes pintores

Interactúa ▼

▶ analizas los errores

TEST CULTURAL

1. ¿QUIÉN **PINTÓ** *LAS MENINAS*?

   a. Velázquez

   b. Goya

   c. Picasso

2. ¿QUIÉN **ESCRIBIÓ** *EL QUIJOTE*?

   a. Lope de Vega

   b. Calderón

   c. Cervantes

3. ¿QUIÉNES **CONSTRUYERON** LA GRAN PIRÁMIDE DE CHICHÉN ITZÁ?

   a. Los egipcios

   b. Los mayas

   c. Los aztecas

4. ¿QUIÉN **DIO** LA VUELTA AL MUNDO POR PRIMERA VEZ?

   a. Hernán Cortés

   b. Juan S. Elcano

   c. Cristóbal Colón

5. ¿QUIÉN LE **PUSO** EL NOMBRE DE *PACÍFICO* AL OCÉANO ASÍ LLAMADO?

   a. Magallanes

   b. Cristóbal Colón

   c. Núñez de Balboa

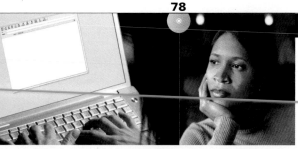

78

PROBLEMAS EN LA OFICINA

1. Escucha el diálogo, contesta verdadero o falso y corrige la información.

Pilar: Hola, Carmen, ¿qué pasó ayer? Esperé tu llamada toda la tarde, pero no me llamaste.

Carmen: ¡Ay!, perdona Pilar, es que fue imposible llamarte. Cuando terminó la conferencia, salí corriendo y me dirigí a la parada del autobús, pero perdí el autobús y no conseguí parar un taxi. Así que me tocó andar. Llegué a mi oficina tarde, me llamó mi jefa y enseguida nos metimos en una reunión. Después de la reunión sirvieron unas tapas y nos quedamos hablando con unos clientes. A las cuatro y media me marché del trabajo deprisa para recoger a mi hija del cole a las cinco, y ya no me acordé de llamarte.

Pilar: Pero te envié un correo por la tarde. ¿No lo recibiste?

Carmen: No lo recibí. Miré los correos por la noche. ¿A qué correo lo mandaste?

Pilar: Pues lo mandé a cmg@edelsa.es.

Carmen: Ese es el antiguo. Debiste mandármelo al correo nuevo: carmenmartinez-arroba-edelsa-punto-es. Te lo apunté en un papel. ¿Te acuerdas?

Pilar: ¡Ah!, perdona, es que me confundí.

	V	F
a. Carmen llamó a Pilar ayer por la tarde.	☐	☐
b. Pilar esperó la llamada de Carmen.	☐	☐
c. Carmen tomó un taxi para volver a su oficina.	☐	☐
d. Cuando llegó a su oficina, su jefa se metió en una reunión.	☐	☐
e. Carmen se marchó del trabajo a las cinco.	☐	☐
f. Pilar le mandó una carta a Carmen.	☐	☐
g. Pilar se equivocó de correo.	☐	☐

PARA AYUDARTE

MARCADORES TEMPORALES CON PRETÉRITO PERFECTO SIMPLE

Ayer esperé tu llamada.
El viernes por la tarde salí a las 9 del trabajo.
El mes pasado trabajé todos los sábados.

PRETÉRITO PERFECTO SIMPLE			
VERBOS REGULARES	**LLAMAR**	**DEBER**	**RECIBIR**
(Yo)	llamé	debí	recibí
(Tú)	llamaste	debiste	recibiste
(Él/ella/Ud.)	llamó	debió	recibió
(Nosotros/as)	llamamos	debimos	recibimos
(Vosotros/as)	llamasteis	debisteis	recibisteis
(Ellos/as/Uds.)	llamaron	debieron	recibieron

UN VIAJE DE TRABAJO

2. Hoy Pilar ha vuelto de un viaje de trabajo y redacta unas notas para contar lo que ha hecho.

a. Salir del hotel.

b. Empezar unas visitas a clientes.

c. Comer con un cliente.

d. Asistir a reuniones en la feria.

e. Escribir varios correos electrónicos.

Ejemplo: Salí del hotel a las siete y media.

EL BINGO DE LO QUE HICIMOS AYER

💬 COMUNICA

3. En grupos de tres o cuatro, cada jugador rellena la página de la agenda con cinco cosas (de la lista) que hizo el fin de semana pasado.

Por turnos, pregunta a alguien del grupo, por ejemplo: *- ¿Comiste en un restaurante el sábado al mediodía?*
- Sí, comí en un restaurante. / No, no comí en un restaurante.

Si responde que sí, marca una cruz (x). Si responde que no, haz otra pregunta a otro compañero, si el segundo también responde *no*, pasa el turno al siguiente.

Gana el primer jugador con tres cruces (xxx).

Para terminar, todos los jugadores dicen las cosas que nadie ha adivinado.

asistir a una fiesta
comer en un restaurante
salir con los amigos
bailar en la discoteca
pasear por el parque
desayunar en la cama
quedarse en casa viendo la tele

Viernes
por la tarde/noche:

Domingo
por la mañana:

Sábado
por la mañana:

al mediodía:

al mediodía:

por la tarde/noche:

por la tarde/noche:

ES QUE...

💬 COMUNICA

4. En parejas. A elige una queja y la dice en voz alta. B tiene que buscar una excusa adecuada.

Quejas
¿Por qué...

... saliste de casa tan tarde ayer?
... no me saludaste ayer?
... tardaste tanto?
... no acabaste los deberes?

Excusas
Es que...

... no te vi.
... de repente me sentí muy enfermo.
... perdí el autobús.
... me llamó una amiga antes de salir.

PARA AYUDARTE
PEDIR EXCUSAS

- ¿Por qué no me llamaste?
- Es que no encontré tu teléfono.

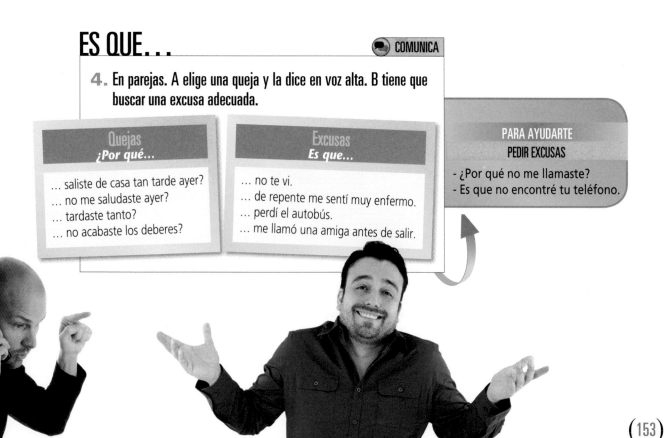

¿QUÉ HICIERON?

79

🔊 ESCUCHA 📖 LEE

1. a. Lee y escucha. Después anota la información correcta en su sitio.

Isabel Velasco

- ¿Conoció usted al famoso director de cine Luis Buñuel?
- Sí, le hice una entrevista en 1980, hace más de treinta años. Me dijo muchas cosas sobre sus películas y su vida personal.
- ¿Y esa entrevista, dónde se la hizo?
- Fui a su casa, en México. Tuve suerte porque estuvo conmigo casi dos horas. Fue muy amable. Me puso un café y me dio una foto dedicada.

Carlos y Amalia

- ¿Qué hicisteis la semana pasada?
- Nos fuimos a Madrid, estuvimos ahí cinco días, hicimos

un curso de informática. Tuvimos prácticas, seminarios y charlas, ya sabes. Estuvo muy bien.
- ¿Y pudisteis dar una vuelta por la ciudad?
- Sí, salimos casi todas las noches, pero poco tiempo, solo para cenar.

Emilio

- ¿Has estado alguna vez en una feria de turismo?
- Sí, estuve hace cuatro meses en la feria de turismo de Barcelona e hice la presentación de una cadena de hoteles.
- ¿Y te pusiste nervioso?
- Bueno, un poco al principio. Pero cuando vi el gran interés de la gente me quedé más tranquilo.

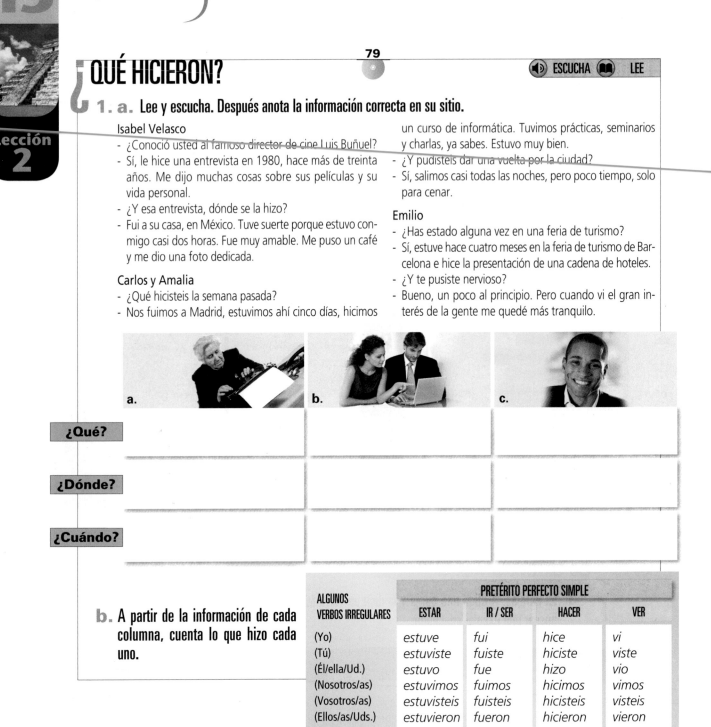

a.   b.   c.

	a.	b.	c.
¿Qué?			
¿Dónde?			
¿Cuándo?			

b. A partir de la información de cada columna, cuenta lo que hizo cada uno.

ALGUNOS VERBOS IRREGULARES	PRETÉRITO PERFECTO SIMPLE			
	ESTAR	IR / SER	HACER	VER
(Yo)	estuve	fui	hice	vi
(Tú)	estuviste	fuiste	hiciste	viste
(Él/ella/Ud.)	estuvo	fue	hizo	vio
(Nosotros/as)	estuvimos	fuimos	hicimos	vimos
(Vosotros/as)	estuvisteis	fuisteis	hicisteis	visteis
(Ellos/as/Uds.)	estuvieron	fueron	hicieron	vieron

💬 INTERACTÚA

CUÉNTAME

2. En grupos de tres o cuatro. Por turnos cada alumno hace preguntas y los compañeros responden con la ayuda de las palabras del cuadro.

Preguntas
¿Qué hiciste / hicisteis... *¿Viste / Visteis a alguien...?*
... ayer?
... el fin de semana pasado?
... la semana pasada?

Posibles respuestas
Estuve / Fui / Tuve / Hice / Di *Estuvimos / Fuimos / Tuvimos/ Hicimos / Dimos*
... en una fiesta / al parque / mucho trabajo / una barbacoa
No, no vi / vimos a nadie.
Sí, vi / vimos a...

LA ÚLTIMA VEZ
💬 COMUNICA

3. En parejas. Pregunta a tu compañero cuándo fue la última vez que hizo alguna de las cosas de la lista. Él responde. Haz otra pregunta sobre el tema. Él explica brevemente.

Ejemplo: - *¿Cuándo fue la última vez que bailaste?*
- *La última vez que bailé fue la semana pasada.*
- *¿Dónde bailaste? o ¿Con quién bailaste?*
- *Fui a la discoteca con unos amigos y…*

bailaste	contaste un chiste
cantaste	tuviste fiebre
te bañaste en el mar	hiciste un regalo a alguien
fuiste a una fiesta

💬 INTERACTÚA

¿QUIÉN LO HIZO POR PRIMERA VEZ?

4. a. Relaciona y forma frases como en el ejemplo.

Ejemplo: Bill Haley tocó por primera vez rock n' roll.

a. Tocar *rock n' roll*   **1.** los chinos
b. Crear una vacuna   **2.** Edmund Hillary
c. Pisar la Luna   **3.** Bill Haley
d. Llegar a la cima del Everest **4.** Neil Armstrong
e. Usar la pólvora   **5.** Louis Pasteur
f. Comer una especie de *pizza* **6.** Cristóbal Colón
g. Mascar chicle   **7.** los griegos
h. Descubrir América   **8.** los americanos

b. Luego, en parejas, cada uno piensa en otra actividad y en quién lo hizo por primera vez, y el otro debe adivinarlo.

¿A QUÉ/QUIÉN SE REFIERE?
🔍 OBSERVA

5. Lee estas frases y di a qué o a quién se refieren las palabras subrayadas.

Luis: (1) <u>Te</u> mandé un correo. ¿No (2) <u>lo</u> recibiste?
Susana: No, ¿cuándo (3) <u>me</u> (4) <u>lo</u> mandaste?
Luis: El sábado. (5) <u>Se</u> (6) <u>lo</u> mandé también a Sergio y él (7) <u>lo</u> recibió.

Se refiere a Susana _____   Se refiere al correo _____

Se refiere a Sergio _____

¿Cuáles de estas palabras son complemento directo y cuáles complemento indirecto?

¡OJO!

La 3.ª persona del singular del pretérito perfecto simple de los verbos en -AR se parece a la 1.ª persona del singular del presente de los verbos en -AR.
La única diferencia es la tilde.

Ayer Pablo me llamó por teléfono.
Hoy le llamo yo.

PRETÉRITO PERFECTO SIMPLE DE LOS VERBOS REGULARES

	LLAMAR	DEBER	RECIBIR
(Yo)	llamé	debí	recibí
(Tú)	llamaste	debiste	recibiste
(Él/ella/Ud.)	llamó	debió	recibió
(Nosotros/as)	llamamos	debimos	recibimos
(Vosotros/as)	llamasteis	debisteis	recibisteis
(Ellos/as/Uds.)	llamaron	debieron	recibieron

PRETÉRITO PERFECTO SIMPLE DE ALGUNOS VERBOS IRREGULARES

	ESTAR	IR / SER	VER	TENER	HACER	DAR
(Yo)	estuve	fui	vi	tuve	hice	di
(Tú)	estuviste	fuiste	viste	tuviste	hiciste	diste
(Él/ella/Ud.)	estuvo	fue	vio	tuvo	hizo	dio
(Nosotros/as)	estuvimos	fuimos	vimos	tuvimos	hicimos	dimos
(Vosotros/as)	estuvisteis	fuisteis	visteis	tuvisteis	hicisteis	disteis
(Ellos/as/Uds.)	estuvieron	fueron	vieron	tuvieron	hicieron	dieron

El pretérito perfecto simple del verbo *ser* tiene la misma forma que el verbo *ir*.

Uso: expresa una acción realizada y acabada en el pasado.
El año pasado viajé a Nueva York.

1. Escribe el verbo en pretérito perfecto simple.

a. - ¿Qué (hacer, tú) .... el domingo por la tarde?

- Pues (ir, yo) .... al cine y (ver) .... una película estupenda.

b. El sábado pasado (ser) .... mi cumpleaños, mi novia y yo (dar) .... una fiesta en casa con todos nuestros amigos. (Estar) .... todos reunidos desde las 2 de la tarde hasta las 12 de la noche. Así que (comer) .... y (cenar) .... todos juntos. (Ser) .... una fiesta estupenda.

c. Ayer (tener, nosotros) .... un día horroroso en la oficina. (Trabajar) .... hasta las nueve de la noche y no (tener) .... tiempo ni para comer.

d. - ¿Donde (estudiar) .... tú, Encarna?

- Yo (hacer) .... la carrera en Valladolid y después (trabajar) .... dos años en la universidad de Salamanca.

e. - Álvaro, ¿qué (cenar) .... los niños anoche?

- Pues María (cenar) .... una tortilla francesa y Pablo no (comer) .... nada.

f. Mis compañeros de la universidad no (salir) .... el fin de semana. Ni (ir) .... al cine ni (hacer) .... nada interesante.

/ 21

2. Clasifica los verbos del ejercicio anterior en la columna correspondiente:
hacer, beber, ver, ser, dar, estar, comer, cenar, tener, trabajar, estudiar, salir.

Pret. perf. simple regulares	Pret. perf. simple irregulares
....	....
....	....
....	....
....	....
....	....
....	....

MARCADORES TEMPORALES

El pretérito perfecto simple suele utilizarse con los siguientes marcadores temporales:

Ayer
La semana pasada
El mes pasado   *estuve en Buenos Aires.*
El año pasado
Hace dos años

/ 12

3. **Completa las frases con presente o pretérito perfecto simple. Fíjate en los marcadores temporales.**

a. Los sábados normalmente (estudiar, yo) ...., pero el sábado pasado no (estudiar) ....

b. Anoche nos (ir) .... a la cama muy tarde porque hoy no (trabajar) ....

c. - ¿(Conocer, tú) .... Panamá?

   - Sí, (estar, yo) .... allí el año pasado.

   - ¿Y te (gustar) ....?

   - Sí, mucho. Y además me lo (pasar) .... muy bien.

d. Generalmente (comer, ellos) .... en casa, pero ayer (comer) .... en un restaurante.

e. La semana pasada Germán (tener) .... un accidente de tráfico, pero ya (estar) .... bien.

f. Ayer (ver, nosotros) .... una buena película. De verdad, te la (recomendar) ....

g. El año pasado mi novia (estar) .... en Tenerife. (Hacer) .... muchas excursiones: (ir) .... al Teide y (ver) .... el cráter del volcán.

| / 18 |

PRONOMBRES DE OBJETO

	DIRECTO	INDIRECTO
(Yo)	*me*	*me*
(Tú)	*te*	*te*
(Él/ella/Ud.)	*lo / la*	*le / se*
(Nosotros/as)	*nos*	*nos*
(Vosotros/as)	*os*	*os*
(Ellos/as/Uds.)	*los / las*	*les / se*

Cuando hay dos pronombres, primero va el indirecto y luego el directo.

- ¿*Me* mandas **esta información** por correo electrónico?

- Sí, **te la** mando.

Cuando el indirecto *le, les* va seguido del directo *lo, la, los, las,* el indirecto se cambia por **se**.

Le, les + lo, la, los, las = **se** + lo, la, los, las.

Luis mandó una postal a Susana. = Luis se la mandó.

Es habitual nombrar el complemento indirecto dos veces con un pronombre indirecto antes del directo, y con un pronombre o un sustantivo detrás del verbo y la preposición *a*:

Te lo di **a ti. Se** la envió **a su mujer.**

En general los pronombres van delante del verbo. Sin embargo, pueden ir detrás cuando el verbo va en infinitivo y en gerundio.

¿*Me lo* vas a dar? / ¿*Vas a dármelo*?

Me lo estoy comiendo. / Estoy comiéndo**melo**.

Cuando el verbo va en imperativo, los pronombres van siempre detrás.

Déjame este bolígrafo.

4. **Subraya los complementos de objeto directo e indirecto y cámbialos por pronombres, primero por separado, y luego los dos a la vez, como en el ejemplo.**

Ejemplo: Pablo ofrece una tarta a sus amigos. / Pablo la ofrece a sus amigos. / Pablo les ofrece una tarta. / Pablo se la ofrece.

a. Marta dio los regalos a sus sobrinos. ....

b. Manda estos correos a nuestros clientes, por favor. ....

c. No hay que contar secretos a Ignacio. ....

d. ¿Vas a enviar flores a tu jefa? ....

e. Sergio nunca presta su coche a sus amigos. ....

f. El abuelo está contando historias a sus nietos. ....

| / 6 |

5. **En los diálogos siguientes, completa las contestaciones con los pronombres adecuados.**

a. - ¿A quién enviaste la postal, a Teresa?   - No, ... envié a Maite.

b. - ¿A quién has contado tu secreto?   - Solo .... he contado a vosotros.

c. - No me has dado ningún regalo.   - .... di el mes pasado por tu cumple.

d. - ¿Qué hiciste con tus sellos antiguos?   - .... regalé a mi sobrino.

e. - Lo siento, no puedo ir contigo al partido.   - ¡Pero tú .... prometiste!

f. - ¿Dónde has comprado esas gafas?   - .... compró mi madre en Francia.

| / 12 |

13

📖 LEE **1. ¿Qué sienten?**

Relaciona las imágenes con los diálogos.

a. - Pareces estresado. ¿Te pasa algo?
- Estoy **preocupado**. Ayer perdí mi trabajo.

b. - Me parece que estás **enfadado**. ¿Qué pasa?
- Nada, que mi novia se olvidó ayer de mi cumpleaños.

c. - Tienes cara **triste**. ¿Qué te pasa?
- Me acuerdo mucho de mi perro. Se murió la semana pasada.

d. - Elena, ¿no te lo pasaste bien en la fiesta?
- Pues no, estuve **aburrida** todo el rato. Nadie bailó.

e. - ¿Sabes que aprobé todos los exámenes?
- ¡Hombre!, estás **contento**, ¿verdad?

f. - ¡Oye, Lorena!, ¿por qué no vienes a la fiesta?
- ¡Uf! No, gracias, estoy muy **cansada**. Ayer salí y no dormí casi nada.

g. - Tienes examen mañana. ¿No estás **nervioso**?
- Pues sí. Ya llevo cinco exámenes, pero sigo nervioso.

h. Estoy **tranquila**. Yo no hice nada malo.

📖 LEE **2. ¿Qué pasó?**

Lee otra vez los diálogos y subraya los verbos que se refieren a acciones pasadas.

PRONUNCIACIÓN Y ORTOGRAFÍA

LA TILDE EN LOS VERBOS

🔊 ESCUCHA **80**

1. Tilde.

Escucha y repite cada frase; luego pon una tilde en el verbo si es necesario.

a. Yo no **hablo** mucho, pero mi hermano sí. Ayer **hablo** durante toda la cena.

b. Señora Martínez, usted me **llamo** ayer, así que hoy la **llamo** yo.

c. - ¿Te **toco** la lotería?
- No **se**.

📖 LEE **2. Acentuación.**

Ahora lee en voz alta estas frases, subraya en todos los verbos la sílaba acentuada, y escribe la tilde si es necesario

a. ¿Hablaste ya con tu primo?
b. Nunca ceno antes de las diez.
c. Llevo a mi hijo al cole todos los días.
d. ¿Con quién hablas?
e. Hable con Carmen la semana pasada.
f. Anoche cene con unos amigos.

81

🔊 ESCUCHA Ahora escucha y comprueba.

Conoces... Los nombres de los muebles y objetos de un despacho ◀ **LÉXICO**

13

🔍 OBSERVA

1. En la oficina.

Mira el dibujo y relaciona las palabras de la lista con los números de los objetos.

○ **Los bolígrafos**
○ **Los lápices**
○ **La goma**
○ **Los discos**
○ **Los cajones**
○ **El ordenador**
○ **El portátil**
○ **La pantalla**
○ **El enchufe**
○ **El florero**
○ **La impresora**
○ **El ratón**
○ **La caja fuerte**
○ **Los cables**

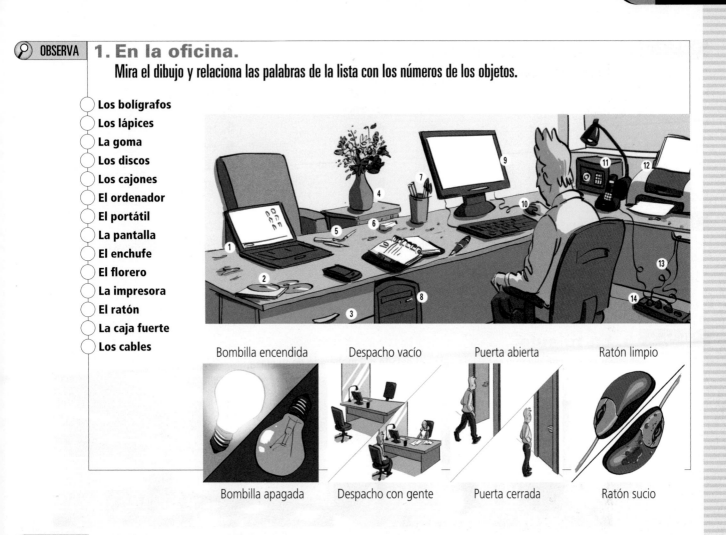

Bombilla encendida — Despacho vacío — Puerta abierta — Ratón limpio

Bombilla apagada — Despacho con gente — Puerta cerrada — Ratón sucio

💬 COMUNICA

2. Robo en la oficina.

Ayer entraron unos ladrones en la oficina. La periodista habla con el inspector de Policía y le hace preguntas. Mira la ilustración y responde las preguntas.

a. ¿Han roto algo los ladrones?
b. ¿Falta algo?
c. ¿Qué ha pasado con el cable del teléfono?
d. ¿Alguien fumó?

e. ¿El ordenador está encendido?
f. ¿Se llevaron algunos discos?
g. ¿Hay algo en la caja fuerte?
h. ¿Se ve dinero?

ESCRIBE

3. Grande o pequeño.
Relaciona los contrarios.

a. moderno	**1.** incómodo
b. cómodo	**2.** ocupado
c. abierto	**3.** vacío
d. limpio	**4.** cerrado
e. lleno	**5.** sucio
f. nuevo	**6.** viejo
g. encendido	**7.** clásico
h. libre	**8.** apagado

INTERACTÚA

4. ¿Cómo está la oficina?
En parejas, pregunta y contesta sobre todo lo que ves en la oficina de la p. 159 utilizando los adjetivos de arriba.

Ejemplo: *¿Está libre la silla? No, está ocupada.*
¿Son los muebles de la oficina modernos? No, no son muy modernos.

COMUNICA

5. En tu aula.
En grupos, pregunta y responde sobre el estado del mobiliario de tu clase.

Ejemplo: *¿Están limpias las ventanas? Bueno, regular.*

ESCRIBE

6. ¿Cómo está?
Completa las frases con el adjetivo adecuado.

a. - ¿Está .... tu móvil? Te llamo y no suena.
- No, lo siento. Está ....

b. - ¿Está .... el cuarto de baño?
- No, ahora mismo está .... Espera un minuto, por favor.

c. - ¿Qué comemos hoy?
- Pues no sé, la verdad, el frigorífico está casi .... Tenemos que ir al supermercado.

d. Los muebles de casa de mis abuelos son muy ...., pero los nuestros son .... Tenemos gustos diferentes.

e. - ¿Está la ventana ....? Hace frío.
- No, está .... Es que la calefacción no funciona.

f. Da gusto entrar en su oficina. Todo está .... y ordenado. Sin embargo, la mía es un desastre. Todo está .... y desordenado.

g. El ratón de mi ordenador es muy ...., es inalámbrico.

h. La alfombra de la sala de reuniones estaba bastante .... y la cambiamos por una ....

Después del robo en la oficina, el comisario Olmedo sospecha que Marcos *El Mazas* es el ladrón, pero él dice que el fin de semana pasado estuvo de viaje.

OBSERVA

1. El sospechoso.

Lee todos los documentos que la policía encontró en los bolsillos de Marcos.

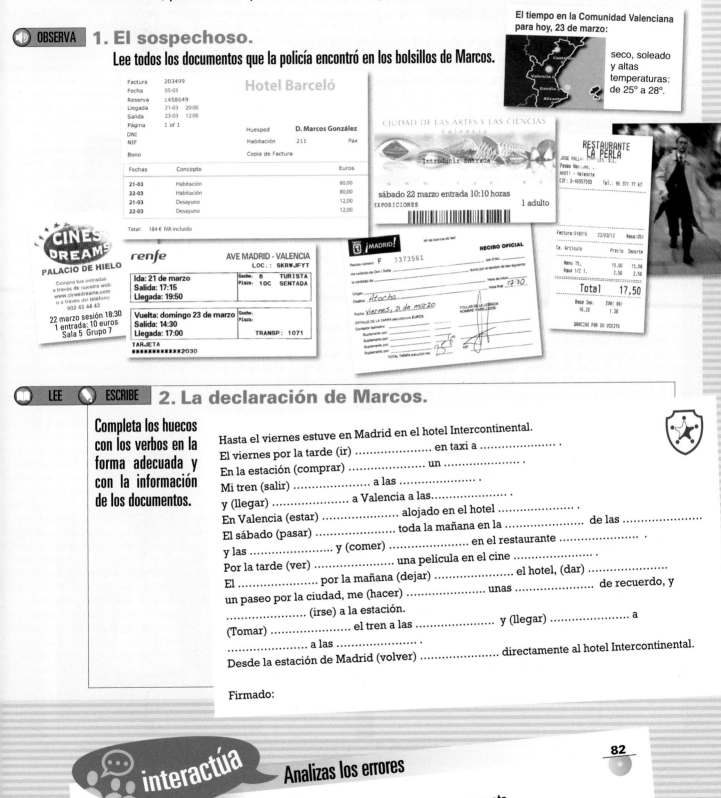

El tiempo en la Comunidad Valenciana para hoy, 23 de marzo:

seco, soleado y altas temperaturas: de 25º a 28º.

Hotel Barceló

Factura	203499
Fecha	05-03
Reserva	1458649
Llegada	21-03 20:00
Salida	23-03 12:00
Página	1 of 1
DNI	
NIF	
Bono	

Huesped **D. Marcos González**
Habitación 211 Pax
Copia de Factura

Fechas	Concepto	Euros
21-03	Habitación	80,00
22-03	Habitación	80,00
21-03	Desayuno	12,00
22-03	Desayuno	12,00

Total: 184 € IVA incluido

CIUDAD DE LAS ARTES Y LAS CIENCIAS
Valencia

Introducir Entrada

w w w . c a e . e s

sábado 22 marzo entrada 10:10 horas
EXPOSICIONES 1 adulto

RESTAURANTE LA PERLA
JOSE PALLA...
Paseo Neptuno, .
46011 - Valencia
CIF: B-46957593 Tel.: 96 371 77 67

Factura:018316 22/03/12 Mesa:051

Ca. Artículo	Precio	Importe
Menu 15..	15.00	15.00
Agua 1/2 l.	2.50	2.50
Total		**17.50**
Base Imp.	IVA(88)	
16.20	1.30	

GRACIAS POR SU VISITA

CINES DREAMS
PALACIO DE HIELO
Compra tus entradas a través de nuestra web:
www.cinesdreams.com
o a través del teléfono
902 43 44 43
22 marzo sesión 18:30
1 entrada: 10 euros
Sala 5 Grupo 7

renfe AVE MADRID - VALENCIA
LOC.: SKRWJFYT

Ida: 21 de marzo	Coche: 8 TURISTA
Salida: 17:15	Plaza: 10C SENTADA
Llegada: 19:50	

Vuelta: domingo 23 de marzo	Coche:
Salida: 14:30	Plaza:
Llegada: 17:00	TRANSP: 1071

TARJETA
**************2030

¡MADRID!

Nº de licencia de taxi:
RECIBO OFICIAL
Recibo número: F 3373561
He recibido de Don / Doña con D.N.I.
euros por el servicio de taxi siguiente:
La cantidad de
Hora de inicio
Hora final 17'30
Origen Atocha
Destino
Fecha viernes, 21 de marzo
TITULAR DE LA LICENCIA
NOMBRE Y APELLIDOS
DETALLE DE LA TARIFA (INCLUIDO IVA) EUROS
Contador taxímetro:
Suplemento por:
Suplemento por:
Suplemento por:
Suplemento por:
NIF:
TOTAL TARIFA (INCLUIDO IVA)

LEE **ESCRIBE**

2. La declaración de Marcos.

Completa los huecos con los verbos en la forma adecuada y con la información de los documentos.

Hasta el viernes estuve en Madrid en el hotel Intercontinental.
El viernes por la tarde (ir) .... en taxi a ....
En la estación (comprar) .... un ....
Mi tren (salir) .... a las ....
y (llegar) .... a Valencia a las.................... .
En Valencia (estar) .... alojado en el hotel ....
El sábado (pasar) .... toda la mañana en la .... de las ....
y las .... y (comer) .... en el restaurante ....
Por la tarde (ver) .... una película en el cine ....
El .... por la mañana (dejar) .... el hotel, (dar) ....
un paseo por la ciudad, me (hacer) .... unas .... de recuerdo, y
.... (irse) a la estación.
(Tomar) .... el tren a las .... y (llegar) .... a
.... a las ....
Desde la estación de Madrid (volver) .... directamente al hotel Intercontinental.

Firmado:

interactúa Analizas los errores

82

Escucha la conversación y, en parejas, identifica cuáles son los errores que comete.
Además de las mentiras de Marcos, ¿cuál es su otro error? ¿Cómo crees que consiguió todos los documentos?

Quizá.../Creo que...

La vida de dos grandes pintores

📖 **LEE** **Lee el texto y contesta las preguntas.**

Velázquez, Goya, Pablo Picasso o Diego Rivera son pintores con fama internacional. Son famosos por la manera en que utilizaron sus técnicas y por aspectos muy particulares de su vida y de su personalidad.

Aquí presentamos a dos grandes artistas de habla hispana: Salvador Dalí y Frida Kahlo.

SALVADOR DALÍ
(1904-1989)

Teatro-Museo Dalí, Figueras, España

- Me llamo Salvador Dalí i Domènech y nací en Figueres, Cataluña, España.

- Desde muy joven demostré habilidades de pintor.

- Reflejé mi gusto excéntrico en mis cuadros.

- Utilicé diferentes estilos artísticos hasta que encontré un estilo personal.

- En 1929 me uní al grupo de surrealistas en París.

- En 1931 pinté mi obra maestra *La persistencia de la memoria*, también conocida como *Los relojes blandos*.

- Soy considerado el pintor más importante del movimiento surrealista.

La persistencia de la memoria

En el centro de la composición puedes ver el autorretrato de Dalí con la lengua fuera.

FRIDA KAHLO
(1907-1954)

La Casa Azul, Museo Frida Kahlo, México

- Me llamo Frida Kahlo y nací en Coyoacán, al sur de la Ciudad de México, el 6 de julio de 1907.

- Empecé a pintar a los 16 años, después de un grave accidente y estuve tres meses de recuperación.

- La mayoría de mis pinturas son autorretratos que reflejan mi vida.

- Me gustan mucho los monos araña y vestir como Tehuana.

- Tres años después de mi accidente conocí a Diego Rivera y me animó a seguir pintando.

- Fue el gran amor de mi vida y nos casamos un año más tarde.

- Por mi accidente nunca pude tener hijos y eso fue un gran dolor para mí. Muchas de mis pinturas lo demuestran.

- Expertos en pintura dicen que soy surrealista y otros, realista.

En 1930 la experiencia de vivir en Estados Unidos, extrañando su tierra y sintiéndose sola fue el motivo de inspiración para su pintura.

Autorretrato en la frontera entre México y Estados Unidos

Fragmento de *Pintores de España e Hispanoamérica*, Ministerio de Educación y Ciencia

1. ¿De dónde eran los dos pintores?

2. ¿Cuál es el cuadro más importante de Salvador Dalí? Explícalo.

3. ¿Qué demuestran muchos cuadros de Frida Kahlo?

4. ¿Quién de los dos pintores...
   a. hace muchos autorretratos?
   b. muestra un gusto excéntrico en sus cuadros?
   c. se casó con otro pintor?

5. De los dos pintores di cuál prefieres y por qué.

Plaza Vieja, La Habana, Cuba

VIAJES DE ANTES

14

Competencia pragmática ▼

Eres capaz de...

▶ contar costumbres del pasado

▶ comparar

▶ expresar la posesión

▶ hablar del tiempo meteorológico

Competencia lingüística ▼

Puedes...

▶ conjugar verbos en pretérito imperfecto

▶ usar las estructuras comparativas y los adjetivos comparativos irregulares

▶ utilizar los pronombres posesivos

Competencia sociolingüística ▼

Conoces...

▶ los nombres relacionados con los viajes

▶ los viajes de los grandes navegantes del siglo XVI en América

Interactúa ▼

▶ Preguntas por los servicios de un hotel

¿RECUERDAS CUANDO ERAS PEQUEÑO?

1. EN PAREJAS. HÁBLALE A TU COMPAÑERO DE:

　a. Tu trabajo.

　b. Tu comida favorita.

　c. Tu programa de tele preferido.

　d. Lo que te gusta hacer en tu tiempo libre.

2. AHORA TU COMPAÑERO TE PREGUNTA:

　a. ¿Qué querías ser cuando eras pequeño?　　Quería ser…

　b. ¿Cuál era tu comida favorita?　　Era…

　c. ¿Cuál era tu programa preferido?　　Era…

　d. ¿A qué te gustaba jugar?　　Me gustaba…

CUENTA TU ÚLTIMO VIAJE

　a. ¿Cómo viajaste (en avión, tren, autobús, coche, etc.)?

　b. ¿Adónde fuiste?

　c. ¿Cuánto duró el viaje?

　d. ¿Qué es lo que más te gustó y lo que menos?

　e. ¿Te hizo buen tiempo?

LOS VIAJES DE NUESTROS ABUELOS

 LEE

1. Lee el texto y subraya los verbos en pretérito imperfecto. Escribe cómo eran los viajes de antes y cómo son los de ahora.

ANTES

La gente viajaba menos.
Viajar era más caro.

....
....
....
....

AHORA

La gente viaja más.
Viajar es más barato.

....
....
....
....

En aquella época nosotros no viajábamos tanto como la gente de ahora. Era más caro, y más difícil. Por ejemplo, las carreteras eran mucho peores que las de ahora. Los coches también eran peores. Los aviones y los trenes eran mucho más lentos. No había aviones a reacción, los aviones funcionaban con hélices.

Yo iba en tren todos los veranos a la playa. Recuerdo que el tren hacía muchas paradas, y a veces muy largas. Salíamos del tren a beber, a comer, dábamos paseos para estirar las piernas. En las ciudades no había problemas de tráfico. Muy poca gente tenía coche propio. La gente andaba mucho, o iba en metro (que tenía menos líneas que ahora), o en tranvía.

PRETÉRITO IMPERFECTO

| | VERBOS REGULARES | | | VERBOS IRREGULARES | |
	VIAJAR	HACER	SALIR	SER	IR
(Yo)	viajaba	hacía	salía	era	iba
(Tú)	viajabas	hacías	salías	eras	ibas
(Él/ella/Ud.)	viajaba	hacía	salía	era	iba
(Nosotros/as)	viajábamos	hacíamos	salíamos	éramos	íbamos
(Vosotros/as)	viajabais	hacíais	salíais	erais	ibais
(Ellos/as/Uds.)	viajaban	hacían	salían	eran	iban

💬 COMUNICA

COSTUMBRES QUE CAMBIAN

2. En parejas. Siguiendo el ejemplo, A hace una pregunta con el vocabulario de la lista, y B contesta que *no* e inventa la respuesta.

Ejemplo:

A: ¿Sales con Cristina?

B: No, salía con ella antes. Ahora salgo con Lola.

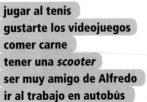

jugar al tenis
gustarte los videojuegos
comer carne
tener una *scooter*
ser muy amigo de Alfredo
ir al trabajo en autobús

RECUERDOS DE MI NIÑEZ 💬 INTERACTÚA

3. En parejas, por turnos, preguntamos y respondemos sobre cosas de nuestra niñez.

Ejemplo:

A: Cuando eras pequeña, ¿a qué colegio ibas?

B: Iba a un colegio privado enfrente de mi casa. ¿Y tú?

A: Yo iba a un colegio público muy pequeño, en el pueblo.

B: Cuando eras pequeño, ¿a qué jugabas?

A: Jugaba a...

Podéis hablar de los temas siguientes o añadir otros.

jugar   ir al colegio   pasar las vacaciones
vivir en...   ver programas   tener juguetes
gustar las Matemáticas   visitar a...

🔍 OBSERVA ✎ ESCRIBE

BEGOÑA Y ANDRÉS

4. Mira las ilustraciones de Andrés y Begoña y escribe cinco frases comparándolos. Puedes usar estas palabras.

| alto/a | bajo/a | rubio/a | moreno/a | simpático/a | serio/a | comer más/menos | tocar la guitarra mejor/peor |

COMPARACIONES DE SUPERIORIDAD E INFERIORIDAD

Para comparar una cualidad entre dos personas o cosas:

A es **más** + adjetivo + **que** B   *Begoña es más divertida que Andrés.*
B es **menos** + adjetivo + **que** A   *Andrés es menos divertido que Begoña.*

Para comparar una acción hecha por dos personas:

A + verbo + **más** + adverbio + **que** B   *Andrés corre más rápido que Begoña.*
B + verbo + **menos** + adverbio + **que** A   *Begoña corre menos rápido que Andrés.*

Para comparar cantidad o intensidad:

*Andrés duerme **más que** Begoña.*   *Begoña duerme **menos que** Andrés.*
*Begoña tiene **más** dinero **que** Andrés.*   *Andrés tiene **menos** dinero **que** Begoña.*

Comparativos irregulares:

*Andrés canta **mejor** que Begoña.*   *Begoña canta **peor** que Andrés.*
bien/bueno > mejor   *mal/malo > peor*

¡CÓMO CAMBIA LA VIDA!   💬 COMUNICA

5. Lee lo que les ha pasado a cada una de estas personas e imagina cómo les ha cambiado la vida. Escribe una frase sobre lo que hacían y otra sobre lo que hacen ahora.

a. Ana ha encontrado un trabajo.

b. Luis ha terminado sus estudios.

c. Lola ha empezado a salir con un chico.

d. Joaquín se ha ido a vivir a Londres.

e. Mi padre se ha jubilado.

f. Mi prima Sandra se ha roto una pierna esquiando.

Ejemplo:

Gabriela ha sido madre por primera vez.

Antes podía dormir más.

Ahora tiene que levantarse por las noches cuando su hija llora.

CONVERSACIONES EN EL AEROPUERTO

83 ◉ ◀)) ESCUCHA 📖 LEE

1. Escucha y relaciona las fotos con los diálogos correspondientes.

1
- ¿Me enseñan el billete y el pasaporte o el carne de identidad, por favor?
- Tome. Este billete es el mío y este, el de mi mujer.
- ¿Tienen equipaje para facturar?
- Solo una maleta.
- Muy bien. ¡Ah!, su vuelo tiene media hora de retraso por la tormenta.
- ¡Vaya!

2
- ¿Qué billetes quiere, de clase turista o primera clase?
- El más barato, por favor.
- El de clase turista entonces. Ya sabe que el asiento es menos cómodo que el de primera.
- Claro, no importa. Prefiero el billete de clase turista.

3
- Toda la familia nos vamos a Canarias, a Tenerife.
- Tenéis suerte. Hace un tiempo magnífico ahí ahora. Hace sol, no hace viento, y no hace ni frío ni calor.
- Hay que ver qué diferencia. Aquí en Madrid está lloviendo y estamos a cinco grados.

4
Camila:	Ya empiezan a salir las maletas. A ver si las nuestras salen pronto.
Eduardo:	La mía es la más grande de todas, es verde y tiene ruedas. ¿La ves?
Camila:	No, la tuya no la veo todavía, pero la mía es esa, creo.
Eduardo:	¿Y no es esa la bolsa de Álex?
Camila:	No, la suya no es tan pequeña.

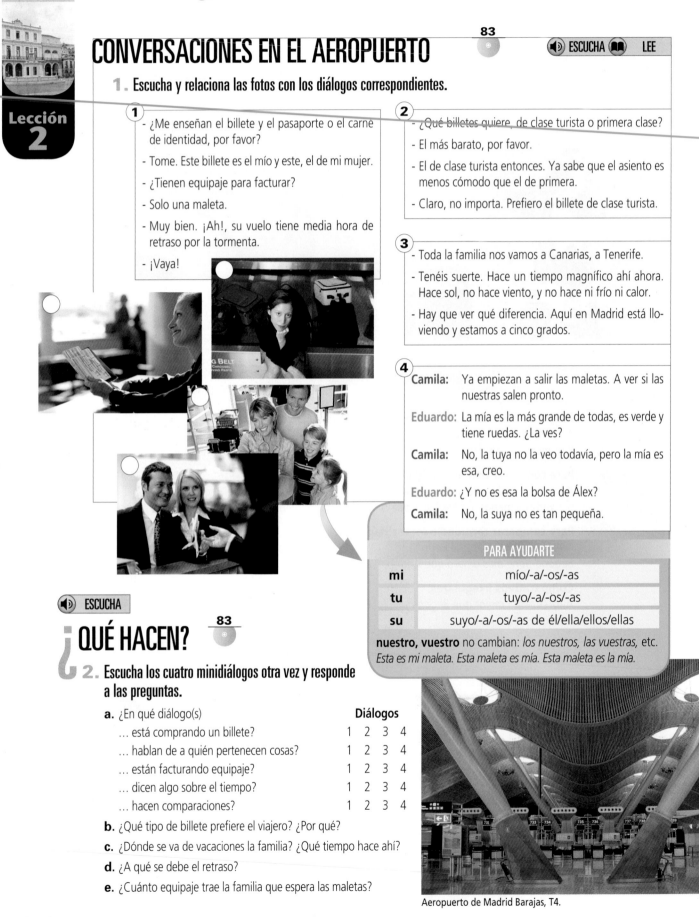

◀)) ESCUCHA

¿QUÉ HACEN?

83 ◉

2. Escucha los cuatro minidiálogos otra vez y responde a las preguntas.

a. ¿En qué diálogo(s)	**Diálogos**
... está comprando un billete?	1 2 3 4
... hablan de a quién pertenecen cosas?	1 2 3 4
... están facturando equipaje?	1 2 3 4
... dicen algo sobre el tiempo?	1 2 3 4
... hacen comparaciones?	1 2 3 4

b. ¿Qué tipo de billete prefiere el viajero? ¿Por qué?

c. ¿Dónde se va de vacaciones la familia? ¿Qué tiempo hace ahí?

d. ¿A qué se debe el retraso?

e. ¿Cuánto equipaje trae la familia que espera las maletas?

PARA AYUDARTE	
mi	mío/-a/-os/-as
tu	tuyo/-a/-os/-as
su	suyo/-a/-os/-as de él/ella/ellos/ellas

nuestro, vuestro no cambian: *los nuestros, las vuestras,* etc.
Esta es mi maleta. Esta maleta es mía. Esta maleta es la mía.

Aeropuerto de Madrid Barajas, T4.

LEE

EN LA ESTACIÓN DE AUTOBUSES

3. Ordena el diálogo.

☐ - Sí, dígame, ¿en qué puedo ayudarle?

☐ - Muy temprano, a las seis y media de la mañana.

☐ - ¿Y a qué hora llega?

☐ - Pues 32 euros ida y vuelta.

☐ - Hola, buenas tardes, ¿es la estación de autobuses del Mediterráneo?

☐ - Estupendo, pues quiero un billete de ida y vuelta, de ventanilla para las seis y media. ¿Cuánto es?

☐ - Sobre las diez, pero depende del tráfico.

☐ - ¿A qué hora sale el primer autobús a Valencia?

¿DÍGAME? 💬 INTERACTÚA

4. En parejas, representad una conversación telefónica parecida entre un viajero y la oficina de información. Podéis inventar el destino, los horarios y los precios.

COMPARAMOS LOS MEDIOS DE TRANSPORTE 💬 COMUNICA

5. Piensa en diversos medios de transporte: el coche, el tren, el autobús, el avión, el barco.
Habla con tus compañeros sobre qué medio es mejor. Compáralos con respecto a los criterios siguientes.

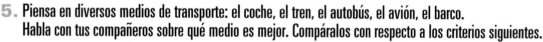

El más barato
El más rápido
El más cómodo
El más divertido
El más seguro
El mejor para hacer amigos
El mejor para ir con mucho equipaje
El mejor para ir con niños
El mejor para ser independiente

💬 INTERACTÚA

¿DE QUIÉN ES?

6. En una bolsa echamos objetos que pertenecen a varios alumnos, sin que los demás los vean y adivinamos de quién son.

Ejemplo: - *Esta goma es de Luis.*

- *No, no es mía, es tuya, Carlos.*

Evalúate

Total ____ / 61

	PRETÉRITO IMPERFECTO				
	REGULARES			IRREGULARES	
	VIAJAR	**HACER**	**SALIR**	**SER**	**IR**
(Yo)	viaj**aba**	hac**ía**	sal**ía**	era	iba
(Tú)	viaj**abas**	hac**ías**	sal**ías**	eras	ibas
(Él/ella/Ud.)	viaj**aba**	hac**ía**	sal**ía**	era	iba
(Nosotros/as)	viaj**ábamos**	hac**íamos**	sal**íamos**	éramos	íbamos
(Vosotros/as)	viaj**abais**	hac**íais**	sal**íais**	erais	ibais
(Ellos/as/Uds.)	viaj**aban**	hac**ían**	sal**ían**	eran	iban

Uso: se usa para describir algo o a alguien en el pasado y para hablar de acciones habituales en el pasado. *Cuando era niña, era muy tranquila y leía todos los días.*

1. Completa las frases con los verbos en pretérito imperfecto.

De niña, me (encantar) .... ir de vacaciones a la playa. Mis hermanos y yo (jugar) .... con la arena y (hacer) .... castillos preciosos. Mi padre nos (ayudar) .... a hacerlos y mi madre (tomar) .... el sol o (leer) .... un libro, tranquila. Me (gustar) .... mucho bañarme. El mar (estar) .... muy caliente. Cuando (salir) .... del agua, (estar) .... cansada y me (dormir) .... en la arena.

/ 11

2. Escribe los verbos en presente o en pretérito imperfecto.

- ¿Qué (hacer) .... tu hermano, en qué (trabajar) ....?

- (Ser) .... fotógrafo para un periódico importante.

- ¿Y (viajar) .... mucho tu hermano?

- Ahora ya no porque (trabajar) .... a nivel nacional, pero antes (ir) .... por todo el mundo. (Hacer) .... los reportajes gráficos para la sección internacional del periódico.

- Cuando (ser) .... niña, no (hacer) .... tanto calor.

- Es verdad. Por ejemplo, antes (nevar) .... casi siempre en diciembre y enero. Ahora, sin embargo, casi nunca (nevar) .... Además, recuerdo que cuando yo (ser) .... pequeño, (llover) .... más a menudo, y no (hacer) .... tanto calor en verano. Todo el mundo (decir) .... que esto (ser) .... por el cambio climático.

/ 16

3. Cuenta lo que le gustaba a tu tío cuando era joven. Escribe los verbos en pretérito imperfecto.

Le gustaba mucho la música ....
....
....
....
....
....
....
....
....
....

Diario de los años 60

Me gusta mucho la música. Soy fan de los Beatles y Los Bravos. Toco la guitarra eléctrica y canto en un grupo. Voy mucho a Londres a comprar discos y ropa. Tengo novia. Se llama Pilar. Los fines de semana nos vamos de excursión al campo en mi moto. Quiero comprarme un coche, pero no puedo porque no tengo dinero. Con la música no ganamos mucho dinero, pero nos divertimos mucho.

/ 12

COMPARATIVOS: SUPERIORIDAD, INFERIORIDAD E IGUALDAD

DE SUPERIORIDAD: *más... que*
con verbos: *Caracas me gusta más que Buenos Aires.*
con sustantivos y adjetivos: *Buenos Aires tiene más habitantes que Caracas.*
                               Buenos Aires es más grande que Caracas.

DE INFERIORIDAD: *menos... que*
con verbos: *Buenos Aires me gusta menos que Caracas.*
con sustantivos y adjetivos: *Caracas tiene menos habitantes que Buenos Aires.*
                               Asunción es menos turística que La Paz.

DE IGUALDAD:
con verbos: ***tanto como***   *Bogotá me gusta tanto como Lima.*
con sustantivos: ***tanto/a/os/as... como***   *Tegucigalpa tiene tantos habitantes como San Salvador.*
con adjetivos: ***tan... como***   *Bogotá es tan grande como Lima.*

ALGUNAS FORMAS COMPARATIVAS IRREGULARES

más grande	mayor	más pequeño	menor
más bueno	mejor	más malo	peor

Mi novio tiene 25 años, yo 21. Mi novio es mayor que yo. Yo soy menor que mi novio.

4. Completa las frases comparativas.

a. Brasil es .... grande .... España y Portugal.

b. Yo tengo 23 años y mi hermana Carmen, 20. Yo soy .... ella. Por tanto, ella es .... yo.

c. Roxana pesa 60 kilos. Elvira, 55. Elvira pesa .... Roxana.

d. Arturo y yo tenemos la misma edad, 34. Arturo es tan .... yo.

e. Panamá tiene .... habitantes .... México.

f. Tu casa y la mía tienen el mismo número de habitaciones. Tu casa es .... grande .... la mía.   **/ 7**

PRONOMBRES POSESIVOS

		Singular			Plural		
		1.ª persona	2.ª persona	3.ª persona	1.ª persona	2.ª persona	3.ª persona
Singular	Masculino	*el mío*	*el tuyo*	*el suyo*	*el nuestro*	*el vuestro*	*el suyo*
	Femenino	*la mía*	*la tuya*	*la suya*	*la nuestra*	*la vuestra*	*la suya*
Plural	Masculino	*los míos*	*los tuyos*	*los suyos*	*los nuestros*	*los vuestros*	*los suyos*
	Femenino	*las mías*	*las tuyas*	*las suyas*	*las nuestras*	*las vuestras*	*las suyas*

Ejemplo: mi bolsa, la mía; mis bolsas, las mías.

5. Subraya la forma correcta.

a. Estas maletas no son *nosotras/nuestras*. Son *ellas/suyas*, de la señora del fondo.

b. - ¿De quién es el móvil que está en el suelo?   - Es *mío/mi*. Se me ha caído.

c. Esta tarjeta de embarque no es la *mía/mi*. Es la *tú/tuya*, Raúl.

d. Me gustan mucho *tuyos/tus* pantalones cortos. Son muy estilosos.

e. ¿Me deja ver *su/suyo* pasaporte, por favor?

f. - ¿Ese libro es *tu/tuyo* o *mío/mi*?   - Es *mi/mío*, aquí está *mi/mío* nombre.

g. - Estos son *suyos/sus* billetes electrónicos.   - No, no son *nosotros/nuestros*.

h. - ¿Dónde están *vosotros/vuestras* llaves?   - *Nuestras/Nosotras* llaves están aquí.   **/ 15**

14

RECURSOS ▶ Eres capaz de... **Hablar del tiempo meteorológico**

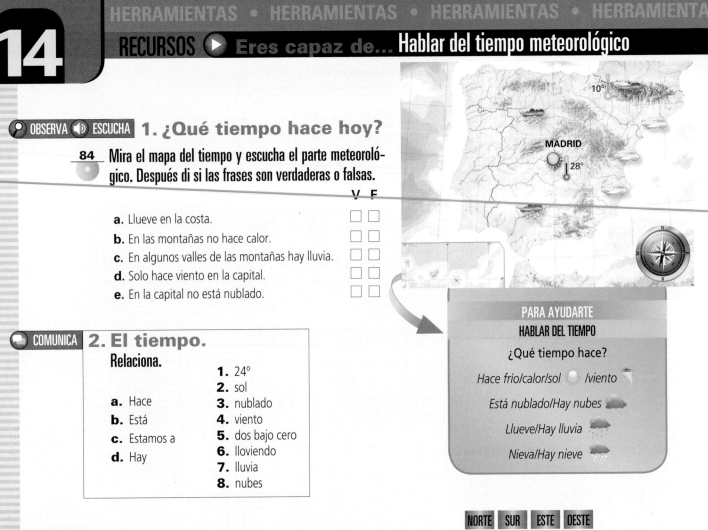

🔍 OBSERVA 🔊 ESCUCHA **1. ¿Qué tiempo hace hoy?**

84 Mira el mapa del tiempo y escucha el parte meteorológico. Después di si las frases son verdaderas o falsas.

	V	F
a. Llueve en la costa.	☐	☐
b. En las montañas no hace calor.	☐	☐
c. En algunos valles de las montañas hay lluvia.	☐	☐
d. Solo hace viento en la capital.	☐	☐
e. En la capital no está nublado.	☐	☐

💬 COMUNICA **2. El tiempo.**
Relaciona.

1. 24°
2. sol
a. Hace   **3.** nublado
b. Está   **4.** viento
c. Estamos a   **5.** dos bajo cero
d. Hay   **6.** lloviendo
                     7. lluvia
                     8. nubes

PARA AYUDARTE
HABLAR DEL TIEMPO
¿Qué tiempo hace?
Hace frío/calor/sol ○ /viento
Está nublado/Hay nubes
Llueve/Hay lluvia
Nieva/Hay nieve

NORTE SUR ESTE OESTE

💬 INTERACTÚA **3. ¿Hace calor en tu ciudad?**

En grupos de tres. Cada uno está en una parte de
un país y escribe qué tiempo hace. Luego, con preguntas y respuestas, todos lo cuentan.

Ejemplo: - *Oye, Chris, ¿hace calor en el sur?*
         - *Bueno, no mucho, estamos a 21 grados.*

21°

temperatura
viento
sol
nubes
lluvia
nieve

PRONUNCIACIÓN Y ORTOGRAFÍA

**SONIDO /G/
DE GUSTO**

🔊 ESCUCHA **1. El bingo de las palabras.**

85 Escucha, repite y tacha las palabras que vas oyendo.

hago	carga	gris
enseguida	guapo	ganas
lingüístico	grito	pingüino

86

SONIDO /G/	A	E	I	O	U
CON LAS VOCALES	ga	gue	gui	go	gu

Cuando se escribe la **u** con
diéresis (**ü**), se pronuncia la u:
agüero, pingüino

🔊 ESCUCHA **2. ¿Cuál es?**

87 Escucha y señala qué
palabra oyes.

	a	b	c	d	e	f	g
1	llego	higo	vago	gata	pago	garra	alegría
2	hierro	hijo	bajo	rata	Paco	jarra	alergia

Conoces... Los nombres relacionados con los viajes ◄ **LÉXICO** **14**

🔍 **OBSERVA** | ## 1. En el aeropuerto.

Relaciona las palabras con su significado.

a. aterrizar | **1.** persona que dirige un avión
b. despegar | **2.** utilizado para no moverse en un medio de transporte
c. piloto | **3.** lo hace un avión al terminar el viaje
d. puerta de embarque | **4.** lo hace un avión al empezar un viaje
e. asiento | **5.** donde se sienta el pasajero
f. cinturón de seguridad | **6.** lugar desde donde se pasa al avión

---

🔍 **OBSERVA** | ## 2. El equipaje.

Relaciona los distintos tipos de equipaje con las fotos.

a. la maleta
b. la mochila
c. la bolsa
d. el maletín

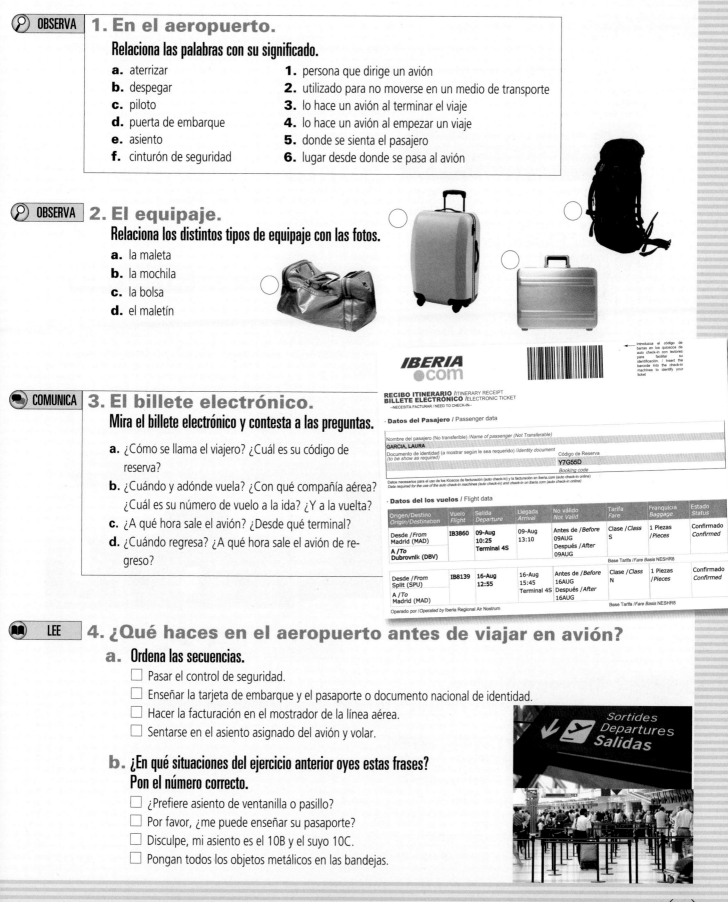

💬 **COMUNICA** | ## 3. El billete electrónico.

Mira el billete electrónico y contesta a las preguntas.

a. ¿Cómo se llama el viajero? ¿Cuál es su código de reserva?

b. ¿Cuándo y adónde vuela? ¿Con qué compañía aérea? ¿Cuál es su número de vuelo a la ida? ¿Y a la vuelta?

c. ¿A qué hora sale el avión? ¿Desde qué terminal?

d. ¿Cuándo regresa? ¿A qué hora sale el avión de regreso?

IBERIA.com

RECIBO ITINERARIO /ITINERARY RECEIPT
BILLETE ELECTRÓNICO /ELECTRONIC TICKET
–NECESITA FACTURAR / NEED TO CHECK-IN–

Introduzca el código de barras en los quioscos de auto check-in con lectores para facilitar su identificación. / Insert the barcode into the check-in machines to identify your ticket

· **Datos del Pasajero** / Passenger data

Nombre del pasajero (No transferible) /Name of passenger (Not Transferable)
GARCIA, LAURA

Documento de identidad (a mostrar según le sea requerido) /Identity document (to be show as required)

Código de Reserva
Y7G55D
Booking code

Datos necesarios para el uso de los Kioscos de facturación (auto check-in) y la facturación en Iberia.com (auto check-in online)
Data required for the use of the auto check-in machines (auto check-in) and check-in on iberia.com (auto check-in online)

· **Datos del los vuelos** / Flight data

Origen/Destino Origin/Destination	Vuelo Flight	Salida Departure	Llegada Arrival	No válido Not Valid	Tarifa Fare	Franquicia Baggage	Estado Status
Desde /From Madrid (MAD) A /To Dubrovnik (DBV)	IB3860	09-Aug 10:25 Terminal 4S	09-Aug 13:10	Antes de /Before 09AUG Después /After 09AUG	Clase /Class S	1 Piezas /Pieces Base Tarifa /Fare Basis NESHR8	Confirmado Confirmed
Desde /From Split (SPU) A /To Madrid (MAD)	IB8139	16-Aug 12:55	16-Aug 15:45 Terminal 4S	Antes de /Before 16AUG Después /After 16AUG	Clase /Class N	1 Piezas /Pieces Base Tarifa /Fare Basis NESHR8	Confirmado Confirmed

Operado por /Operated by Iberia Regional Air Nostrum

📖 **LEE** | ## 4. ¿Qué haces en el aeropuerto antes de viajar en avión?

a. Ordena las secuencias.

☐ Pasar el control de seguridad.
☐ Enseñar la tarjeta de embarque y el pasaporte o documento nacional de identidad.
☐ Hacer la facturación en el mostrador de la línea aérea.
☐ Sentarse en el asiento asignado del avión y volar.

b. ¿En qué situaciones del ejercicio anterior oyes estas frases? Pon el número correcto.

☐ ¿Prefiere asiento de ventanilla o pasillo?
☐ Por favor, ¿me puede enseñar su pasaporte?
☐ Disculpe, mi asiento es el 10B y el suyo 10C.
☐ Pongan todos los objetos metálicos en las bandejas.

Sortides
Departures
Salidas

📖 LEE   💬 COMUNICA   **1. Las ofertas.**

Mira estas dos ofertas web de vuelos de Santiago de Chile a Madrid + hotel. En parejas haz comparaciones entre los vuelos, pensando en:

✈ precio (caro / barato)
✈ tiempo (son más / menos horas)
✈ escalas
✈ comidas (más / mejor)
✈ kilos de equipaje
✈ qué línea aérea es mejor / más conocida
✈ ofertas mejores
✈ calidad de hotel (estrellas, cerca del centro)

SANTIAGO DE CHILE MADRID   **ida y vuelta 684 €**

Vuelo en Aerolíneas Austral (bajo coste) + Hotel Velázquez (5 noches): 250 € **** (en pleno centro de Madrid). Oferta: 1 día de alquiler de coche gratis en Madrid.

CONDICIONES
Escala en Nueva York (duración total de los vuelos: 16 horas).
Máximo una maleta de 22 kilos. Exceso: 5 euros cada kilo.
Desayuno y comidas no incluidas en hotel.

COMPRAR

SANTIAGO DE CHILE - MADRID   **ida y vuelta 880 €**

Vuelo en Líneas Aéreas Intercontinentales (la primera línea aérea en vuelos de América a Europa).
Oferta: 40 euros de productos de venta a bordo del avión.
Hotel Auditorium (5 noches). 350 € ***** (frente al aeropuerto).

CONDICIONES
Vuelo directo sin escalas: 12 horas.
Equipaje máximo: 2 maletas de 22 kilos cada una. Exceso: 150 euros cada maleta adicional. Desayuno en hotel incluido.

COMPRAR

Plaza de Armas, Santiago de Chile

Puerta de Alcalá, Madrid

🎧 ESCUCHA   **2. Me voy a Madrid.**
88

a. Marta se interesa por una de las ofertas por teléfono. ¿De cuál de las dos están hablando?

b. Escucha otra vez y contesta las preguntas.

a. ¿Los precios que cita Marta son los mismos que en alguno de las páginas web? ¿Cuál?
b. ¿Le interesa la oferta? ¿Por qué (no)?
c. ¿Tiene restaurante el hotel?
d. ¿A qué hora sale y a qué hora llega el vuelo?
e. ¿Qué opina Marta del horario?
f. ¿Hace Marta una reserva de este viaje?

ESCRIBE **3. Un paseo por Madrid.**

Al día siguiente de llegar, Marta da una vuelta por Madrid y por la tarde escribe un correo a su familia. Completa su correo.

Mensaje nuevo

Enviar   Chat   Adjuntar   Agenda   Tipo de letra   Colores   Borrador   Navegador de fotos   Mostrar plantillas

Para: olgamarin@hotmail.cl
Cc:
Cco:
Asunto: Noticias
📎 foto_cibeles.jpg   Firma: Firma núm. 2

Hola, todos. Ya estoy en Madrid.

El vuelo ....

El hotel está ....

Madrid es muy bonito. Esta mañana he estado en ....

.... y he visitado ....

....

..........., he comido ....

Ahora voy a cenar. Estoy ....

....

Un beso a todos,

Marta

Plaza de la Cibeles, Madrid

---

interactúa

Preguntas por los servicios de un hotel

A: eres el recepcionista; consulta la lista de servicios del hotel y atiende al cliente.

RECEPCIONISTA

Servicios ofrecidos a nuestros clientes:

✔ aparcamiento privado en el sótano (gratis)

✔ restaurante: solo desayuno y comidas

✔ bar (abierto de 10:00 a 01:00)

✔ servicio de habitaciones: solo desayunos, bebidas y sándwiches

✔ Wifi en todas las habitaciones (gratis)

✔ intérpretes, guías (50 € la hora)

✔ niñeras: 30 € la hora

CLIENTE

Necesitas:

✔ usar Internet

✔ una guardería para tu hijo pequeño

✔ desayuno y cena en la habitación

✔ un sitio para aparcar tu coche

✔ un guía para una mañana para visitar la ciudad

Pregunta si tienes que pagar estas cosas aparte.

B: eres el cliente; haz preguntas al recepcionista.

(173)

CONOCES...

Los viajes de los grandes navegantes del siglo XVI en América

📖 LEE | Lee el texto y contesta las preguntas.

Cuando Cristóbal Colón llegó a América en 1492, creyó que era Asia. Esa era su intención: llegar a Japón y China, las «Indias» navegando hacia el oeste. Probablemente murió sin saber que había llegado a un continente nuevo, las «Indias Occidentales». Por eso los europeos empezaron a llamar, equivocadamente, «indios» a los habitantes de esas tierras.

Las tres carabelas

Américo Vespucio fue otro navegante al que los reyes de España y Portugal encargaron explorar las costas de «las Indias». Tras hacer varios viajes entre 1497 y 1508, Américo Vespucio, al parecer, fue el primero en afirmar que era un nuevo continente, y no parte de Asia, como algunos pensaban aún. Por eso un cartógrafo alemán empezó a llamar al nuevo continente «América».

A todo el mundo le extraña el nombre de océano «Pacífico», ya que no es precisamente el más tranquilo de los mares. En realidad el primer europeo que lo vio fue Núñez de Balboa en 1513, que le dio el nombre de «Mar del Sur». Unos años después Magallanes lo cruzó, y tuvo tan buena suerte con el tiempo que no encontró ninguna tormenta, así que lo llamó «Pacífico».

Magallanes fue enviado por el rey de España con una flota para encontrar un camino hacia las Indias Orientales navegando hacia el oeste, el mismo plan que el viaje de Colón.

Magallanes cruzó el Pacífico y llegó a Filipinas, pero ahí murió combatiendo contra los indígenas. Su flota continuó el viaje, pero en vez de regresar por el mismo sitio, el nuevo jefe, Juan Sebastián Elcano, decidió continuar hacia el oeste. De esta forma, Elcano y su tripulación, a bordo del barco «Victoria», fueron los primeros en dar la vuelta al mundo en 1522. Cuatro años más tarde, sin embargo, volvió al Pacífico con la misma nave, y murió de malnutrición, junto con la mayoría de su tripulación. No tuvieron tanta suerte.

¿A quién se refiere cada una de estas frases?

a. Llegó a América intentando llegar a Asia.

b. Exploró las costas de América y afirmó que era un nuevo continente.

c. Llamó al *Pacífico* «Mar del Sur».

d. Murió en Filipinas.

e. Fue el primero en dar la vuelta al mundo.

Cristóbal Colón

● El género y el número

GÉNERO DE NOMBRES Y ADJETIVOS

	Masculino	Femenino
terminados en -o	el veterinario	la veterinaria
terminados en consonante	Él es francés.	Ella es francesa.
con la misma terminación	el/la periodista el/la estudiante Él/Ella es iraní. Él/Ella es canadiense.	

U1, p. 12

EL PLURAL DE LOS NOMBRES Y DE LOS ADJETIVOS

Singular	Plural
compañero – compañera	compañeros – compañeras
café – cafés	
profesor – profesora	profesores – profesoras
iraní – iraníes	
rey – reyes	

U2, p. 24

ADJETIVOS CALIFICATIVOS

Concuerdan en género y número con el nombre al que acompañan.

	Singular	Plural
Masculino	Niño moreno	Niños morenos
Femenino	Chica alta	Chicas altas

Ejemplo:
Mi prima es alta y morena.

U3, p. 36

● Los artículos

ARTÍCULOS DETERMINADOS

	Singular	Plural
Masculino	el	los
Femenino	la	las

Ejemplo:
el hijo   los hijos
la hija   las hijas

La contracción

El artículo determinado masculino se contrae con las preposiciones a y de:

a + el = al *Mi hermana está al lado de mi padre.*

de + el = del *El hijo del vecino se llama Héctor.*

U3, p. 36

RECUERDA

El artículo determinado se usa para hablar de algo o alguien conocido o mencionado con anterioridad.
- *Perdone, ¿dónde está la cafetería Riofrío?*
- *En la plaza de Colón.*

U5, p. 60

ARTÍCULOS INDETERMINADOS

	Singular	Plural
Masculino	un supermercado	unos supermercados
Femenino	una farmacia	unas farmacias

El artículo indeterminado se utiliza para hablar de algo o alguien desconocido o no mencionado con anterioridad.
- *¿Hay una gasolinera cerca?*

U5, p. 60

U5, p. 61

● Las preposiciones y los adverbios de lugar

USO DE LAS PREPOSICIONES A, DE, EN, CON

A: Con las horas. *Maribel come a las dos y media.*
DE: Origen. *Vengo de la universidad.*
EN: Lugar. *Trabaja en un banco.*
CON: Compañía. *Estudio con mi hermana Pepa.*

U6, p. 72

PREPOSICIONES Y ADVERBIOS DE LUGAR

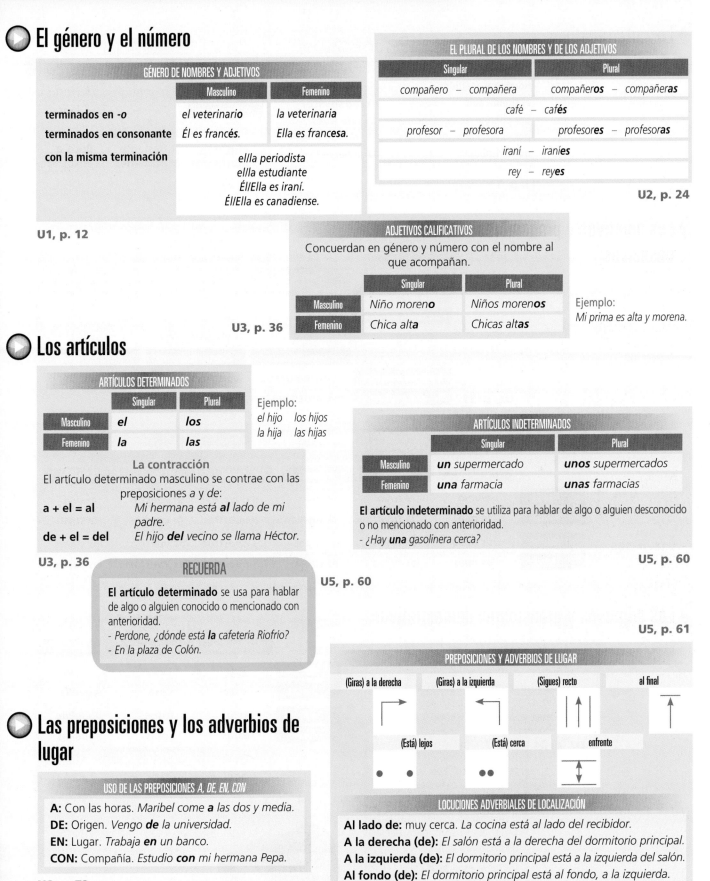

(Giras) a la derecha   (Giras) a la izquierda   (Sigues) recto   al final

(Está) lejos   (Está) cerca   enfrente

LOCUCIONES ADVERBIALES DE LOCALIZACIÓN

Al lado de: muy cerca. *La cocina está al lado del recibidor.*
A la derecha (de): *El salón está a la derecha del dormitorio principal.*
A la izquierda (de): *El dormitorio principal está a la izquierda del salón.*
Al fondo (de): *El dormitorio principal está al fondo, a la izquierda.*
Entre: *El otro dormitorio está entre el dormitorio principal y la cocina.*
Enfrente de: *La cocina está enfrente del cuarto de baño.*

U4, p. 49

▶ Los interrogativos

INTERROGATIVOS	
Preguntar…	
nombre y apellidos	*¿Cómo te llamas?*
el significado	*¿Cómo se dice?*
por el lugar de residencia	*¿Dónde vives?*
por el origen/la nacionalidad	*¿De dónde eres?*
por el trabajo	*¿Qué haces?*

U1, p. 13

EL PRONOMBRE INTERROGATIVO *CUÁNTO*	Singular	Plural
Masculino	*¿Cuánto…?*	*¿Cuántos…?*
Femenino	*¿Cuánta…?*	*¿Cuántas…?*

Los cuantificadores

++ **Mucho/a** + **Bastante** − **Poco/a**
++ **Muchos/as** + **Bastantes** − **Pocos/as**

U4, p. 48

▶ Los adjetivos y pronombres posesivos

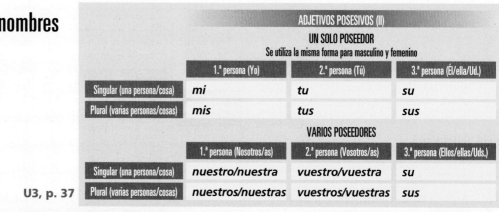

ADJETIVOS POSESIVOS (II)			
UN SOLO POSEEDOR Se utiliza la misma forma para masculino y femenino			
	1.ª persona (Yo)	**2.ª persona (Tú)**	**3.ª persona (Él/ella/Ud.)**
Singular (una persona/cosa)	*mi*	*tu*	*su*
Plural (varias personas/cosas)	*mis*	*tus*	*sus*
VARIOS POSEEDORES			
	1.ª persona (Nosotros/as)	**2.ª persona (Vosotros/as)**	**3.ª persona (Ellos/ellas/Uds.)**
Singular (una persona/cosa)	*nuestro/nuestra*	*vuestro/vuestra*	*su*
Plural (varias personas/cosas)	*nuestros/nuestras*	*vuestros/vuestras*	*sus*

U3, p. 37

Ejemplo:
mi bolsa, la mía;
mis bolsas, las mías.

U14, p. 169

PRONOMBRES POSESIVOS						
	Singular			**Plural**		
	1.ª persona	**2.ª persona**	**3.ª persona**	**1.ª persona**	**2.ª persona**	**3.ª persona**
Singular Masculino	*el mío*	*el tuyo*	*el suyo*	*el nuestro*	*el vuestro*	*el suyo*
Singular Femenino	*la mía*	*la tuya*	*la suya*	*la nuestra*	*la vuestra*	*la suya*
Plural Masculino	*los míos*	*los tuyos*	*los suyos*	*los nuestros*	*los vuestros*	*los suyos*
Plural Femenino	*las mías*	*las tuyas*	*las suyas*	*las nuestras*	*las vuestras*	*las suyas*

▶ Los adjetivos y pronombres demostrativos

Adverbios de lugar

Se utilizan para marcar la distancia.

- *Quiero esas manzanas de ahí, por favor.*
- *No están mal, pero mejor estas de aquí.*
- *¿Y aquellas, las de allí, cómo están?*

U7, p. 84

También existen formas neutras de los pronombres demostrativos: **esto**, **eso**, **aquello**.

Se emplean para hablar de un objeto que tenemos delante o de lo que alguien acaba de decir. No se usan para hablar de personas o animales.

- *¿Qué es **eso**?*
- *No sé. Creo que es una especie de motor.*
- ***Esto** no me gusta nada. («lo que estamos viendo u oyendo»).*

ADJETIVOS Y PRONOMBRES DEMOSTRATIVOS			
	Cerca del hablante	**A poca distancia**	**Lejos del hablante**
Singular Masculino	*este*	*ese*	*aquel*
Singular Femenino	*esta*	*esa*	*aquella*
Plural Masculino	*estos*	*esos*	*aquellos*
Plural Femenino	*estas*	*esas*	*aquellas*
ADVERBIOS DE LUGAR			
	aquí	*ahí*	*allí*

U7, p. 84

aquí   ahí   allí   **U7, p. 84**

▶ Verbos en presente

¡OJO!

Los pronombres *yo, tú, él, ella, usted, nosotros/as, vosotros/as, ellos/as, ustedes* no suelen usarse. Por eso se ponen entre paréntesis.

VERBOS EN PRESENTE

	TRABAJAR	VIVIR	LLAMARSE	SER
(Yo)	trabaj**o**	viv**o**	**me** llam**o**	soy
(Tú)	trabaj**as**	viv**es**	**te** llam**as**	eres
(Él/ella/Ud.)	trabaj**a**	viv**e**	**se** llam**a**	es
(Nosotros/as)	trabaj**amos**	viv**imos**	**nos** llam**amos**	somos
(Vosotros/as)	trabaj**áis**	viv**ís**	**os** llam**áis**	sois
(Ellos/as/Uds.)	trabaj**an**	viv**en**	**se** llam**an**	son

U1, p. 12

VERBOS IRREGULARES

	TENER	SALIR	HACER
(Yo)	**tengo**	**salgo**	**hago**
(Tú)	tienes	sales	haces
(Él/ella/Ud.)	tiene	sale	hace
(Nosotros/as)	tenemos	salimos	hacemos
(Vosotros/as)	tenéis	salís	hacéis
(Ellos/as/Uds.)	tienen	salen	hacen

Estos verbos tienen la misma irregularidad.
La primera persona singular de estos tres verbos acaba en **-go**.

U3, p. 37

VERBOS REGULARES -AR, -ER, -IR EN PRESENTE

	verbos en -ar ESTUDIAR	verbos en -er VENDER	verbos en -ir ESCRIBIR
(Yo)	estudi**o**	vend**o**	escrib**o**
(Tú)	estudi**as**	vend**es**	escrib**es**
(Él/ella/Ud.)	estudi**a**	vend**e**	escrib**e**
(Nosotros/as)	estudi**amos**	vend**emos**	escrib**imos**
(Vosotros/as)	estudi**áis**	vend**éis**	escrib**ís**
(Ellos/as/Uds.)	estudi**an**	vend**en**	escrib**en**

U2, p. 25

VERBOS IRREGULARES

	VENIR	PONER	SABER
(Yo)	vengo	pongo	sé
(Tú)	vienes	pones	sabes
(Él/ella/Ud.)	viene	pone	sabe
(Nosotros/as)	venimos	ponemos	sabemos
(Vosotros/as)	venís	ponéis	sabéis
(Ellos/as/Uds.)	vienen	ponen	saben

U4, p. 49

CONTRASTE SER Y ESTAR

	SER	ESTAR
(Yo)	soy	estoy
(Tú)	eres	estás
(Él/ella/Ud.)	es	está
(Nosotros/as)	somos	estamos
(Vosotros/as)	sois	estáis
(Ellos/as/Uds.)	son	están

SER:
se utiliza para describir: *la habitación es grande y luminosa.*

ESTAR:
se utiliza para localizar: *la habitación está al lado del cuarto de baño.*

U4, p. 49

Se utiliza

▶ *Ustedes* siempre en lugar de *vosotros* en gran parte de Hispanoamérica y en las islas Canarias (España). El verbo va en tercera persona del plural.

Ustedes son muy amables.

▶ *Vos* en lugar de *tú* en Argentina, Uruguay, Paraguay y en algunas zonas de Centroamérica. La forma verbal es distinta.

Vos sos muy amable.

U4, p. 48

DIFERENCIA ENTRE HAY / ESTÁ(N)

Hay (*haber*) se usa para indicar la existencia de algo o alguien.
Hay + art. indeterminado / *dos, tres...* + sustantivo.
En mi ciudad hay unas plazas muy bonitas.

Está(n) se utiliza para situar en el espacio algo o alguien.
Está(n) + art. determinado / adj. posesivo + sustantivo singular/plural.
- ¿Dónde está mi libro?
- Creo que está en el salón.

U5, p. 60

▶ Verbos en presente irregulares

VERBOS IRREGULARES			
	IR*	SEGUIR	CERRAR	DAR
(Yo)	voy	sigo	cierro	doy
(Tú)	vas	sigues	cierras	das
(Él/ella/Ud.)	va	sigue	cierra	da
(Nosotros/as)	vamos	seguimos	cerramos	damos
(Vosotros/as)	vais	seguís	cerráis	dais
(Ellos/as/Uds.)	van	siguen	cierran	dan

*El verbo *ir* es completamente irregular.

U5, p. 61

VERBOS REFLEXIVOS			
	DUCHARSE	ACOSTARSE	VESTIRSE
(Yo)	**me** ducho	**me** acuesto	**me** visto
(Tú)	**te** duchas	**te** acuestas	**te** vistes
(Él/ella/Ud.)	**se** ducha	**se** acuesta	**se** viste
(Nosotros/as)	**nos** duchamos	**nos** acostamos	**nos** vestimos
(Vosotros/as)	**os** ducháis	**os** acostáis	**os** vestís
(Ellos/as/Uds.)	**se** duchan	**se** acuestan	**se** visten

¡OJO!

Acostarse
tiene diptongo.
Vestir cambia la e>i.
Me acuesto. Me visto.

U6, p. 72

U9, p. 109

VERBOS IRREGULARES				
VERBOS CON DIPTONGO			*G* EN 1.ª PERSONA	
PODER o>ue	QUERER e>ie	PEDIR e>i	TENER g, e>ie	PONER g
(Yo) p**ue**do	qu**ie**ro	p**i**do	ten**g**o	pon**g**o
(Tú) p**ue**des	qu**ie**res	p**i**des	t**ie**nes	pones
(Él/ella/Ud.) p**ue**de	qu**ie**re	p**i**de	t**ie**ne	pone
(Nosotros/as) podemos	queremos	pedimos	tenemos	ponemos
(Vosotros/as) podéis	queréis	pedís	tenéis	ponéis
(Ellos/as/Uds.) p**ue**den	qu**ie**ren	p**i**den	t**ie**nen	ponen

verbos con la misma irregularidad:
contar: c**ue**nto, preferir: pref**ie**ro, cerrar: c**ie**rro, entender: ent**ie**ndo, vestir: v**i**sto, etc.

PRESENTE DE INDICATIVO DE VERBOS IRREGULARES			
	JUGAR U>UE	OÍR	CONOCER C>ZC
(Yo)	j**ue**go	o**i**go	cono**zc**o
(Tú)	j**ue**gas	o**y**es	conoces
(Él/ella/Ud.)	j**ue**ga	o**y**e	conoce
(Nosotros/as)	jugamos	oímos	conocemos
(Vosotros/as)	jugáis	oís	conocéis
(Ellos/as/Uds.)	j**ue**gan	o**y**en	conocen

El verbo *oír* tiene varias irregularidades.

Otros verbos con las mismas irregularidades
que *conocer*: conducir (c>zc).

U7, p. 84

VERBO *GUSTAR*		
A mí me gusta/n	} + sustantivo singular + infinitivo	*A mí me gusta el deporte.* *A mí me gusta leer.*
A ti te gusta/n		
A él/ella/usted le gusta/n		
A nosotros/as nos gusta/n		
A vosotros/as os gusta/n	+ sustantivo plural	*A mí me gustan las pelícu-las en 3D.*
A ellos/ellas/ustedes les gusta/n		

GUSTAR Y ENCANTAR

Me encanta   **+**
Me gusta mucho
Me gusta
No me gusta mucho
No me gusta   **−**
No me gusta nada

El verbo **encantar** se conjuga igual que *gustar* y significa *gustar mucho*.
¿A ti te gusta el chocolate? ¡A mí me encanta!

U6, p. 73

¡OJO!
* *Me encanta mucho* es incorrecto.

VERBO *DOLER*		
(A mí)	me	
(A ti)	te	
(A él/ella/Ud.)	le	du**e**le la garganta
(A nosotros/as)	nos	du**e**len los oídos
(A vosotros/as)	os	
(A ellos/as/Uds.)	les	

El verbo *doler* se conjuga como el
verbo *gustar*.

VERBOS *QUEDAR, PARECER, GUSTAR*

El verbo **quedar** se conjuga como el verbo **gustar** (con los pro-nombres *me, te, le, nos, os, les*): se utiliza para expresar opinión. Va acompañado de un adverbio: *bien, mal, regular*, etc.

- *¿Cómo me quedan estos vaqueros?*
- *Te quedan muy bien.*

El verbo **parecer** se conjuga como el verbo **gustar** (con los pronombres *me, te, le, nos, os, les*) cuando se utiliza para ex-presar opinión.

U11, p. 32

U8, p. 97

▶ Perífrasis verbales

ESTAR + GERUNDIO	
(Yo)	estoy
(Tú)	estás
(Él/ella/ Ud.)	está
(Nosotros/as)	estamos + gerundio
(Vosotros/as)	estáis
(Ellos/as/Uds.)	están

GERUNDIOS REGULARES	
-AR	-ER/-IR
-ando trabajando	-iendo aprendiendo escribiendo

ALGUNOS GERUNDIOS IRREGULARES	
leer	leyendo
dormir	durmiendo
ir	yendo
venir	viniendo
reír	riendo

Se usa para hablar de acciones que se realizan ahora mismo o con frecuencia en la actualidad.
Estoy leyendo un buen libro. Ahora, en verano, estoy comiendo menos.

U9, p. 108

El **presente simple** se utiliza con expresiones de tiempo como *siempre, en general, todos los días.*
***Estar** + gerundio* se utiliza con expresiones de tiempo como *ahora (mismo), hoy, en este momento.*

U9, p. 109

IR + A + INFINITIVO		
(Yo)	voy	
(Tú)	vas	
(Él/ella/Ud.)	va	
(Nosotros/as)	vamos	+ a + infinitivo
(Vosotros/as)	vais	
(Ellos/as/Uds.)	van	

Voy a trabajar en una biblioteca la semana próxima.

Se utiliza para expresar intenciones, hacer planes.

U10, p. 120

Ir a + infinitivo se utiliza con los siguientes marcadores temporales:

PRESENTE	FUTURO
Ahora Esta semana Este mes	Enseguida, dentro de poco Esta tarde, esta noche, luego, mañana La semana que viene, la semana próxima, dentro de una semana El mes que viene, el mes próximo, etc.

HAY QUE Y TENER QUE + INFINITIVO	
EXPRESAR LA OBLIGACIÓN	
De forma impersonal	**Hay + que** + infinitivo *Para estar en forma, hay que hacer ejercicio.*
De forma personal	**Tener + que** + infinitivo *Si quieres estar en forma, tienes que hacer ejercicio.*

U11, p. 133

PEDIR Y DAR PERMISO O PROHIBIR
Se puede + infinitivo – ¿Se puede pasar? – Sí, claro (que se puede).
No se puede + infinitivo No se puede pasar.

DAR UN CONSEJO
Deber + infinitivo *Debes dormir más, seis horas es poco.*

TENER + QUE + INFINITIVO		
(Yo)	tengo	
(Tú)	tienes	
(Él/ella/Ud.)	tiene	
(Nosotros/as)	tenemos + que + infinitivo	
(Vosotros/as)	tenéis	
(Ellos/as/Uds.)	tienen	

Se usa para expresar una **obligación personal**.
Todos los días tengo que ir a trabajar

U9, p. 108

▶ Verbos en imperativo

U7, p. 85

EL IMPERATIVO AFIRMATIVO

	LOS VERBOS REGULARES			ALGUNOS IRREGULARES		
	HABLAR	**BEBER**	**ABRIR**	**PONER**	**VENIR**	**HACER**
(Tú)	habla	bebe	abre	pon	ven	haz
(Usted)	hable	beba	abra	ponga	venga	haga
(Vosotros/as)	hablad	bebed	abrid	poned	venid	haced
(Ustedes)	hablen	beban	abran	pongan	vengan	hagan

Con *vosotros* la forma verbal es igual que el infinitivo, solo cambia la *r* por una *d*.
Habl**ar**   habl**ad**

▶ Verbos en pasado

PRETÉRITO PERFECTO COMPUESTO DE LOS VERBOS REGULARES

		COMPRAR	**COMER**	**VIVIR**
(Yo)	**he**	comprado	comido	vivido
(Tú)	**has**	comprado	comido	vivido
(Él/ella/ Ud.)	**ha**	comprado	comido	vivido
(Nosotros/as)	**hemos**	comprado	comido	vivido
(Vosotros/as)	**habéis**	comprado	comido	vivido
(Ellos/as/Uds.)	**han**	comprado	comido	vivido

Uso: expresa un acontecimiento pasado dentro de una unidad de tiempo no terminado.
Esta mañana he tomado un buen desayuno.

U12, p. 144

U12, p. 145

MARCADORES TEMPORALES

Hoy
Esta mañana
Esta tarde
Esta noche   he hecho la compra.
Esta semana   hemos estado de vacaciones.
Este mes
Este año

- ¿Has estado alguna vez en el Caribe?
- No, no he estado nunca.

- ¿Has contestado los correos electrónicos?
- Sí, los he contestado esta mañana.

MARCADORES TEMPORALES

El pretérito perfecto simple suele utilizarse con los siguientes marcadores temporales:

Ayer
La semana pasada
El mes pasado   estuve en Buenos Aires.
El año pasado
Hace dos años

U13, p. 156

PRETÉRITO PERFECTO SIMPLE DE LOS VERBOS REGULARES

	LLAMAR	**DEBER**	**RECIBIR**
(Yo)	llamé	debí	recibí
(Tú)	llamaste	debiste	recibiste
(Él/ella/Ud.)	llamó	debió	recibió
(Nosotros/as)	llamamos	debimos	recibimos
(Vosotros/as)	llamasteis	debisteis	recibisteis
(Ellos/as/Uds.)	llamaron	debieron	recibieron

PRETÉRITO PERFECTO SIMPLE DE ALGUNOS VERBOS IRREGULARES

	ESTAR	**IR / SER**	**VER**	**TENER**	**HACER**	**DAR**
(Yo)	estuve	fui	vi	tuve	hice	di
(Tú)	estuviste	fuiste	viste	tuviste	hiciste	diste
(Él/ella/Ud.)	estuvo	fue	vio	tuvo	hizo	dio
(Nosotros/as)	estuvimos	fuimos	vimos	tuvimos	hicimos	dimos
(Vosotros/as)	estuvisteis	fuisteis	visteis	tuvisteis	hicisteis	disteis
(Ellos/as/Uds.	estuvieron	fueron	vieron	tuvieron	hicieron	dieron

Uso: expresa una acción realizada y acabada en el pasado.
El año pasado viajé a Nueva York.

El pretérito perfecto simple del verbo *ser* tiene la misma forma que el verbo *ir*.

PRETÉRITO IMPERFECTO

	REGULARES			IRREGULARES	
	VIAJAR	**HACER**	**SALIR**	**SER**	**IR**
(Yo)	viajaba	hacía	salía	era	iba
(Tú)	viajabas	hacías	salías	eras	ibas
(Él/ella/Ud.)	viajaba	hacía	salía	era	iba
(Nosotros/as)	viajábamos	hacíamos	salíamos	éramos	íbamos
(Vosotros/as)	viajabais	hacíais	salíais	erais	ibais
(Ellos/as/Uds.)	viajaban	hacían	salían	eran	iban

Uso: se usa para describir algo o a alguien en el pasado y para hablar de acciones habituales en el pasado.
Cuando era niña, era muy tranquila y leía todos los días.

U14, p. 168

Los pronombres personales

PRONOMBRES PERSONALES DE COMPLEMENTO DIRECTO

	Singular	Plural
Masculino	**lo**	**los**
Femenino	**la**	**las**

Concuerdan en género y número con la palabra que sustituyen. Se colocan delante del verbo.

- *¿Compras el pan todos los días?*
- *Sí, **lo** compro todos los días.*

U8, p. 96

PRONOMBRES PERSONALES

SUJETO	COMPLEMENTO DIRECTO	REFLEXIVO
(Yo)	*me*	*me*
(Tú)	*te*	*te*
(Él/ella/Ud.)	*lo / la*	*se*
(Nosotros/as)	*nos*	*nos*
(Vosotros/as)	*os*	*os*
(Ellos/as/Uds.)	*los / las*	*se*

Los pronombres personales de complemento directo van delante del verbo conjugado.

- *¡Ya tengo un móvil nuevo!*
- *¿**Lo** tienes con Internet?*

Los pronombres personales de complemento directo van detrás del verbo en imperativo, infinitivo o gerundio.

- *Ven**te** y come el bocadillo.*
- *Sí, vale, voy a comer**lo**.*

- *¿Estás empezando el libro?*
- *No, estoy terminándo**lo**.*

¡OJO! Cuando hay dos verbos, se puede elegir entre dos posiciones:
Lo estoy terminando = Estoy terminándolo

U10, p. 121

PRONOMBRES DE OBJETO

	DIRECTO	INDIRECTO
(Yo)	*me*	*me*
(Tú)	*te*	*te*
(Él/ella/Ud.)	*lo / la*	*le / se*
(Nosotros/as)	*nos*	*nos*
(Vosotros/as)	*os*	*os*
(Ellos/as/Uds.)	*los / las*	*les / se*

U13, p. 157

Cuando hay dos pronombres, primero va el indirecto y luego el directo.

- *¿**Me** mandas **esta información** por correo electrónico?*
- *Sí, **te la** mando.*

Cuando el indirecto *le, les* va seguido del directo *lo, la, los, las*, el indirecto se cambia por **se**.

Le, les + lo, la, los, las = **se** + lo, la, los, las.

Luis mandó una postal a Susana. = Luis se la mandó.

Es habitual nombrar el complemento indirecto dos veces con un pronombre indirecto antes del directo, y con un pronombre o un sustantivo detrás del verbo y la preposición *a*:

Te lo di a ti. Se la envió a su mujer.

En general los pronombres van delante del verbo. Sin embargo, pueden ir detrás cuando el verbo va en infinitivo y en gerundio.

*¿Me lo vas a dar? / ¿Vas a dár**melo**?*

*Me lo estoy comiendo. / Estoy comiéndo**melo**.*

Cuando el verbo va en imperativo, los pronombres van siempre detrás.

*Déja**me** este bolígrafo.*

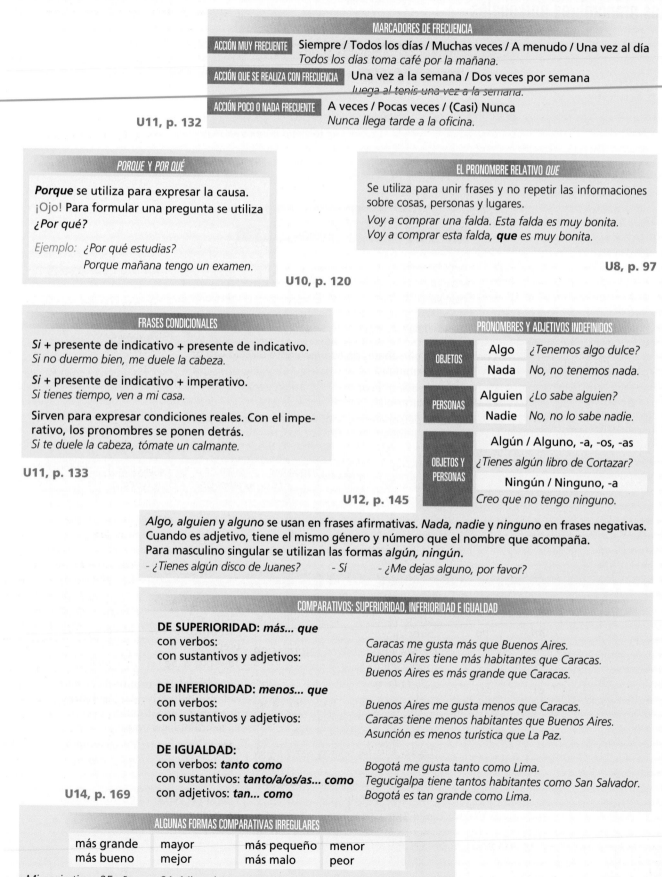

MARCADORES DE FRECUENCIA

ACCIÓN MUY FRECUENTE	Siempre / Todos los días / Muchas veces / A menudo / Una vez al día *Todos los días toma café por la mañana.*
ACCIÓN QUE SE REALIZA CON FRECUENCIA	Una vez a la semana / Dos veces por semana *Juega al tenis una vez a la semana.*
ACCIÓN POCO O NADA FRECUENTE	A veces / Pocas veces / (Casi) Nunca *Nunca llega tarde a la oficina.*

U11, p. 132

PORQUE Y POR QUÉ

Porque se utiliza para expresar la causa.
¡Ojo! Para formular una pregunta se utiliza
¿Por qué?

Ejemplo: *¿Por qué estudias?*
Porque mañana tengo un examen.

U10, p. 120

EL PRONOMBRE RELATIVO *QUE*

Se utiliza para unir frases y no repetir las informaciones sobre cosas, personas y lugares.

Voy a comprar una falda. Esta falda es muy bonita.
Voy a comprar esta falda, **que** *es muy bonita.*

U8, p. 97

FRASES CONDICIONALES

Si + presente de indicativo + presente de indicativo.
Si no duermo bien, me duele la cabeza.

Si + presente de indicativo + imperativo.
Si tienes tiempo, ven a mi casa.

Sirven para expresar condiciones reales. Con el imperativo, los pronombres se ponen detrás.
Si te duele la cabeza, tómate un calmante.

U11, p. 133

PRONOMBRES Y ADJETIVOS INDEFINIDOS

OBJETOS	Algo	*¿Tenemos algo dulce?*
	Nada	*No, no tenemos nada.*
PERSONAS	Alguien	*¿Lo sabe alguien?*
	Nadie	*No, no lo sabe nadie.*
OBJETOS Y PERSONAS	Algún / Alguno, -a, -os, -as	*¿Tienes algún libro de Cortazar?*
	Ningún / Ninguno, -a	*Creo que no tengo ninguno.*

U12, p. 145

Algo, alguien y *alguno* se usan en frases afirmativas. *Nada, nadie* y *ninguno* en frases negativas.
Cuando es adjetivo, tiene el mismo género y número que el nombre que acompaña.
Para masculino singular se utilizan las formas *algún, ningún*.
- *¿Tienes algún disco de Juanes?*   - *Sí*   - *¿Me dejas alguno, por favor?*

COMPARATIVOS: SUPERIORIDAD, INFERIORIDAD E IGUALDAD

DE SUPERIORIDAD: *más... que*
con verbos: *Caracas me gusta más que Buenos Aires.*
con sustantivos y adjetivos: *Buenos Aires tiene más habitantes que Caracas.*
                                 Buenos Aires es más grande que Caracas.

DE INFERIORIDAD: *menos... que*
con verbos: *Buenos Aires me gusta menos que Caracas.*
con sustantivos y adjetivos: *Caracas tiene menos habitantes que Buenos Aires.*
                                 Asunción es menos turística que La Paz.

DE IGUALDAD:
con verbos: *tanto como*   *Bogotá me gusta tanto como Lima.*
con sustantivos: *tanto/a/os/as... como*   *Tegucigalpa tiene tantos habitantes como San Salvador.*
con adjetivos: *tan... como*   *Bogotá es tan grande como Lima.*

U14, p. 169

ALGUNAS FORMAS COMPARATIVAS IRREGULARES

más grande	mayor	más pequeño	menor
más bueno	mejor	más malo	peor

Mi novio tiene 25 años, yo 21. Mi novio es mayor que yo. Yo soy menor que mi novio.

Unidad 1
Pista 1
¿Quién es?
Pista 2
Dos amigas
Pista 3
Soy veterinaria
Pista 4
El abecedario a.
Pista 5
El abecedario b.
Pista 6
En el veterinario
Pista 7
Los reconoces
Pista 8
Entonación
Pista 9
¿Quién es quién?

Unidad 2
Pista 10
Entre compañeros
Pista 11
En la academia de idiomas
Pista 12
«Pegando la oreja»
Pista 13
Números del 0 al 9
Pista 14
Los resultados deportivos
Pista 15
La sílaba acentuada
Pista 16
Una visita sorpresa

Unidad 3
Pista 17
Cita a ciegas
Pista 18
En una palabra, es...
Pista 19
Del 10 al 20
Pista 20
De veinte a cien
Pista 21
¿Cuántos años tienes?
Pista 22
¿Dónde está el acento?
Pista 23
Sonia y sus hermanos

Unidad 4
Pista 24
¿Cómo es la casa?
Pista 25
Laura llama a sus amigos
Pista 26
¿Cómo se pronuncia?
Pista 27
¿Dónde los pongo?

Unidad 5
Pista 28
¿Cómo llego a tu casa?
Pista 29
¿Hay muchas tiendas?
Pista 30
¿A qué hora quedamos?
Pista 31
De cien a un millón b.
Pista 32
Escribe la tilde
Pista 33
Visitamos El Escorial

Unidad 6
Pista 34
Un día en la vida de Inés
Pista 35
¿Cuándo quedamos?
Pista 36
Mi deporte favorito
Pista 37
Erre que erre 1.
Pista 38
Erre que erre 2.
Pista 39
Erre que erre 3.
Pista 40
Erre que erre 4.
Pista 41
Erre que erre 5.

Unidad 7
Pista 42
¿Dónde compran?
Pista 43
En el puesto de frutas y verduras
Pista 44
En casa de Clara
Pista 45
Jorge come en un restaurante

Pista 46
¡A pronunciar!
Pista 47
Elige
Pista 48
Acerca de la comida

Unidad 8
Pista 49
De compras
Pista 50
Eduardo se compra un traje
Pista 51
¡A pronunciar!
Pista 52
Elige
Pista 53
Marta compra ropa por Internet

Unidad 9
Pista 54
¿Vienes a comer a mi casa?
Pista 55
Recuerdos del verano
Pista 56
El sonido /k/
Pista 57
La ortografía correcta a.
Pista 58
La ortografía correcta b.
Pista 59
Una tarde de sábado

Unidad 10
Pista 60
Juan y sus amigos
Pista 61
Repartirse las tareas
Pista 62
Inés tiene una propuesta
Pista 63
Algo va mal
Pista 64
¿Quién llama?
Pista 65
La eñe siempre en medio
Pista 66
Distinción ñ - n
Pista 67
Reconoce la ñ
Pista 68
En la agencia de viajes

Unidad 11
Pista 69
¿Qué me pasa, doctora?
Pista 70
Hábitos saludables
Pista 71
En la recepción del hospital
Pista 72
Ortografía
Pista 73
Carlos va al médico

Unidad 12
Pista 74
Noticias radiofónicas
Pista 75
¿Ponen algo interesante en la tele?
Pista 76
Puntuación
Pista 77
Llamadas del oyente

Unidad 13
Pista 78
Problemas en la oficina
Pista 79
¿Qué hicieron?
Pista 80
Tilde
Pista 81
Acentuación
Pista 82
Analizas los errores

Unidad 14
Pista 83
Conversaciones en el aeropuerto
Pista 84
¿Qué tiempo hace hoy?
Pista 85
El bingo de las palabras
Pista 86
Sonido /g/ con vocales
Pista 87
¿Cuál es?
Pista 88
Me voy a Madrid

Primera edición: 2014

Autores: Fernando Marín, Reyes Morales.
Dirección y coordinación editorial: Departamento de Edición de Edelsa.
Diseño de cubierta: Departamento de Imagen de Edelsa.
Diseño y maquetación de interior: Dolors Albareda.
Ilustraciones: Bernardo Marcos Rocafort.

Imprime: Egedsa.

ISBN: 978-84-7711-796-4
Depósito Legal: M-588-2014

Impreso en España / *Printed in Spain*

Fuentes y créditos:
Fotografías: Photos.com y Shutterstock.com

CD audio: Locuciones y Montaje Sonoro ALTA FRECUENCIA MADRID 915195277 altafrecuencia.com
Voces de la locución: Juani Femenía, Arantxa Franco, José Antonio Páramo y Jaime Moreno.